# La machine et le chômage

## Œuvres d'Alfred Sauvy

Environ 40 ouvrages ; parmi les plus récents ou les plus importants :

*La Montée des jeunes,* Calmann-Lévy, 1959.

*Théorie générale de la population :* vol. I : « Économie et Croissance », 1963 ; vol. II : « La Vie des populations », 1960, P.U.F.

*Histoire économique de la France entre les deux guerres.* Fayard (vol. I, 1965 ; vol. II, 1967 ; vol. III, 1972 ; vol. IV, 1975).

*Mythologie de notre temps.* Payot, 1965 et 1971.

*Les Quatre Roues de la Fortune.* Flammarion, 1968.

*Le Socialisme en liberté.* Denoël, 1970 et 1974.

*La Révolte des jeunes.* Calmann-Lévy, 1970.

*De Paul Reynaud à Charles de Gaulle.* Castermann, 1972.

*Croissance zéro ?* Calmann-Lévy, 1973.

*Vers l'égalité devant l'enseignement* (en collaboration). Fondation européenne de la Culture, 1974.

*La Fin des riches.* Calmann-Lévy, 1975.

*L'Économie du diable.* Calmann-Lévy, 1976, nouvelle édition mise à jour, « Pluriel ».

*Éléments de démographie.* P.U.F., 1977.

*Le Coût et la Valeur de la vie humaine.* Hermann.

*Histoire économique de la guerre 1939-1945.*

*La Tragédie du pouvoir.* Calmann-Lévy, 1978, nouvelle édition mise à jour, « Pluriel ».

*Humour et Politique.* Calmann-Lévy.

Collection *Pluriel*
dirigée par Georges Liébert

# La machine et le chômage
## Le progrès technique et l'emploi

Alfred SAUVY
*Professeur honoraire au Collège de France*

*avec le concours de*
Anita HIRSCH

*Préface de* Wassily LEONTIEF
*Prix Nobel d'économie*

DUNOD

Né le 31 octobre 1898, à Villeneuve-de-la-Raho, dans les Pyrénées-Orientales, Alfred Sauvy est reçu à l'École Polytechnique en 1920 et au concours de statisticien en 1922. Statisticien à la Statistique générale de 1922 à 1937, puis directeur de l'Institut de Conjoncture de 1937 à 1945, il est chargé des questions économiques au Cabinet de Paul Reynaud en 1938-1939, avant d'être nommé secrétaire général adjoint du Comité des programmes et des achats alliés, présidé par Jean Monnet. Nommé par le général de Gaulle secrétaire général à la Famille et à la Population en avril 1945, il est appelé, la même année, à la direction de l'Institut National d'Études Démographiques, responsabilité qu'il assumera jusqu'en 1962, avec la rédaction en chef de la revue *Population* (jusqu'en 1975). Nommé représentant de la France aux Nations Unies à la Commission de la Population en 1947, il préside cette commission de 1951 à 1953. Membre du Conseil Économique et Social de 1947 à 1974, il y préside la Commission de Conjoncture et du Plan de 1952 à 1970. Professeur à l'Institut des Études Politiques (1940-1958), directeur de l'Institut de Démographie de l'Université de Paris (1957-1961), Alfred Sauvy a enseigné au Collège de France de 1959 à 1969 où il était titulaire de la chaire : La vie des populations.

# Sommaire

## Troisième partie
### *OBSTACLES DIVERS ET POLITIQUE DE L'EMPLOI*

# Préface

par Wassily Leontief

*Lorsque Diderot et ses amis conçurent l'idée hardie de publier une description systématique et mise à jour de l'état de leur société, ainsi qu'une somme de toutes les connaissances accumulées par elle, ils décidèrent de consacrer une partie importante de l'Encyclopédie à décrire en détail et avec force illustrations, les techniques employées à l'époque, dans les diverses branches de l'agriculture et de l'industrie. Quelques années après, la constitution de la nouvelle République d'Amérique du Nord prévoyait l'organisation d'un recensement fédéral. Dans ces volumes, publiés tous les dix ans, les tableaux statistiques qui décrivaient la structure de la population et l'état de l'industrie et du commerce, dans les différents Etats et territoires, étaient complétés par la description détaillée des procédés techniques utilisés dans les nouvelles mines et usines.*

*Dans ses débuts, la société industrielle comprenait donc que la croissance de sa prospérité matérielle allait de pair avec le renouvellement continu des techniques. Au cours du temps, le progrès de celles-ci se trouva de plus en plus lié à ceux de la connaissance scientifique. En outre, tous les aspects de l'existence humaine, y compris la santé, l'instruction, le bien-être et enfin la science pure et même les arts ont été entraînés dans le flot montant du progrès technique.*

*L'introduction de nouvelles techniques, tout en permettant de résoudre de vieux problèmes, tend bien souvent à en créer de nou-*

*veaux. Le besoin, toujours plus grand, d'énergie nous fait affronter la menace d'épuisement de ressources qui ne se renouvellent pas. La baisse rapide de la mortalité des enfants, conséquence du progrès de la médecine et de l'hygiène a provoqué, dans les pays pauvres et peu développés, une croissance trop forte de la population.*

*Dans de nombreux cas, les problèmes créés par une vague de progrès techniques ne trouvent leur solution que dans d'autres progrès. L'adoption de meilleurs soins aux enfants a entraîné celle de méthodes plus efficaces de limitation des naissances. Les difficultés que pose l'équipement des réserves de pétrole sont en passe d'être partiellement conjurées par le recours à l'énergie nucléaire. Elles pourraient bien disparaître, lorsque nous saurons vraiment capter l'énergie solaire et en tirer parti.*

*Non moins importantes, ou peut-être plus importantes encore, sont les répercussions indirectes du progrès technique sur la société et sur l'économie, mais elles sont plus difficiles à discerner que les conséquences directes. Quand les institutions existantes ne suffisent plus à faire face à l'évolution des exigences fonctionnelles qu'impose le progrès de la technique, le système entier, tel un moteur mal réglé, commence à craquer et à perdre de l'énergie. Personne n'oserait affirmer que les manufactures du Moyen Age auraient pu fonctionner efficacement, dans la société tribale qui convenait à des chasseurs ou que, sous le régime des corporations médiévales, les usines du XIX^e siècle auraient pu prospérer.*

*Mais, lorsqu'il s'agit de comprendre les relations qui existent entre les techniques nouvelles à base d'automatisme et les institutions économiques et sociales héritées du passé, commencent les désaccords et les difficultés. La persistance du chômage, combinée à celle de l'inflation, est le signe le plus évident du mauvais fonctionnement de l'économie dans les pays avancés de l'Occident. Peut-on y porter remède par un dosage savant de mesures monétaires et fiscales, ou faut-il envisager des réformes de structure beaucoup plus profondes ?*

*L'expérience des vingt dernières années, tant dans l'Europe de l'Ouest qu'aux États-Unis, a quelque peu diminué la confiance dans l'efficacité de la première solution. Avant de nous engager dans la réforme des institutions, il importe cependant de mieux comprendre les changements qu'ont subis les relations entre emploi, investissements et distribution des revenus, du fait des progrès récents de la technique. On doit se demander, en outre, comment ces relations seront affectées par les transformations de structure plus importantes encore auxquelles on peut s'attendre.*

*C'est là le sujet de ce livre. Alfred Sauvy le traite avec un ensemble peu commun de compétence technique, de sens de l'Histoire, et de bon sens, que ses collègues les plus spécialisés et le public en général ont appris à attendre de lui. Les vues exposées sur le « déversement » et sur le « circuit de travail » ouvrent en particulier, nous l'espérons, une nouvelle voie dans la recherche si délicate de la croissance et de l'emploi.*

W. L.

# Présentation

Les échecs répétés des politiques de l'emploi, en de nombreux pays industriels et les innovations présentes et attendues de l'informatique télématique ont remis dans l'actualité une question vieille de plus de deux siècles : *l'influence du progrès technique sur l'emploi.*

Aucune question économique ne présente de contraste aussi frappant, ni des paradoxes aussi troublants. En schématisant à l'extrême :
– *l'opinion* quasi unanime, de tout temps et en tous lieux, a accusé la machine (et plus généralement le progrès technique) de créer du chômage, en supprimant des emplois ;
– *l'observation des faits,* dans les pays industriels, montre qu'il y a beaucoup plus d'emplois qu'avant la machine, beaucoup plus d'emplois aussi que dans les pays sans machines ;
– *la science économique contemporaine* évite la question, en la noyant dans le processus de la croissance.

*Condamnations répétées et absolution de fait*

Dès l'avènement de la machine, qui a d'ailleurs coïncidé à peu près avec la naissance de la science économique, les économistes ont été saisis de la question. Mais leurs réponses, imparfaites, ont été inspirées par le souci de défendre ou de condamner le régime.

Non seulement des lacunes étonnantes ont persisté, notamment sur le circuit de travail, mais, depuis « la révolution keynésienne », la science a reculé sur ce sujet.

Une défaillance des scientifiques sur un sujet n'a jamais empêché les profanes d'avoir des idées sur lui. Bien au contraire, le respect relatif devant la science n'étant plus de rigueur, les idées fusent en toutes directions. Dans le cas présent, elles présentent une convergence assez rare : *l'opinion de tous bords considère, le plus souvent, comme une évidence, comme un simple « spectacle »*, *l'élimination des hommes par la machine*. Tout progrès de productivité subit ce jugement, mais quand il est obtenu grâce à une machine, celle-ci exerce un effet supplémentaire de « sorcellerie » ; classique est l'image du robot, mi-plaisant, mi-terrifiant et de l'économie pousse-bouton.

Dès lors que la machine est, de ce point de vue, condamnée par le tribunal « populaire », nous pourrions nous demander comment cette maudite a pu poursuivre son chemin, sans être elle-même éliminée. C'est que la condamnation générale n'a que bien rarement été suivie d'effet jusqu'ici et toujours de façon temporaire. Une certaine résignation se traduit par la formule banale, plus que centenaire : « On n'arrête pas le progrès ». Les syndicats parviennent souvent à retarder ou freiner un changement qu'ils jugent contraire aux intérêts des travailleurs, mais leur action est toujours localisée et temporaire. Elle ne s'exerce guère d'ailleurs qu'en faveur de travailleurs éliminés par le progrès réalisé dans leur branche, alors que l'expulsion se fait souvent, au contraire, dans des branches retardataires.

*Que faut-il entendre par progrès technique [1] ?*

Du point de vue le plus général, il s'agit pour les hommes :
– *d'accroître le fruit de leurs activités économiques*, c'est-à-dire la production de biens et de services ;
– *de diminuer la peine fournie* pour avoir ce résultat.

S'il n'y avait qu'un seul produit, par exemple le blé, et une seule catégorie de travailleurs, il suffirait d'examiner le rapport :

$$\frac{\text{Quantité produite}}{\text{Nombre d'heures de travail}}$$

1. Le lecteur consultera avec fruit l'ouvrage maître de A. L. Vincent : *La Mesure de la productivité*, Paris, Dunod, 1968.

Toute augmentation de la fraction serait alors le fait d'un progrès technique. Mais, s'il y a plusieurs produits ou plusieurs tâches et diverses catégories de travailleurs, il faut introduire une pondération, ce qui conduit à l'expression :

$$\frac{\text{Ensemble des quantités produites}}{\text{Quantité de travail}}$$

L'arbitraire apparaît sur les deux termes de la fraction.

Déjà, le cas le plus simple d'un homme seul, travaillant pour lui-même (cultivateur, pêcheur, par exemple, vivant en auto-production et auto-consommation) soulève des difficultés. Dès que s'introduisent les relations sociales et les échanges, la complexité rend plus délicate encore une définition acceptable.

La « quantité de travail » nécessaire à l'obtention d'un produit déterminé est en partie directe et en partie indirecte. Toute économie de travail dans la fabrication des matières mises en œuvre ou dans la production du capital matériel utilisé, réduit, pour ce produit, le dénominateur « quantité de travail ».

Pour surmonter ces difficultés, le moyen le plus commode et le plus employé jusqu'ici consiste :
– à adopter par convention une unité commune,
– à fractionner l'économie en morceaux autonomes, se prêtant mieux à l'examen, ce qui nous conduit à *l'entreprise.*

Même les régimes les plus collectivistes ont été obligés de recourir à ce fractionnement.

### *Le progrès technique dans le cadre de l'entreprise*

Dans le régime capitaliste classique et même dans un régime socialiste où l'entreprise dispose d'une comptabilité propre et d'une autonomie suffisante, le progrès technique se mesure et se décide dans le cadre de ce morceau d'économie qu'est l'entreprise. Il s'agit, pour elle, d'obtenir le meilleur résultat possible, avec le moins possible de moyens. Les difficultés évoquées plus haut, qui se posent à ce sujet, sont surmontées en traduisant tout en unités monétaires. Le chef d'entreprise cherche à maximer son profit, de sorte que le compte est proprement financier.

Ainsi défini et décidé, le progrès technique ne comporte pas nécessairement l'acquisition d'un matériel nouveau, plus efficace ou plus économe en personnel. Il peut être obtenu par une meilleure utilisation des moyens de production disponibles, par une formation de personnel, etc. Il est spéculatif, prévisionnel.

Le chef d'entreprise qui décide un changement met en balance un présent assez bien connu et mesuré et un futur, plus incertain, ne serait-ce que pour la durée des machines nouvelles. Il s'agit donc d'une vue subjective et en style courant, d'un « pari ».

L'essentiel ici est de savoir que, dans le passé et dans le présent, de nombreux chefs d'entreprise ont décidé et décident des changements, en vue d'un profit plus élevé. Il ne s'agit pas seulement d'entreprises privées. Si l'entreprise nationale est gérée de façon indépendante et doit assurer sa propre rentabilité, les considérations précédentes subsistent.

Dès qu'on essaie de préciser davantage la définition du progrès technique, les difficultés se multiplient. Il faut se garder de pousser trop loin sur des cas marginaux ; multiplier les arguties, risque de compromettre l'étude générale.

### Le progrès technique dans le cadre national

Un progrès technique réalisé dans l'entreprise est-il toujours avantageux pour la nation ? Les classiques l'ont admis pendant longtemps, mais la réponse est parfois négative.

Le progrès technique réalisé par une entreprise déclenche, en effet, dans l'économie, une série de perturbations : emploi, balance des paiements, répartition des hommes sur le territoire, environnement, etc., qui peuvent s'avérer défavorables à la nation et qui n'entrent pas dans le calcul de l'entreprise.

Nous pourrions, en première idée, transposer la définition précédente et assimiler l'économie nationale entière à une entreprise. Nous sommes alors tentés de penser qu'il y a progrès technique, lorsque la même production nationale nette (compte tenu du commerce extérieur) est obtenue avec des moyens moins importants ou bien qu'avec les moyens antérieurs, la production nette est augmentée.

Nous pouvons aussi comparer deux pays à des stades différents de développement ou bien un même pays, à des dates suffisamment éloignées.

Ces calculs et comparaisons supposent, bien entendu, des conventions pour traduire les produits et services en unités monétaires. Mais, comme il n'est pas possible, dans la plupart des cas, de juger et d'isoler l'ensemble des perturbations causées par un progrès déterminé, on en est réduit, le plus souvent, à constater des résultats globaux, pour l'ensemble de l'économie. L'expression *progrès économique* convient alors mieux que *progrès technique*.

Un progrès économique peut d'ailleurs résulter d'autres sources que la technique des entreprises : baisse de prix des produits importés (ce fut le cas du pétrole de 1960 à 1973), progrès de l'enseignement, etc.

### *Le cadre mondial*

Longtemps considéré comme hors d'atteinte, la question du progrès technique dans le cadre mondial peut être présentée de deux façons différentes :
– *comptabilité mondiale par simples additions.* Nous pouvons par exemple, nous proposer de mesurer à deux époques différentes, et à prix constants, bien entendu, la production mondiale, en produits et services, et le nombre d'heures travaillées. Bien des précautions doivent être prises, notamment pour transformer les quantités produites en unités monétaires ou, plus généralement, pour les convertir en une unité commune, mais le calcul n'est pas impossible. À notre connaissance, il n'a pas encore été tenté ;
– *prise en considération de l'amortissement et de la dégradation de la nature.* Même dans le cadre national, les dommages résultant de l'érosion ou de dégradations dues à l'activité humaine n'ont pas été jusqu'ici inclus dans les comptes. Depuis quelques années, les hommes ont pris conscience du risque d'épuisement ou de dégradation des ressources naturelles et se sont aperçus qu'ils endommageaient souvent le capital, sans le faire entrer dans leurs comptes. Des efforts ont été entrepris, dans le cadre national, pour mieux compter et s'efforcer de préserver ; dans le cadre mondial, l'observation se borne trop souvent à supputer les réserves naturelles, par exemple, en pétrole et à chercher de nouvelles sources de richesses.

### *La question posée*

Devant ces multiples difficultés, *nous devons nous garder, répétons-le, de la recherche de définitions rigoureuses.* Un grand nombre de transformations subies par la société sont suffisamment claires à l'esprit pour nous poser des problèmes économiques et sociaux.

Notre attention doit d'ailleurs se porter sur *l'emploi*, ce qui nous oblige à nous placer, au départ, dans le cadre national. La question peut alors être posée ainsi :

*Quelle influence ont, sur le nombre des emplois dans la nation, les décisions inspirées par des découvertes techniques et prises le plus souvent dans le souci d'améliorer le rendement financier d'une fraction de l'économie ?*

## Plan de l'ouvrage

Il comprend trois parties :
1. *Historique.*
2. *Idées contemporaines et analyse du mécanisme d'augmentation du nombre des emplois.*
3. *Difficultés actuelles et moyens de les surmonter.*

## Méthode suivie

Après avoir poussé aussi loin que possible l'analyse, si lacunaire jusqu'ici, et pénétré ainsi, plus profondément, le mécanisme, en essayant le plus possible de faire entrer dans les calculs, les hommes (circuits de travail) nous avons obtenu des résultats en partie nouveaux : dès lors, s'est posée la question, si délicate, de présenter les résultats.

Le modèle général, qui expliquerait tout le mécanisme dans le passé et le présent, est hors d'atteinte. Il serait plus complexe encore que le fameux modèle général des prix, cet Ophir insaisissable, que cherchent tant d'économistes, occidentaux et socialistes.

Du reste, depuis l'extension de l'informatique et les redoutables problèmes qu'elle pose, dans une économie si inexperte, en matière d'emploi, la question ne peut plus se confiner dans le domaine et le langage des économistes. En nous excusant auprès d'eux de ce qui leur semblera parfois des impropriétés de termes, nous avons suivi deux principes :
– *limiter le plus possible la modélisation et le langage mathématiques,* qui non seulement ne sont pas compris de tous, mais font

trop souvent perdre de vue des facteurs importants, tels que le facteur humain ;
– *employer des termes accessibles à une grande partie de l'opinion* (chefs d'entreprise, cadres, syndicalistes, journalistes, hommes politiques, etc.).

## Appel à de nouvelles recherches

Étant donné l'indigence et le simplisme de la pensée en matière d'emploi, de simples pénétrations peuvent, non seulement ouvrir des champs fertiles de recherches, mais fournir, dès maintenant, des moyens de mieux diriger notre économie, en conciliant les deux objectifs : augmentation de la production de richesses et utilisation de tous les hommes, de toutes les forces de travail. Ainsi, nous formulons l'espoir de voir d'autres chercheurs utiliser les assises de la construction commencée.

*Première partie*

# HISTORIQUE

# I

# D'Aristote
# à la Révolution française

L'histoire de la machine est jalonnée de malédictions ; même ceux qui en vantent les mérites ne peuvent chasser les craintes à l'égard des travailleurs éliminés par elle. Quelques hommes ont certes réfléchi à contre-courant et ont essayé de forcer la connaissance des choses. Parcourons le temps par grandes étapes, pour suivre moins le cheminement de la technique que les attitudes à l'égard de la machine, économe de travail.

## L'Antiquité

Dans le *Gorgias*, Platon se borne à souligner le mépris du philosophe à l'égard de l'ingénieur.

Dans sa *Politique*, Aristote s'est exprimé ainsi [1] :

Si chaque outil pouvait exécuter sur sommation, ou de lui-même, la tâche qui lui est propre, l'architecte n'aurait plus besoin de manœuvres, ni le maître d'esclaves.

Et plus loin :

Si un outil pouvait pressentir l'ordre de l'artisan et l'exécuter, si la navette courait d'elle-même sur la trame, l'industrie n'aurait plus besoin d'ouvriers.

Cette singulière prescience n'est accompagnée d'aucun ju-

1. Livre I, chapitre II.

gement sur le sort des ouvriers éliminés ; l'optique est celle des hommes du dessus.

Au IIIe siècle de notre ère, comme Dioclétien construisait un temple, un ingénieur lui proposa une machine (des treuils et des poulies sans doute) capable de soulever et de dresser les colonnes, travail qui exigeait de nombreux travailleurs. L'empereur a refusé, répondant à l'ingénieur : « Laisse-moi nourrir le petit peuple. »

Dans cette réponse, nous trouvons ramassées, l'opinion traditionnelle et contemporaine, ainsi que, combien plus discrète, l'objection possible : non seulement l'adoption de la machine n'aurait en rien diminué la quantité de grains existant dans l'Empire (donc la possibilité de nourrir les hommes éliminés), mais, en libérant des bras, elle aurait permis d'augmenter cette quantité. Seulement, cette solution supposait de délicats transferts.

Peut-être aussi l'abondance des esclaves jouait-elle, dans l'esprit de Dioclétien, comme chez ses contemporains, un effet de dissuasion. Avant lui, du reste, Septime Sévère s'était exprimé dans le même sens.

Pourquoi, s'est-on demandé [1], les Romains n'ont-ils pas poussé vers l'industrie ? Le charbon d'Angleterre n'a été exploité, pendant l'occupation romaine, que marginalement. Autour de la Méditerranée travaillaient deux grands serviteurs, l'esclave et le soleil. Les notions familières de production et de productivité n'étaient guère présentes aux esprits.

*Le « Moyen Âge »*

Après l'effondrement de l'Empire romain, la question a longtemps perdu de son importance ; non que la technique soit restée invariable, mais ses progrès ne soulevaient guère d'objections concernant des travailleurs éliminés. L'invention du collier, par exemple, au XIIe siècle, a augmenté la force utile du cheval, donc la quantité de nourriture produite, sans éliminer de travailleurs, du moins de façon apparente. Moins dommageables encore étaient l'invention du gouvernail et celle de la boussole. La découverte de l'imprimerie a cependant soule-

1. Voir notamment John U. Nef : *La naissance de la civilisation industrielle et le monde contemporain*, Paris, A. Colin, 1954.

vé quelques objections par la suppression des copistes qui en résultait.

Il faut, par contre, rappeler *Les Moutons meurtriers* de Th. More [1] :

C'est assez d'un berger ou d'un vacher pour faire paître les bêtes dans cette même terre, qui, auparavant, demandait plusieurs mains pour être cultivée et ensemencée.

Il ne s'agit pas, il est vrai, d'un progrès technique, mais d'un *court circuit éliminateur,* dont nous verrons des exemples contemporains. Les hommes sont bien remplacés ici par des animaux, mais ils le sont par la voie de la consommation et non de la production.

## Le XVIIe siècle

C'est vers la fin du XVIe siècle, (d'autres disent 1604 ou en 1626) que se place la première machine multiplicatrice ; c'est à Dantzig, sans doute, qu'est apparu le premier métier mécanique : douze navettes mues par un seul homme, remplaçant plusieurs enfants.

Au XVIIe siècle, l'idée du remplacement des hommes par la machine commence à être sérieusement dénoncée, en dehors même des ouvriers. Le R.P. de Margaillans donne, en modèle, (1678), l'habitude chinoise d'accomplir « toutes sortes d'ouvrages mécaniques, avec beaucoup moins d'instruments que nous ».

À l'inverse, vers la même époque, W. Petty, tout en parlant du « capital », qui, « à vrai dire, économise tant de travail », émet un jugement pleinement optimiste sur le résultat final.

Les machines remplacent d'une façon plus morale, les effets bienfaisants de la polygamie, car, comme celle-ci, elles augmentent le nombre des habitants [2].

Laissons de côté la polygamie, peu féconde, quoi qu'en pensât Petty, et enregistrons son témoignage, si simpliste qu'il soit. Quoi qu'il en soit, les manufactures se multiplient en divers

---

1. *L'Utopie,* Livre I.
2. *Arithmétique politique,* 1976, chapitre VIII.

pays, notamment en France, sous l'impulsion de Colbert. Si favorable qu'il fût à ces activités, le célèbre organisateur a répondu, quelque peu comme Dioclétien, à un inventeur qui lui offrait une machine, propre, selon Villeneuve-Bargemont [1], à faire le travail de dix hommes :

> Je cherche le moyen d'occuper le peuple suivant ses facultés, afin de le faire vivre doucement de son travail et non celui de ravir au peuple le peu d'occupation qu'il possède. Portez votre invention ailleurs. Elle peut convenir dans les pays où les bras manquent ; elle ne convient nullement dans celui où les bras abondent et où il s'en faut de beaucoup qu'ils soient utilement employés.

L'attitude de l'employeur et surtout du pouvoir politique, en cette époque peu libérale, est, d'ailleurs, plus soucieuse des répercussions de la machine sur les ouvriers qu'elle le sera au temps du darwinisme économique et de la concurrence.

Les révoltes contre la machine ne sont d'ailleurs pas seulement le fait des ouvriers, elles sont souvent appuyées par le pouvoir local.

## Révoltes et oppositions

La méfiance à l'égard des machines s'est traduite, en France, jusqu'en 1684, par une interdiction « parce qu'on craignait que son emploi ne privât de travail un grand nombre de gens [2] ». Les émeutes se sont surtout produites dans d'autres pays.

Les révoltes et émeutes contre les machines [3] ne résultaient pas seulement de l'élimination de travailleurs, mais aussi d'une crainte à l'égard du surnaturel, presque diabolique.

La première opposition à la machine semble s'être produite à Leyde en 1604, ou même à la fin du XVIᵉ siècle, de la part des marchands et des ouvriers. Il s'agissait du métier présenté à Dantzig, quelques mois plus tôt. Même opposition dans les villes à charte, mais plus faible à Manchester.

Une autre révolte, toujours à Leyde, s'est produite en 1626 contre un métier multiplicateur, peut-être le même. C'est l'an-

---

1. *Économie politique chrétienne*, 1834, tome I.
2. Paroles de l'intendant de Bourges, citées par Levasseur.
3. Certaines données ci-dessous ont été tirées de la thèse de M. Marcel Gras : *Du machinisme et de ses conséquences économiques et sociales*, Paris, 1911.

cêtre d'une longue série. D'ailleurs, pour éviter l'élimination des ouvriers et leur chute dans la mendicité, les édiles municipaux ont fait plus que Dioclétien : ils ont supprimé non seulement l'invention, mais l'inventeur, en le noyant en secret.

Trois ans plus tard, cette même machine, ou une autre issue de la première, introduite elle aussi à Leyde, y suscite de violents troubles et des interdictions. Ce n'est qu'en 1661 que son usage, du reste réglementé, a été autorisé. Nouveaux troubles, un peu plus tard, à Cologne, Hambourg et en Angleterre.

D'autres machines que les textiles ont subi également de cruelles infortunes, notamment la *scierie à vent,* construite dans les environs de Londres, *les soufflets en bois,* au lieu de cuir, et plus encore le premier *bateau à vapeur* de Denis Papin, lancé sur la Fulda et détruit par les bateliers en colère, en 1707.

D'ailleurs, faute de précédents, l'élimination des ouvriers paraissait, à cette époque, définitive et sans appel.

## Le XVIII<sup>e</sup> siècle

Du fait de la révocation de l'Édit de Nantes, qui a chassé les esprits les plus tournés vers le progrès, les inventeurs de machines, au cours de ce siècle, sont rarement français, mais celles-ci se répandent en France comme ailleurs.

C'est surtout à cette époque, que, logiquement, les hommes s'intéressent à l'influence de la machine sur l'emploi.

Cependant, dans sa célèbre *Théorie et Pratique du commerce et de la marine,* (1724, puis 1742) don Geronymo de Ustaritz, premier économiste espagnol de son temps, plaide, sans réserve, en faveur des manufactures, sans retenir l'objection des travailleurs éliminés. Il est vrai que l'Espagne dépeuplée est à la recherche d'hommes.

Revenons en France et pénétrons un peu plus avant : En avant-garde, en quelque sorte, deux hommes, J.-F. Melon et l'abbé Duguet, attaquent la question avec une optique différente, un esprit différent, ce qui les conduit à des réponses opposées, pleines d'enseignement.

Néo-mercantiliste pénétrant, en avance sur son temps et précurseur des physiocrates, Melon, dont les services ont été appréciés des plus hautes autorités du régime, pose clairement la question du progrès technique et lui donne une réponse optimiste.

Ce progrès de l'industrie n'a point de bornes ; il est à présumer qu'il augmentera toujours et que, toujours, il présentera des besoins nouveaux, sur lesquels une industrie nouvelle pourra s'exercer [1].

Il s'explique un peu plus loin :

Il a été proposé de procurer, à une capitale, de l'eau abondamment, par des machines faciles et peu coûteuses. Croirait-on que la principale objection, qui, peut-être en a empêché l'exécution, a été la demande « Que deviendront les porteurs d'eau ? » Nous savons aussi qu'il y a eu des oppositions à la construction de divers canaux... Que deviendront les voituriers ?

Les ouvriers dont l'industrie consiste plus dans la force que dans l'adresse trouveront toujours à s'employer. Les porteurs d'eau et les voituriers porteront d'autres marchandises, feront des tirages dans les rivières, laboureront, etc.

D'ailleurs, on ne manquera jamais de quais et de grands chemins à réparer.

Cette position de Melon s'affirme d'ailleurs, lorsqu'il fait profession d'esclavagisme (les domestiques seront ainsi protégés) et, surtout lorsqu'il se prononce nettement en faveur du luxe.

Peu après, en 1739, dans son édifiant *Institution d'un prince* [2], traité de morale politique à l'intention du dauphin, l'abbé J.-J. Duguet conclut à l'opposé :

Il (le prince) doit s'opposer à toutes les inventions qui font qu'un seul homme tient lieu de plusieurs et qui leur ôtent, par conséquent, le moyen de travailler et de vivre... Il peut louer, et récompenser même, ceux qui font de nouvelles découvertes dans les mécaniques ; mais, si elles portent préjudice aux pauvres, il doit se contenter de rendre justice à l'esprit de l'inventeur et défendre sévèrement ce qui ne servirait qu'à multiplier les indigents et les paresseux.

L'opposition entre Melon, le réaliste et Duguet, le bien-pensant, dessine parfaitement le conflit permanent que nous retrouverons souvent dans cet ouvrage, entre la « morale » et l'efficacité.

---

1. *Essai politique sur le commerce,* 1734, édition 1750, p. 114.
2. *Institution d'un prince* ou *Traité des qualités des vertus et des devoirs d'un souverain, soit par rapport au gouvernement temporel de ces états ou comme chef d'une société chrétienne qui est nécessairement liée avec la religion,* Londres, 1739.

Inspiré par la prudence traditionnelle des conservateurs à l'égard du progrès, Duguet se soucie, avant tout, du maintien de l'ordre établi. Plus réaliste et profond, Melon voit les répercussions indirectes, sans se soucier des souffrances ou privations qui peuvent toucher les travailleurs.

## La grande explosion

Après 1745, se produit, en France, la grande explosion d'idées qui aboutira, quarante ans plus tard, à la révolution politique ; les études économiques se multiplient.

Dans l'*Esprit des lois* (1748), Montesquieu (1689-1755) reproche nettement aux machines de diminuer le nombre des emplois.

Ces machines dont l'objet est d'abréger l'art ne sont pas toujours utiles. Si un ouvrage est à un prix médiocre..., les machines qui en simplifieraient la manufacture, c'est-à-dire qui diminueraient le nombre des ouvriers, seraient pernicieuses et, si les moulins à eau n'étaient pas tout établis, je ne les croirais pas aussi utiles qu'on le dit, parce qu'ils ont fait reposer une infinité de bras [1].

Véron de Forbonnais, qui a construit, à base d'observation, une solide théorie économique, est plus nuancé dans ses *Éléments du commerce* (1754) :

L'usage des machines qui économisent du travail ne causera pas de chômage, particulièrement si on les introduit avec précaution (vol. I, p. 63-65).

L'économie du travail des hommes consiste à le suppléer par celui des machines et des animaux, lorsqu'on peut le faire à moins de frais. C'est multiplier la population, bien loin de la détruire (vol. I, p. 66).

C'est, en particulier, dans les villes qu'il convient d'agir avec précaution.

Voici maintenant un esprit curieux, Ange Goudar (1720-1791), résolument populationniste. Dans son œuvre majeure, *Les Intérêts de la France mal entendus* (1756), il amorce ainsi le débat :

---

1. *Institution d'un prince,* Londres, 1739.

Une espèce de maladie s'est répandue dans nos Arts. Je veux parler des machines qui tendent à simplifier et diminuer le travail des manufactures...

Après un long travail dans la mécanique, on est parvenu à croiser les bras à une foule de citoyens qui étaient auparavant employés dans les Arts et Métiers.

Puis, prenant ensuite Melon à partie, il s'exprime ainsi :

Qu'on suppose la manutention d'un Art, qui occupe dix mille citoyens et d'un autre côté cinq cents machines, qui produisent la même somme de travail, dans ce même art.

Il est certain que la première donnera à vivre à un plus grand nombre de sujets et, par là, remplira un plus grand objet.

Dans cette vue simpliste, tant elle est localisée, le travail est pris comme un but en soi, plus impérieux que la production de richesses. Cette optique redoutable ira s'accentuant. Goudar ajoute quelques regrets « sur la constatation d'un si grand nombre de sujets inutiles », nous dirions aujourd'hui de chômeurs. Mais il introduit quelques nuances sur les produits de luxe, et sur ceux qui sont vendus à l'étranger ; les réserves reviendront souvent dans la suite.

### Richard Cantillon (1680-1734)

Cet auteur, d'une clairvoyance exceptionnelle, n'a pas été suffisamment affectif et obscur (les deux qualités d'un « prophète ») pour être suivi (on est célèbre par ce qu'on détruit). Il ne s'est guère préoccupé des machines, encore peu répandues en son temps, mais il a montré le rôle important que peut avoir sur l'emploi et même sur l'existence des hommes, la façon dont les personnes aisées consomment leur revenu. Voici un exemple célèbre :

Si les dames de Paris se plaisent à porter les dentelles de Bruxelles et si la France paie ces dentelles en vin de Champagne, il faudra payer le produit d'un seul arpent de lin par le produit de seize mille arpents en vignes, si j'ai bien calculé [1].

C'est que la transformation, en dentelles, de la production d'un arpent nécessite bien plus d'heures de travail que la fabrication de vin de Champagne, sur une superficie équivalente.

---

1. *Essai sur la nature du commerce en général*. Institut National d'Études Démographiques, Paris, 1953, p. 42. – *Essai de la nature du commerce en général*, Tokio, 1979.

Si pénétrante que fût sa théorie ou peut-être de ce fait même, Cantillon n'a pas été suivi, ce qui explique, nous le verrons, l'insuffisance des théories contemporaines sur l'emploi [1] : elles négligent, ou sous-estiment l'influence de l'orientation de la consommation d'une somme donnée.

## Le luxe

La querelle qui se déroule alors sur le luxe éclaire le débat sur la nocivité attribuée aux machines. En opposant la *morale* à l'*efficacité*, les moralistes, appelons-les ainsi, bien plus nombreux que leurs adversaires, condamnent le luxe, l'accusent de détruire les États et même la population. Plus tournés vers le concret, les purs économistes mettent l'accent sur les activités entretenues par ces dépenses et à leur suite, en sous-produit en quelque sorte, les emplois créés de cette manière. C'est le système du « parapluie » que nous retrouverons.

Dans la célèbre, et combien instructive, querelle à distance entre R. Cantillon et F. Quesnay, sur le luxe de décoration et le luxe de subsistance, le premier, si attaché à la contrepartie des consommations, accorde la préférence au luxe de décoration, qui ménage la précieuse source de richesse qu'est la terre, tandis que le physiocrate voit, dans cette demande de nature, une source de progrès, par défrichement de nouvelles terres. Nous retrouverons ce conflit, sous d'autres formes.

## En Angleterre

L'attitude est loin d'être entièrement favorable. C'est ainsi qu'un homme d'affaires, M. Postlewaight [2] (1707-1767) écrit « ce que nous gagnons en vitesse de production, nous le perdons en force [3] » et va jusqu'à estimer que les machines destinées à remplacer les bras humains devraient être interdites,

---

1. Signalons seulement : Ott. Effertz *Erde und Boden, Les Antagonismes économiques,* Paris, 1906 et Adolphe Landry en France au XXe siècle, une théorie négligée : *De l'influence de la direction de la demande sur la productivité du travail, les salaires et la population* dans *Revue d'Économie politique,* 1910.

2. A *dissertation on the Plan, Use and Importance of the Universal Dictionary of Trade and Commerce.* Dans cet ouvrage, paru en 1749, se trouvent, en anglais, des passages entiers de l'ouvrage de Cantillon, rédigé en 1734, mais qui ne sera publié qu'en 1755.

3. « What we gain in expedition, we lose in strength. »

dans les États qui ne pratiquent pas le commerce extérieur. Dans les autres, il ne faudrait permettre que l'emploi de certaines machines et l'interdire pour la fabrication de marchandises destinées à la consommation intérieure.

Par contre, B. de Mandeville (1670-1733) dans la *Fable des Abeilles* scandalise quelque peu, en approuvant le luxe et en renversant le sens de la morale. Le sous-titre de son poème est : *Vices privés, Bénéfices publics.*

### En Allemagne

La personnalité la plus marquante est J. Gottlob de Justi (1707-1771), qui a écrit un *Traité des manufactures et fabriques* et exposé, à la même époque, ses idées sur les machines, dans *Éléments généraux de police* 1769 [1]. Les manufactures ne reçoivent que des éloges : non seulement le cas des ouvriers éliminés n'est pas soulevé, mais il est signalé que les fabricants débauchent les ouvriers de leurs confrères. Sans doute, la main-d'œuvre n'était-elle pas excédentaire à Gottingue. Nous voyons combien la situation locale peut jouer sur des théories d'apparence générale. Quant au pasteur J.P. Süssmilch (1707-1767), il s'appuie, dans la seconde édition de « l'Ordre divin [2] », sur les idées de Justi, ainsi que sur celles de Leibniz. Tout en voyant bien les transferts de consommation, il estime nécessaire l'intervention de l'État, car il ne croit pas au rétablissement automatique de l'emploi.

### Le mouvement libéral

Les rigueurs des corporations fournissent opportunément des arguments aux partisans des machines, sous le drapeau général du libéralisme.

Voici comment s'exprime l'*Encyclopédie* de D. Diderot (1713-1784), au mot *manufacture* :

Il est certain, et il convenu aussi, par tous ceux qui ont pensé et écrit sur les avantages du commerce, que le premier et le plus général est d'employer, le plus que faire se peut, le temps et les mains des sujets ; que plus le goût du travail et de l'industrie est répandu, moins est cher le prix de la main-d'œuvre ; que plus le prix est bon marché, plus le

---

1. Édition française de *Grundsätze der Polizeiwissenschaft*, 1756.
2. Édition française de *Die Gottliche Ordnung*, INED, 1980.

débit de la marchandise est avantageux, en ce qu'elle fait subsister un plus grand nombre de gens.

Par « bas prix de la main-d'œuvre », il faut entendre ici le coût de la main-d'œuvre pour le patron, non le gain du travailleur. Ce raisonnement, complété par l'argument, plus fort, de la concurrence étrangère, est quelque peu sommaire, puisqu'il semble admettre, sans démonstration, que le nombre d'ouvriers ne diminuera pas, grâce à l'augmentation des quantités produites. C'est un acte de foi.

Lorsque le libéralisme ne se limitera pas à une attitude de révolte contre les règlements, mais s'appuiera sur une doctrine positive, il va englober la question dans le système entier de l'ordre économique. Tous les équilibres, un moment détruits par des changements ou novations, se rétablissent d'eux-mêmes, est-il dit, par automatisme.

Si libéral qu'il fût « Laissez-faire, morbleu, laissez faire ! », d'Argenson (1694-1757) reproche moins aux machines la réduction du nombre des emplois que l'élimination des petits entrepreneurs par les gros.

La question est de savoir si le bien d'un étang demande qu'il y ait de gros brochets qui grossissent de la perte de tous les petits et médiocres poissons.

Cette question se pose curieusement aujourd'hui en halieutique, pour l'ensemble des mers, mais, dans ce cas, il n'y a pas possibilité, comme pour l'économie, d'étendre le domaine productif.

### *Adam Smith (1723-1790)*

Et voici le père du libéralisme, dont on ne peut vraiment attendre une idée d'intervention pour contrarier le cours naturel des événements. Il s'est assez peu intéressé aux machines, mais, si peu clair qu'il soit, à son habitude, il fournit des avis qui ont dû avoir un certain poids :

Le but du capital fixe est d'augmenter les forces productives du travail ou bien de mettre le même nombre d'ouvriers en état de fournir une plus grande quantité d'ouvrage. Le même nombre d'hommes et d'animaux employés aux travaux de deux fermes, également étendues et fertiles, mais inégalement entretenues, donnera l'avantage d'un produit annuel largement supérieur à celle dont tous les bâtiments utiles,

les haies et les fossés et les communications se trouvent dans un état de
perfection.

Ces vues sur l'agriculture, banales et anciennes, avaient été
déjà mieux exprimées par le marquis de Mirabeau, mais voici
le cas de l'industrie :

Le même nombre de bras employés aux travaux de deux manufactures, également pourvues de fonds, mais inégalement fournies d'instruments, donnera une somme annuelle d'ouvrages très supérieure à celle
dont les machines seront moins imparfaites et mieux entretenues.
Tout ce qu'on dépense en améliorations placées sur un capital fixe, de
quelque nature que ce soit, revient toujours avec un grand profit.

Ce sont encore à peu près des truismes. Pénétrons dans le
sujet :

Cet entretien exige, cependant, encore une certaine portion du produit annuel ; au lieu de la destiner à l'achat d'une plus grande quantité
de matières premières, ainsi qu'au salaire d'un plus grand nombre
d'ouvriers, au lieu d'augmenter, par ce double moyen, la nourriture, le
vêtement, le logement, l'entretien et toutes les jouissances du grand
corps social, on la détourne vers un emploi bien différent, il est vrai,
mais fort avantageux.

C'est ce que nous appelons aujourd'hui la substitution d'un
investissement à une consommation.

En effet, c'est peu qu'avec des machines plus simples et moins dis-
pendieuses, le même nombre de bras produise annuellement la même
somme d'ouvrages ; on peut encore, en épargnant tout ce qu'exigeait
de dépense, en matériaux et en travail, l'entretien coûteux d'une
mécanique compliquée, faire servir une partie de ces épargnes à sala-
rier plus d'ouvriers, et à manufacturer plus d'ouvrages.

Ailleurs, il parle, plus explicitement, des bienfaits de la division du travail :

Comme l'accumulation du matériel doit, selon la nature des choses,
être antérieure à la division du travail, ainsi le travail peut être de plus
en plus divisé, mais seulement en proportion de l'accumulation progressive du matériel. La quantité de matière que le même nombre de
personnes peut travailler augmente dans une grande proportion, à
mesure que le travail se subdivise davantage et, comme les opérations
de chaque ouvrier arrivent, par degrés, à une plus grande simplicité,
on parvient à inventer des machines qui rendent chacune de ces opé-

rations plus faciles et plus promptes. Ainsi, plus la division du travail fait de progrès, et plus, si l'on veut employer constamment le même nombre de bras, faut-il accumuler d'avance un fonds égal de réserves et une quantité de matières et d'instruments supérieure à celle qui eût été nécessaire, dans un état de société moins avancé. Mais, dans chaque branche, le nombre d'ouvriers augmente, à mesure que se divise le travail. Ou plutôt, c'est parce qu'ils y deviennent plus nombreux qu'on les voit d'eux-mêmes se reclasser et se subdiviser de cette manière [1].

Conclusion optimiste, mais raisonnement simpliste, puisque le débouché n'est pas pris en compte, seule étant en jeu la possibilité de produire toujours davantage.

### Louis-Sébastien Mercier (1740-1814)

Les économistes non emportés par la foi libérale formulent, comme l'opinion générale, des réserves sur les machines.

Voici l'observateur sagace qu'est Louis-Sébastien Mercier, assez représentatif de l'opinion éclairée de la fin du XVIIIe siècle :

On achète l'eau à Paris... Vingt mille porteurs d'eau montant deux seaux pleins, depuis le premier jusqu'au septième et quelquefois au-delà... Quand le porteur d'eau est robuste, il fait environ trente voyages par jour [2].

Quand toutes ces pompes à feu seront dressées, douze à quinze mille porteurs d'eau n'auront plus d'emploi : peut-être seront-ils incapables de tout autre travail, car ils ont la sangle imprimée entre les deux épaules et l'habitude de leur corps, voué à l'équilibre, se prêtera difficilement à porter des fardeaux d'une autre nature.

---

1. « As the accumulation of stock must, in the nature of things, be previous to the division of labor, so labor can be more and more subdivided in proportion only as stock is previously more and more accumulated. The quantity of materials, which the same number of people can work up, increases in a great proportion, as labor comes to be more and more subdivided ; and, as the operations of each workman are gradually reduced to a greater degree of simplicity, a variety of new machines come to be invented for facilitating and abridging those operations. As the division of labor advances, therefore, *in order to give constant employment to an equal number of workmen*, an equal stock of provisions, and a greater stock of materials and tools, than that what would have been necessary in a ruder state of things much be accumulated beforehand. But the *number of workmen*, in every branch, generally *increases* with *the division of labor* in that branch, or rather it is the increase of their number which enables them to classes and subdivide them in this manner. »

2. *Tableau de Paris*, éditions 1782, vol. I, p. 91 et vol. II, p. 92.

Ainsi est posé en langage imagé, le problème de la reconversion individuelle [1].

## Herrenschwand (J. Fred. de) (1715-1796)

Voici un curieux chercheur, suisse, lointain précurseur de J. Fourastié, sur la marche de la population active dans le temps.

Herrenschwand est plus favorable au progrès dans l'agriculture que dans l'industrie. Parlant de « l'introduction des machines dans les travaux des hommes et le rapport qu'elles ont avec la population et la prospérité des nations », il dénonce la faiblesse des études sur le sujet :

Je n'ai trouvé cet objet nulle part, ramené à ses premiers principes et, comme il a été traité aussi vaguement que l'ont été la plupart des autres objets de l'économie, les machines ont eu le sort qu'elles devaient avoir, celui de partager les opinions, d'avoir des partisans et des adversaires [1].

Suit une analyse profonde nuancée, que nous résumons imparfaitement, en signalant que l'introduction des machines ne joue en faveur du niveau de vie qu'à une double condition :
– qu'il y ait suffisamment de capitaux,
– qu'il existe un « vuide », dans les bras de la nation (manque de travailleurs)
Le nombre élevé d'indigents en Angleterre résulte, dit-il, des progrès trop rapides du machinisme [2]. En outre, les machines sont plus recommandables dans l'agriculture que dans l'industrie :

Les bras mis hors de travail dans l'agriculture peuvent trouver de l'occupation dans les manufactures qui présentent une multitude de travaux faciles à exécuter avec les simples bras ; mais les bras mis hors de travail dans les manufactures ne peuvent trouver de l'occupation dans l'agriculture [3].

---

1. *Discours fondamental sur la population*, Paris, An III, p. 241.
2. *De l'économie moderne, discours fondamental sur la population*, Londres, 1786.
3. *Discours fondamental sur la population*, p. 247.

Ce mouvement à sens unique ne résulte pas d'une répulsion à l'égard du retour en arrière, mais de la constatation d'un phénomène mécanique irréversible. Par ailleurs, Herrenschwand ne voit pas bien la possibilité de consommations nouvelles, du moins dans les services. Il croit cependant, à la multiplication des besoins des hommes, si contestée par tant de personnes, ne jugeant que par leur horizon.

Mais il est curieusement hostile au commerce extérieur.

*Nouvelles révoltes ouvrières*

Entre-temps, les révoltes contre les machines se multiplient, l'industrie textile restant toujours la plus en vue. Les métiers de Vaucanson sont brisés en 1744 et lui-même ne doit la vie qu'à la fuite, sous un déguisement.

En 1755 1757, les fabricants de Roubaix et Tourcoing rencontrent de fortes difficultés ou interdictions, chaque fois qu'ils essaient de nouvelles fabrications. Un arrêt est alors rendu par le libéral Gournay, le 7 septembre 1762, qui entend :

faire cesser tous les obstacles qui peuvent nuire au progrès de l'industrie et de celle des habitants des campagnes, en particulier et qui assurent la liberté de fabriquer et de vendre toutes sortes d'étoffes aux habitants des campagnes et de tous lieux où il n'y a pas de communauté.

Cet arrêt suscite, à Lille, de violentes réactions [1].

*En Angleterre*

Plus sévère encore, la lutte est bien concentrée contre les machines textiles. En 1733, c'est la « navette volante » de John Kay (1703-1764), qui multiplie le rendement du tisserand. Chassé d'abord de Colchester, poursuivi ensuite de ville en ville, par les émeutiers, l'inventeur doit se réfugier en France. La filature subit à peu près même progrès et même aventure :

En 1758, Lawrence Earnshaw († 1767) construit une machine à filer le coton, mais il la brise, aussitôt achevée, « pour ne pas priver les pauvres de leur gagne-pain ».

---

1. Pierre Léon : *Histoire économique et sociale du monde,* tome 3, dirigé par Louis Bergeron, texte rédigé par Maurice Garden.

En 1768, un mécanicien fileur, sans instruction, James J. Heargraves († 1778) invente, un peu aidé par un hasard accidentel, la petite merveille qu'est la *jenny,* qui remplace plusieurs rouets. Les ouvriers assiègent l'inventeur dans sa maison et détruisent ses machines. Il mourra dans la misère.

Vers la fin du siècle, des bandes armées se forment, qui ne peuvent être réduites que par l'artillerie. Et, signe caractéristique, en cas d'impuissance, la peine de mort sera décrétée, en 1812, contre les briseurs de machines.

Le contraste est frappant, en cette fin de siècle, entre le monde des économistes, croyants et insensibles, et une population appelée à subir les douleurs de l'accouchement d'une nouvelle société. L'opinion populaire, même moyenne, se range du côté des ouvriers, tandis que le pouvoir appuie, ne disons pas les économistes, qu'il ignore souvent, mais les industriels.

## *La Révolution*

Elle fournit une occasion de s'insurger contre ces nouvelles contraintes :

Dès le 14 juillet 1789, deux à trois cents manifestants à Rouen abîment les machines d'une manufacture ; nombreuses autres destructions dans la région.

À Octeville en Caux (Normandie), il est écrit :

Si les projets des gens à système, qui veulent introduire l'usage des mécaniques, où un seul homme suppléera au travail de vingt, ont lieu, qu'on baptise donc des hôpitaux pour nous et pour nos enfants.

Au début de la Révolution, marquant déjà l'opposition de leur classe aux idées triomphatrices de liberté, des délégations ouvrières ont demandé fermement la suppression des machines à filer.

Les méchaniques à filature anglaises, qu'on cherche à naturaliser en France augmentent encore la somme de nos maux. Nous ne craignons pas de dire qu'elles ont paralysé tous les bras et frappé de mort l'industrie dès fileuses. En effet, le peuple, qui n'a d'autre propriété que ce genre d'industrie, se voit tout à coup dépouillé du seul travail qui assurait son existence.

Les méchaniques n'occupent qu'un dixième des ouvriers qui occupaient, avant, les filatures à la main.

Bien que ce chiffre fût cité un peu au jugé, le dommage immédiat et local était certainement étendu.

Avant même la réunion des États généraux, c'est une éclosion de multiples brochures ou pamphlets, souvent anonymes, exprimant un ensemble de revendications profondes. Citons, en particulier, *La Vie et les Doléances d'un pauvre diable* [1], rédigé par un homme d'une certaine instruction, mais assez éloigné du pouvoir. Il s'en prend notamment à la machine.

> Sans cette jolie invention (tourne-broche en cuisine), un pauvre petit malheureux qui meurt de faim et de froid dans la rue, serait là, bien chauffé et aurait à souper.

Mais cet homme a dû rencontrer des économistes soucieux de progrès et réfléchir quelque peu, ce qui lui inspire de sérieux conflits intérieurs et une conclusion nuancée.

> Une nation pourrait-elle supprimer ces machines, sans compromettre ses intérêts ? Ou pourrait-elle du moins, dans ses moments de détresse et de calamité, où les ateliers sont déserts, suspendre le jeu de ces mécaniques et rendre aux bras qu'elles ont réduit à l'oisiveté, une activité passagère ? Peuples... je vous vois périr d'inanition à cause des frottements bruyants de ces machines ; ne suis-je pas excusable de demander s'il ne serait pas utile de les détruire ou de les interrompre quelquefois ?

Cette attitude devait être répandue, même dans les milieux bourgeois.

## Malthusianisme

Au moment où sont exprimées ces doléances, l'*Essai sur la loi de la population* de Malthus n'a pas encore paru et le ton général reste populationniste, mais le souci de limiter sa descendance est déjà assez répandu en France, attitude qui distingue profondément les Français des autres Européens avancés.

Cette attitude prémalthusienne peut être rapprochée de la prudence particulière, manifestée en France à l'égard de l'industrie (des « manufactures » dans le style du temps), qui s'accentuera encore au XIX^e siècle, jusqu'à prendre une allure de refus (le « retour à la terre » de Jules Méline). Ainsi serait né, en France, un état d'esprit que, faute d'autre terme, on peut

---

1. 1789, Editions Edhis, par reproduction photographique.

appeler « malthusien » et que, fatalement, l'on est tenté de rapprocher de l'expulsion des protestants – ces industriels accomplis – après la révocation de l'Édit de Nantes et de la baisse de natalité qui a commencé vers 1760.

# II

# Du refus de la machine
# au refus du régime [1]

Après la percée technique du XVIII<sup>e</sup> siècle, la disparition des corporations et l'avènement du libéralisme, la route est ouverte à la machine. Mais, de ce fait même, c'est cette époque critique, qui, par les misères ouvrières, pose le plus vivement la question cruelle de l'influence de la machine sur le nombre des emplois.

Lorsque au début du siècle, Jacquard, l'inventeur du métier, monte par ordre du préfet, dans la diligence de Paris, il ne sait pas si c'est pour être félicité ou mis en prison. À Lyon, il sera menacé de noyade et sauvé au dernier moment.

Napoléon, qui dira de Jacquard : « Voilà un homme qui se contente de peu », est naturellement favorable à la machine ; de Tilsitt, il écrit à Cambacérès :

Dire qu'il est préférable d'employer des machines, c'est dire que le soleil donne plus de lumière qu'une bougie.

En Angleterre cependant, les violences redoublent. À Manchester, en 1719, une charge de cavalerie est jugée nécessaire ; encore est-elle impuissante contre l'occupation de l'usine et la destruction des métiers.

Pendant le XIX<sup>e</sup> siècle, la lutte contre la machine est de tous les instants, tandis que l'analyse des théories se fait un peu plus précise. À l'appui de l'opinion populaire, quelque peu décon-

---

1. On peut consulter : Maurice Daumas, *Histoire générale des techniques*, Paris, PUF, 1962. – Michel Collinet, *Les Débuts du machinisme devant les contemporains (1760-1840)* (Contrat Social, mai-juin 1965).

tenancée, surgit l'objection des socialistes, qui proposent de changer de régime : J.-B. Say leur répond ainsi :

Les communistes et les socialistes ont ainsi raisonné : puisque le dernier mot des machines est de rendre l'homme le plus riche possible, avec le moins de travail, puisque les agents naturels doivent faire tout pour tous, les machines doivent appartenir à la communauté.

La question est ainsi portée sur un autre terrain, que J.-B. Say refuse naturellement.

Laissant au chapitre suivant l'analyse de Marx et de ses disciples et même du socialisant de Sismondi, voyons la position des classiques.

### Les trois arguments des « classiques »

Aucun auteur n'a, bien entendu, contesté que la machine prend, à sa naissance, la place des travailleurs, puisqu'elle est précisément conçue dans ce but, mais, selon la plupart des avis exprimés, le nombre initial d'emplois se retrouve, pour les raisons suivantes :

1. *Il faut des ouvriers pour produire des machines.*
2. *Extension du marché :* la consommation du produit « mécanisé » s'élève, à la faveur de la baisse de son prix.
3. *De nouvelles activités* apparaissent, répondant à de nouveaux besoins.

C'est sur ces trois arguments que s'appuient, avec quelques variantes, les explications des classiques et des contemporains.

Sans nous étendre ici sur leur insuffisance, puisque la question est traitée dans la deuxième partie de l'ouvrage, formulons de simples observations :

1. Le travail nécessaire à la fabrication d'une machine doit être inférieur à celui qu'elle supprime ; sinon il ne s'agirait pas d'un progrès technique. Cet argument laisse donc entière la question ; il a parfois été admis par des socialistes, mais il n'est que secondaire.

2. Que la consommation augmente, dans la plupart des cas, à la faveur d'un prix moins élevé n'est pas douteux, mais, dans la meilleure hypothèse, l'argument ne peut pas suffire. Nous ne pouvons, par exemple, manger 20 kg de pain par jour, ou

consommer 1 000 allumettes. Cette objection a été formulée par des sceptiques, socialistes ou non.

3. Sur les nouvelles activités et les nouveaux besoins, les explications sont plus variées, mais toujours si incertaines qu'on ne peut vraiment parler de théorie et d'explication rationnelle.

Autour de cette position générale, les économistes divergent quelque peu, dans leur optimisme.

### Thomas Robert Malthus (1766-1834)

Contrairement à une logique superficielle, Malthus n'est pas « malthusien ». S'appuyant surtout sur la baisse de prix permise par la machine, il pense qu'en fin de compte, le nombre d'emplois est plus élevé qu'avant.

Aussitôt qu'une machine est inventée, qui, en épargnant la main-d'œuvre, fournit des produits à un prix plus bas qu'auparavant, l'effet le plus ordinaire qui se manifeste, c'est une extension de la demande, pour des objets, qui, par leur bon marché, sont mis à la portée d'un plus grand nombre d'acheteurs ; et cette extension est telle que la valeur de la masse des objets fabriqués par ces nouvelles machines surpasse de beaucoup celle des produits qui étaient manufacturés auparavant.

C'est une simple affirmation, à l'appui de laquelle est cependant cité l'exemple des villes de Manchester et Glasgow.

### Les arguments de J.-B. Say (1767-1832)

Quelle que fût la foi de l'auteur de la loi des débouchés, dans l'ordre économique, les objections et les révoltes ouvrières l'ont troublé, l'obligeant à réfléchir sur la question et à s'y étendre quelque peu.

Sans contester que des hommes seront « momentanément sans ouvrage », Say fait valoir que l'usage d'une nouvelle machine ne s'étend que lentement et insiste, comme tant d'autres, sur la pression de la concurrence internationale :

Si les fileurs de coton au rouet, qui, en 1789, brisèrent les machines à filature qu'on introduisait alors en Normandie, avaient continué sur le même pied, il aurait fallu renoncer à fabriquer, chez nous, des étoffes de coton ; on les aurait toutes tirées au dehors ou remplacées par d'autres tissus et les fileurs de Normandie, qui, pourtant, finirent à être occupés en majeure partie, dans les grandes filatures, seraient demeurés encore plus dépourvus d'occupation.

Le terme « en majeure partie » souligne l'insuffisance de la thèse. Il résout peut-être la question nationale, mais non locale ; Say ajoute cependant l'argument de la multiplication du débouché par la baisse de prix invoquant l'exemple de l'imprimerie, qui a multiplié par 200 le rendement d'un copiste [1].

Sur les activités nouvelles, il est plus vague, se contentant prudemment d'ajouter qu'elles sont parfois très éloignées.

La charrue a permis à un certain nombre de personnes de se livrer aux arts, même les plus futiles et, ce qui vaut mieux encore, à la culture des facultés de l'esprit.

C'est, bien embelli, l'argument qui justifie le luxe. En bref, l'analyse de Say s'appuie largement sur l'expérience, mais est sommaire sur le mécanisme. Frappé par les émeutes ouvrières, provoquées par l'application des inventions mécaniques, Say admet au début la légitimité d'une intervention de l'État. Pour atténuer les inconvénients passagers, dus à l'introduction d'une invention nouvelle, l'administration peut :

restreindre dans les commencements, l'emploi d'une nouvelle machine à certains cantons où les bras sont rares et réclamés par d'autres branches d'industrie.

Cette idée, qui peut aller loin, est abandonnée à partir de la 5e édition, car une telle intervention serait « violer la propriété de l'inventeur » ; il admet seulement

des travaux d'utilité publique pour occuper les ouvriers contraints provisoirement au chômage par les machines.

Ce « remède » qui sera souvent proposé, dans la suite, soulève des objections (page 298).

---

1. Il y eut, rappelons-le, au XVIe siècle, quelques résistances de la part des copistes (G. Lefranc).

### David Ricardo (1772-1823)

Vers la même époque, Ricardo, optimiste au départ, est influencé par la vue des crises aiguës, dites aujourd'hui cycliques, si distinctes qu'elles soient de l'élimination des travailleurs par la machine [1].

Les fonds où les propriétaires et les capitalistes puisent leurs revenus peuvent grandir, tandis que celui qui sert à maintenir la classe ouvrière diminue.

S'en prenant à J.-B. Say il écrit :

Il s'est surtout occupé de cette surabondance des produits, qui est, depuis quelques années, si féconde en crises commerciales. Le remède qu'il propose consiste à accélérer la production et, malheureusement, ce remède, dont nous examinerons le mérite, n'a, jusqu'à ce jour, produit que de nouvelles catastrophes [2].

Cette discordance entre production et consommation, résultat d'inerties, en partie inévitables, est et sera souvent dénoncée, même par des non-socialistes. La main invisible d'Adam Smith va moins vite que son œil. Vers la même époque, Charles de Coux, catholique et moraliste, va plus loin et, en 1832 écrit que « la faculté de produire est plus grande que celle de consommer ». Ainsi, une situation du moment, due à cette distorsion, est facilement prise pour un fait permanent. L'illusion se prolongera jusqu'aux temps contemporains de l'inflation continue.

Cependant, l'argument des échanges extérieurs touche aussi Ricardo, sous la forme nouvelle de l'exportation des capitaux.

Si l'on consacre un capital à l'achat des engins perfectionnés, on limite la demande de travail, si on l'exporte, on annule totalement cette demande.

### Un calcul en unités d'énergie

Signalons, en passant, le curieux calcul proposé, en 1827, par le baron Dupin (1784-1873), député et mathématicien,

---

1. Dernière édition des *Principes de l'économie politique et de l'impôt.*
2. *Principes de l'économie politique et de l'impôt.*

pour mesurer la puissance de la France et de l'Angleterre, selon le barème suivant :

1 homme = 1 âne
1 cheval = 7 hommes

La France a ainsi 37 millions « d'hommes actifs, dit-il, dont 8 400 000 de race humaine ». En ajoutant le charbon, la France dispose de 48 800 000 hommes et l'Angleterre de plus de 60 millions.

Vu dans son temps, ce compte n'est pas plus extravagant que certaines de nos opérations contemporaines de comptabilité nationale. Il a, au moins, le mérite d'échapper aux comptes monétaires et de confirmer l'idée de multiplication du pouvoir de l'homme. Mais aucune considération sociale n'accompagne ce calcul.

### Révoltes ouvrières en France

Modestes en France au XVIIIe siècle, les soulèvements ouvriers se multiplient. C'est, en particulier, l'introduction de la « tondeuse », qui provoque des troubles.

À Vienne, en Isère, l'agitation inquiète le préfet :

Avec une machine qui va priver de travail 65 maîtres tondeurs, qui occupent chacun, l'un dans l'autre, quatre ouvriers, pères de famille, on ne saurait prendre trop de précautions. On sait à quels excès peuvent se porter 300 ou 400 ouvriers que la misère réduit au désespoir.

Par contagion, les fileurs et tisserands s'inquiètent aussi, ce qui accroît encore les soucis du préfet.

Quelque protection que l'on doive aux perfectionnements de l'industrie, je pense qu'il faut compter, pour quelque chose aussi, le moment de leur introduction... Il faut réprimer ces nouveaux luddites. La temporisation fait peut-être plus que la force.

L'insurrection éclatera à l'arrivée de la tondeuse et entraîne la répression. En 1830, des troubles se produisent, suivis de violences particulières à Lyon.

### Les canuts lyonnais

En 1831, la révolte, commencée dans l'industrie de la soie, tourne à l'insurrection politique.

2 000 ouvriers attaquent, à Saint-Étienne, une usine, pour y briser les machines. Ce prologue, si l'on ose dire, est suivi, à Lyon, d'une violente révolte, au cri (repris de Lord Byron) de « Vivre en travaillant ou mourir en combattant ». Des artisans se trouvent eux aussi privés de leur gagne-pain, par la concurrence des machines. Des chefs d'atelier se joignent d'ailleurs aux révoltés. En octobre, l'insurrection aboutit à la création d'un « gouvernement provisoire », qui ne peut être maîtrisé que le 3 décembre, par l'intervention de l'armée, huée au passage, aux cris de : « A bas les machines à vapeur. »

A Bordeaux, à Reims, à Romilly et dans d'autres villes, les troubles se succèdent jusqu'à la révolution de 1848, même parmi les typographes.

L'opinion publique a soutenu, le plus souvent, les ouvriers, s'opposant, de façon générale, au progrès technique, et même au chemin de fer. Du reste, pendant tout le XIXᵉ siècle, se cultivera en France, l'idée de retour à la terre et à la nature, par refus de « l'artifice ».


## Amis et défenseurs des machines

Tandis que l'opinion publique approuve, le plus souvent, les ouvriers et manifeste, en dehors même de la réaction contre les misères, une certaine aversion contre des engins d'allure « diabolique » et que les écrivains pensent volontiers de même, on voit se prononcer, en faveur des machines, la majorité des économistes et de ceux que l'on appellerait aujourd'hui des technocrates. Voici, par exemple, le chimiste-médecin J.-A. Chaptal (1756-1832) :

Depuis l'application des machines, on ne peut plus calculer les produits par le nombre des bras employés, puisqu'elles décuplent le travail ; et l'industrie d'un pays est aujourd'hui la raison des machines et non de la population...

...en diminuant le prix de la main-d'œuvre, les machines font baisser celui du produit et la consommation augmente dans une proportion plus forte que celle de la diminution des bras.

Affirmation encore, qui ne s'appuie ni sur l'analyse, ni sur une expérience étendue. Une certaine explication est cependant annoncée, quand son auteur estime, comme J.-B. Say, « que les machines augmentent le volume des travaux et, par suite à la longue, exigent plus de bras que de travailleurs ». Ces trois mots « à la longue » peuvent expliquer, sinon justifier des drames.

Médecin et chimiste comme Chaptal, le Britannique Andrew Ure (1778-1857) sera sévèrement jugé par Marx, pour son hypothèse cruelle de départ :

Le but constant des techniques industrielles est de se passer du travail de l'homme.

Que l'employeur considère les travailleurs comme des gêneurs, dont il est utile de se débarrasser, n'est que trop évident, mais cette attitude n'est généralement pas déclarée aussi brutalement.

L'ouvrier des tissages est bien plus heureux, continue Ure, que l'ancien tisserand, mais ce bienfait est mal compris des travailleurs. La pression syndicale conduit les fabricants à perfectionner encore les machines, pour éliminer le plus grand nombre de salariés.

Cet ordre logique qui va se poursuivre, Ure le décrit, en prenant l'optique de l'employeur qu'il défend résolument. Comme Turmeau de la Morandière au XVIIIe siècle, il ne fait, en somme, qu'exprimer, sous une forme impitoyable, ce que pense la classe supérieure de son temps.

Voici une phrase explosive, écrite à la suite de l'introduction d'une machine pour l'impression des indiennes :

Enfin, les capitalistes cherchèrent à s'affranchir de cet esclavage (sic) insupportable (les contraintes du contrat de travail), en s'aidant des ressources de la science et ils purent bientôt réintégrer dans leur droit légitime, ceux de la tête sur les autres parties du corps [1].

Bien plus rationnel est Charles Babbage (1792-1871) [2], professeur de mathématiques, à l'Université de Cambridge, calculateur et mécanicien précurseur quand il donne, après réflexion, des conclusions peu différentes de celles de Malthus ou Bastiat.

Après avoir présenté un modèle élémentaire, intéressant, il montre la montée de nouveaux besoins d'agrément, qui, avec

---

1. *Philosophie des manufactures ou Économie industrielle de la fabrication du coton, de la laine, du lin et de la soie*, 1836.
2. *Traité sur l'économie des machines et des manufactures*, 1833.

le temps, deviendront « des besoins de première nécessité ». A l'appui de ces vues, il donne l'évolution de la production et des salaires payés dans l'industrie du coton, pendant la période critique de 1810 à 1823.

Loin de contester les souffrances de la période de transition, il conseille aux membres d'une même famille de ne pas prendre le même métier.

Plus optimiste encore, John Ramsay Mac Mulloch (1789-1864), économiste, disciple de Ricardo, est peu attentif aux souffrances des ouvriers.

Sans doute, il arrive quelquefois, quoique rarement, que l'introduction d'une nouvelle machine soit momentanément préjudiciable aux ouvriers... et qu'elle oblige un nombre plus ou moins considérable d'entre eux à changer de travail. Dans le plus grand nombre d'industries, ce n'est pourtant pas là un embarras aussi grave qu'on pourrait le supposer d'abord [1].

Tout en étant favorable à la concurrence et en estimant indispensable l'emploi des machines, Michel Chevalier (1806-1879), professeur d'économie au Collège de France, se préoccupe des difficultés que peut présenter l'achat de machines par de petits paysans ou artisans et introduit la notion d'*association* : celle-ci peut, dans l'agriculture, permettre de combiner la division des terres, avec l'emploi des machines. C'est, en somme, l'idée de coopérative.

Il appartenait à Frédéric Bastiat (1801-1850), bon vulgarisateur plus que doctrinaire de reprendre dans ses *Harmonies économiques* (1849) la ligne pure d'Adam Smith et de J.-B. Say. Selon l'idée de départ, les besoins de l'homme ne sont pas limités, comme se l'imaginent tant de personnes. Son raisonnement se distingue de celui de Stuart Mill, qui a écrit, « demande de produits ne signifie pas demande de travail » [2].

Mais voici un argument plus rare, bien exposé, dans l'anonymat, par le célèbre dictionnaire des libéraux, Ch. Coquelin et Guillaumin [3]. La machine consomme du charbon et non des aliments, ce qui allège le marché de la nourriture. De telles

1. *Principes d'économie politique suivis de quelques recherches relatives à leur application et d'un tableau de l'origine et du progrès de la science* (1re édition 1825).

2. *Demand for commodities is not demand for labour.*

3. *Dictionnaire de l'économie politique*, publié par Ch. Coquelin et Guillaumin, Paris, 1854.

vues sur les quantités disponibles, qui déterminent, en fait, le niveau de vie, sont rares et ignorées des meilleurs auteurs.

Bien que moraliste, A. Jaume, instituteur, n'est pas sensible aux misères de la classe ouvrière [1]. Reprenant les arguments, devenus classiques, des libéraux, il dissuade les ouvriers de marquer leur hostilité aux machines et à l'ordre social.

*Avis plus critiques*

Nous laissons de côté ici la position des socialistes, la plupart favorables à la thèse du chômage créé durablement par la machine, car ils seront analysés au chapitre suivant.

La vue la plus remarquable, compte tenu de sa date (1801) est celle, franchement pessimiste, de l'historien Pierre-Édouard Lemontey (1762-1826), député à la Législative, puis fonctionnaire impérial adroit [2] :

Que deviendront ces bras innombrables que le talent d'un mécanicien aura désoccupés ? La construction des machines elles-mêmes en réclame une partie, le développement que de plus grandes richesses donnent aux besoins de luxe en mettra vraisemblablement une autre en activité, mais le plus grand nombre demeurera oisif. En vain se figurerait-on qu'une plus forte masse de produits, un commerce dominateur, une modicité de prix qu'aucune concurrence ne saurait atteindre, dussent couvrir toute une nation de jouissances, de travail et de bien-être. Cette théorie, si plausible en raisonnement, si brillante en promesses, est cruellement démentie par l'expérience.

Ainsi est contestée, avant même J.-B. Say, l'argumentation classique, mais sans démonstration.

Saint-Simon (1760-1825), que nous pourrions ranger avec les socialistes, mais que nous citons ici en raison de son élitisme, est trop fidèle servant de la technique pour reprocher quelque chose aux machines ; c'est la société qui est responsable ; il faut donner le pouvoir spirituel aux savants et le pouvoir temporel aux industriels.

Pour montrer que l'introduction des machines diminue

---

1. *Histoire des classes laborieuses,* précédée d'un *Essai sur l'industrie économique et sociale,* Toulon, 1852.

5. *Raison et folie,* Paris, 1801.

l'emploi, le pessimiste John Barton [1] cite un exemple où cette diminution atteint 50 %.

Dans un mémoire, présenté à l'*Académie royale des sciences* en 1831, l'année même des révoltes, mais un peu avant, semble-t-il, le baron de Morogues [2] (1776-1840) est quelque peu réticent ; tout en reconnaissant les avantages des machines pour la masse des citoyens, il fait valoir des arguments assez voisins de ceux que développera Marx, à propos de la paupérisation. En outre, il mesure la misère d'après le nombre des suicides, méthode souvent employée de son temps, mais qui est loin d'être sûre. Pour combattre les inconvénients des machines, il compte assez naïvement sur la petite agriculture.

John Stuart Mill (1806-1873) admet bien que l'accroissement du capital donne un surcroît d'emploi et de travail, sans limite assignable :

S'il se trouve des êtres humains, capables de travailler et des aliments pour la subsistance, ils peuvent toujours être employés à produire quelque chose.

Il s'oppose toutefois à la nécessité d'une consommation improductive des riches pour donner de l'emploi aux pauvres (théorie de luxe). Ils pourraient transférer leur force de consommation aux travailleurs. Ce jugement, inspiré par l'équité, est d'un simplisme arithmétique qui ignore l'importance de l'orientation de la consommation (voir p. 219).

Pellegrino Rossi (1787-1848), criminologue italien, puis économiste français, vante les avantages des machines, tout en reprochant à des apologistes d'avoir sous-estimé les souffrances et simplifié quelque peu la question [3].

Plus près de nous, le Français Jules Méline (1838-1935), ministre de l'Agriculture et président du Conseil pendant cinq ans, considère la machine comme un mal en soi, générateur de surproduction et préconise le retour à la terre [4].

---

1. *Observations sur les circonstances qui influent sur les classes laborieuses de la société*, Londres, 1817.

2. Bigot de Morogues (Pierre-Marie-Sébastien, baron de), *De l'utilité des machines, de leurs inconvénients et des moyens d'y remédier,* Paris, 1833.

3. *Cours d'économie politique,* Paris, Ébrard, 1936.

4. *Le retour à la terre et la surproduction industrielle,* Paris, Hachette, 1905.

*Les écrivains*

Les économistes ne sont pas seuls à donner leur avis, plusieurs écrivains sont touchés, dans les deux sens du mot.

Les jacqueries ouvrières et, en particulier, le mouvement, déjà ancien, des luddites, a inspiré à Lord Byron le célèbre poème *Song for the luddies* où se trouve le « mourir en combattant ou vivre libre » [1], repris par les ouvriers lyonnais, sous une forme plus précise.

Dans les *Années de voyage* de Wilhelm Meister (1821), Goethe (1745-1832) expose ses troubles :

L'envahissement de tout par la machine me tourmente et m'effraie ; elle s'avance vers nous, comme le front menaçant d'un orage, lentement, lentement, mais rien ne la fait dévier, elle vient et écrase...

Nous n'avons que deux alternatives, l'une aussi funeste que l'autre ; ou nous servir de ces nouveautés et hâter le désastre, ou fuir en entraînant les meilleurs et les plus dignes, vers un destin plus propice, de l'autre côté des mers.

Sans doute, n'examine-t-il pas le nombre des emplois ; en outre, il ne semble pas se douter que la machine poursuivrait les fuyards dans le Nouveau Monde.

Un siècle plus tard, Oswald Spengler (1880-1936) ne dira-t-il pas : « L'homme faustien sera traîné à mort par ses propres machines. » J. Michelet (1798-1874) voit lui aussi la question sous un jour sombre :

Quelle humiliation de voir, en face de la machine, l'homme tombé si bas... Faible et pâle, il est l'humble serviteur de ces géants d'acier... j'admirais tristement ; il m'était impossible, en même temps, de ne pas voir ces pitoyables visages d'hommes, ces jeunes filles fanées, ces enfants tordus et bouffis.

De tels témoignages nous font penser que les jugements sévères sur le plan technique ont pu être influencés par l'aspect esthétique.

Cependant, cette vision attristée de Michelet [2] s'appuie aussi sur une idée économique :

---

1. *We will die fighting or live free.*
2. *Journal,* tome I, p. 152, Gallimard, 1959.

Peu à peu les machines vont les remplacer (les ouvriers). Qu'on ne dise pas que les machines devenant innombrables, il faudra autant d'hommes pour diriger les machines ; la consommation n'augmente pas autant que la production anglaise. Et, de plus, toutes les nations se mettent à produire.

C'est l'angoisse et l'illusion permanente de la surproduction, qui dure encore.

### La machine a fini son entrée

Après la révolution de 1848, les critiques ne cessent pas, mais prennent un autre aspect. Sous le Second Empire, un retour en arrière est inconcevable. Il ne s'agit plus dès lors, de refuser la machine, mais de trouver le moyen de l'utiliser, au besoin en changeant le régime. C'est surtout l'œuvre des socialistes, nous le verrons.

Dans son *Histoire des classes ouvrières en France* (1867), E. Levasseur (1828-1911) reprend, sur un ton modéré, la défense de la machine, recommandant de ne pas prendre l'accessoire (diminutions provisoires d'emplois) pour le principal (l'accroissement indéfini du bien-être des masses).

Entrée dans les mœurs, la machine entre curieusement, du même coup, dans les utopies, lesquelles l'avaient jusque-là singulièrement ignorée. Dès lors, le rêve de Th. More (6 heures par jour de travail) est largement dépassé et une sorte de surenchère se déroule entre facilistes, soucieux de popularité, tout en semblant aller résolument en avant-garde ; mais ce souci les emporte souvent.

Dans *Looking Backward* (1888) E. Bellamy (1850-1898), utopiste quelque peu naïf, décrit la société du loisir, les hommes satisfaisant tous leurs besoins, sans travailler à plus de 45 ans. Cette idée sera souvent reprise.

### La productivité en dehors de la machine : Taylor

Ouvrier dans le travail des métaux, F.W. Taylor (1856-1915) gravit les divers échelons, jusqu'au grade d'ingénieur en chef et s'efforce de gagner rationnellement du temps. Les primes de rendement ne sont pas le seul moyen, l'organisation est partout. Ces méthodes ont rencontré, dans les milieux syndicalistes, une vive résistance, nullement comparable en violence aux révoltes des tisserands français et des luddites anglais contre les métiers. Leur principal porte-parole Gompers, président de la puissante *American Federation of Labour*, s'exprimait ainsi :

> Les manœuvres spécialisés sont constamment recrutés dans les rangs des travailleurs qualifiés, qui virent leur occupation disparaître, du fait des nouveaux outils et des nouvelles méthodes et inventions.

Il est aussi question de la dégradation des tâches et de l'aliénation du travailleur. L'action n'est pas dirigée contre le progrès technique, mais contre l'usage qui en est fait par le travailleur. Elle n'en est pas moins conservatrice dans le fait.

Les idées de Taylor seront suivies et modifiées en de nombreux endroits, notamment par H. Fayol (1841-1925) et H. Ford (1863-1947), ouvrier, lui aussi, à ses débuts. Le travail à la chaîne, rendu plus célèbre encore par le film de Ch. Chaplin, *Les Temps modernes*, est sa création la plus connue, mais non la seule.

Le conflit est donc bien différent de celui qui a marqué le XVIII$^e$ et le début du XIX$^e$ siècle. *Il ne s'agit plus de refuser la machine qui supprime des emplois, mais d'améliorer le sort de l'ouvrier, tant en salaire qu'en conditions de travail, au besoin, en changeant le régime.*

# III

# Socialisants et socialistes

Dès que le socialisme eut pris quelque figure, au début du
XIX<sup>e</sup> siècle, il a récusé les vues optimistes des libéraux, sur les
emplois devant le progrès technique.

## Le trouble-fête de Sismondi

Fervent adepte, au début, du libéralisme économique, Jean
Sismonde de Sismondi (1773-1842) est ému par les crises économiques. Tout en restant partisan de la propriété privée et
sans proposer de système de remplacement, il attaque résolument, dès 1819, le dogme de l'ordre naturel ; bref, c'était un
« subversif ».

Cette attitude lui attire aujourd'hui un regain de faveur, parmi les économistes occidentaux, désemparés depuis l'arrivée
de la « stagflation ».

Par contre, le jugement des marxistes s'est, peu à peu, fait
moins sévère sur lui. Marx avait violemment critiqué ce mauvais concurrent.

Il n'a pas dit un seul mot scientifiquement fondé, il n'a pas contribué d'un iota à la solution du problème... Son œuvre n'est qu'un fatras
romantique.

Lénine suivra fidèlement, comme sur le reste, le prophète,
parlant, lui aussi, de « romantisme économique ». S'agissant
plus précisément de progrès technique et d'emploi il s'exprime
ainsi :

Dans son exposé sur la population rendue superflue par l'invention des machines il semble estimer qu'il faut supprimer des machines ou des hommes, par incompatibilité. C'est une utopie petite bourgeoise.

Quoi qu'il en soit, dans les *Nouveaux Principes d'économie politique*, la question brûlante de l'emploi est tranchée dans un sens opposé à celui des libéraux.

Du fait de leur licenciement, la consommation des ouvriers diminuera et, par suite, leur demande. De ce fait, les machines sont généralement néfastes, sauf si leur introduction est précédée d'un accroissement de revenu et par suite, d'une possibilité nouvelle pour les ouvriers remplacés.

Dans le livre VI, il est résolument pessimiste, donnant des arguments qu'on retrouvera curieusement, un siècle plus tard, dans les théories stagnationnistes (voir p. 75).

La misère du chasseur sauvage, qui périt de faim, n'égale pas celle des milliers de familles, que renvoie quelquefois une manufacture... Tous les ouvriers d'Angleterre seraient mis sur le pavé, si les fabricants pouvaient, à leur place, employer des machines à vapeur avec 5 % d'économies.

Et voici le fond de l'affaire, l'argument du monde fini :

Tant qu'une nation trouve à sa portée un marché assez vaste pour que toutes les productions soient assurées d'un écoulement prompt et avantageux, chacune de ces découvertes (les machines) est un bénéfice, parce qu'au lieu de diminuer le nombre des ouvriers, elle augmente la masse du travail et de ses produits. Une nation qui se trouve ainsi avoir l'initiative des découvertes réussit longtemps à étendre son marché, en proportion du nombre de mains que chaque invention nouvelle rend libre. Elle les emploie à une augmentation de production que sa découverte lui permet de fournir à meilleur prix... Mais il vient une époque où le monde civilisé ne forme plus qu'un seul marché. La demande du marché universel est une quantité précise que se disputent les diverses nations...
Si, aujourd'hui, une découverte nouvelle faisait faire avec un seul métier ce qu'on faisait il y a 10 ans, avec cent, cette découverte serait un malheur national.

Cette argumentation mérite examen : l'idée de la contrepartie des ventes en achat de produits est ici absente ; non seulement la loi des débouchés ou celle, plus moderne, du circuit est ignorée, mais tout est à sens unique. La préoccupation n'est pas de savoir si on pourra se procurer des matières premières, c'est-à-dire des sources de richesses indispensables, mais de savoir s'il sera possible de se débarrasser de celles que l'on produit.

L'optique du marché rend séduisantes de telles conclusions. Bien que le but soit de consommer et non de travailler, on voit déjà en clair l'idée contemporaine de l'emploi, but en soi, la notion de richesse étant oubliée. Comme cette idée touche profondément l'opinion et notamment les keynésiens socialisants, elle paraît puissamment anticipatrice, bien que la hantise de la mévente générale ait, avant même l'industrie, touché plus d'un auteur. Rappelons notamment les apostrophes de L.-S. Mercier avant la Révolution :

Que de choses invendues, faute d'un signe assez multiplié ! Et que de choses à vendre qui ne se vendent point !... Il est difficile de vendre et très difficile de se vendre. Beaucoup d'hommes restent sans emploi : les travaux publics ne vont pas mieux. Tout indique donc le défaut presque absolu des signes d'échanges... Des billets de banque, c'est-à-dire un papier à monnaie qui proportionnerait l'abondance des signes à la multitude des choses invendues et qui sont à vendre peut seul parer aux besoins multipliés de la capitale, parce que l'abondance des signes doit répondre à l'abondance des besoins.

Mais Sismondi ne touche pas le domaine monétaire et poursuit plus profondément encore son idée, avec le célèbre apologue de la manivelle :

Si l'Angleterre réussissait à faire accomplir tout l'ouvrage de ses champs et tout celui de ses villes par des machines à vapeur et à ne compter pas plus d'habitants que la république de Genève, tout en conservant le même produit et le même revenu qu'elle a aujourd'hui, devrait-on la regarder comme plus riche et plus prospérante ? M. Ricardo répond que oui... Ainsi donc, la richesse est tout, les hommes ne sont rien ? En vérité, il ne reste plus qu'à désirer que le roi, demeure tout seul dans son île, en tournant constamment une manivelle, fasse accomplir par des automates, tout l'ouvrage de l'Angleterre.

C'est, semble-t-il, la première évocation de l'économie « pousse-bouton » ; mais on peut se demander ce que l'économiste genevois aurait pensé, s'il avait conçu que la manivelle pourrait faire place à l'électricité puis à l'électronique.

Sismondi traite aussi de la durée de l'emploi, en rapport

avec le progrès technique et, plus encore, de l'injuste répartition des fruits de la production.

Nous trouvons donc chez lui, les vues de nombreux socialistes, mais sous une forme assez sommaire et purement critique,
qui explique le jugement de Marx.


## *Le rejet vers l'agriculture*

Au début du XIX^e siècle, deux hommes, bien différents, de
condition bourgeoise sont, en quelque sorte, rejetés hors du
monde industriel par ses spectacles désolants et se trouvent dès
lors, sans jeu de mots, en plein champ, attirés par le refuge vers
la nature et le souci de réformer la société.

A la différence de Sismondi, Robert Owen (1771-1858) est
d'origine modeste, mais homme d'action. Ayant créé, à 18 ans,
une filature à Manchester, foyer libéral, et réussi, dans des
conditions fort difficiles, il se laisse d'autant moins emporter
par la course aux profits qu'il croit à la surproduction et au
chômage, sous l'effet de la machine et de la sous-consommation ouvrière. Comme pour tant d'autres, c'est une optique, au
départ, un postulat, qui décide de sa vie. De ce fait, non seulement il prend dans son usine des dispositions sociales, mais,
redoutant de voir augmenter la masse des chômeurs, il croit au
salut dans l'agriculture et se lance dans des entreprises mal-
heureuses, parmi lesquelles la colonie « La nouvelle harmonie » aux États-Unis (1824). Devançant d'un siècle et demi les
« enragés » de mai 1968, il estime « qu'il est interdit d'interdire » et croit à la bienveillance et à l'abondance.

En somme, par ironie du destin, ce grand socialiste n'a bien
réussi que dans le patronat industriel.

Son contemporain, Charles Fourier (1722-1837), a vécu de
façon ingrate et aventureuse dans le commerce. Témoin à
Lyon de la misère ouvrière, il voit, dans l'industrie, un renversement de l'ordre naturel, qui avait tant séduit les prérévolu-
tionnaires. Dès lors, sa doctrine s'établit sur un refus libérateur. Cette libération, il la voit, comme Owen, dans ce qu'on
appelle précisément l'air libre, c'est-à-dire l'agriculture. Sur un
plan plus abstrait, les attractions et les destinées sont un
moteur social.

Comme Owen, Fourier connaît cependant mal l'agriculture
et ne tient pas compte des leçons du puissant exode rural que
la misère ouvrière n'a pas ralenti.

*Socialistes et communistes prémarxiens*

Les socialistes du XVIIIᵉ siècle, notamment Morelli, obscur fondateur du communisme[1] et plus encore Babeuf (1764-1797) n'ont guère connu l'industrie, de sorte que leur doctrine a visé avant tout la communauté des biens. Touché comme tant d'autres, par la servitude ouvrière et le chômage, Étienne Cabet (1786-1856) est encore inspiré comme Owen et Fourier, par un souci de libération, dans la nature (colonie de Nauvoo, aux États-Unis), mais il a le mérite d'avoir été plus précis que Marx, donc jugé plus utopique. Avant *Le Capital,* il prévoit la période de transition autoritaire, dont il fixe la durée à cinquante ans, avant la période d'abondance et de distribution.

Auguste Blanqui (1805-1881) connaît peu les mécanismes économiques qu'il repousse par passion, devant leurs résultats, en leur reprochant l'absence de morale. « Les conquêtes de l'industrie ne sont point l'œuvre du capital, mais de l'intelligence[2]. » Cette vue, quelque peu apparentée à Saint-Simon, sera souvent confirmée dans la suite.

Et voici une critique qui sera abondamment reprise : la dégradation, l'aliénation de l'ouvrier, du fait de la division du travail :

L'ouvrier qui passe sa vie à façonner la pointe d'une épingle, le taraudeur qui tourne une vis en spirale, le tisserand qui agite régulièrement sa navette, a-t-on dit, ne sauraient jamais s'élever au-dessus de la sphère étroite de leurs travaux. A force de les imiter sans cesse, ils finissent par devenir des machines.

Mais il ne verse pas, comme Owen et Fourier, dans l'idéalisme de la nature :

La division du travail ne ravale pas plus les ouvriers que le travail de la terre ; on ne s'est pas aperçu que les cultivateurs... soient plus spirituels (sic) que les ouvriers des manufactures.

Saint-simonien, puis fouriériste, Constantin Pecqueur (1801-1887) épouse la vue de départ des socialistes, mais après un examen un peu moins sommaire. Il a, en particulier, étudié de près les applications de la vapeur. Voici l'essentiel de son jugement :

---

1. *Code de la nature,* 1755.
2. Critique sociale.

La concurrence, telle qu'elle se produit en Europe... tend de plus en plus à l'avilissement des salaires ; l'introduction des machines tend de plus en plus à la dépréciation et à l'annulation du travail ou de la coopération des ouvriers dans la production totale d'une nation.

D'où il suit que la misère, le paupérisme des populations salariées seraient l'état général vers lequel s'avanceraient irrésistiblement toutes les nations... si d'autres causes puissantes n'intervenaient prochainement, pour faire contrepoids aux influences dissolvantes de la concurrence égoïste et facultative (sic)[1].

L'exécution de travaux publics ne lui paraît qu'un palliatif insuffisant. Ce moyen, si souvent proposé, même par des non-socialistes, pour occuper les ouvriers licenciés, éliminés, a trouvé un terrain d'expérience : Appelé à des responsabilités politiques, pendant la révolution de 1848, la présidence de la commission du gouvernement pour les travailleurs, Louis Blanc (1811-1882) a été, semble-t-il, le premier doctrinaire socialiste à se trouver devant l'action pratique. Parmi les réformes sociales entreprises à son instigation, la principale, tout au moins en retentissement et en signification, a été la création des *Ateliers nationaux,* dont l'échec fut un triomphe durable pour la bourgeoisie, mais dont la leçon n'a pas été retenue. Cette action sur l'effet, et non sur la cause, considère l'emploi comme un but en soi (« donner du travail »), sans souci suffisant de la contrepartie en production de richesses. Sous des formes peu différentes, l'idée s'est largement répandue parmi les non-socialistes et contribue paradoxalement à la persistance du chômage dans les pays industriels.

## Pierre Proudhon (1809-1865)

Généreux et puissant, mais plus brillant que profond, encore que volontiers expérimental, il procède à une critique systématique de Say et étudie de plus près que les socialistes précédents le rôle propre de la machine.

L'optimisme de Say est, dit-il, une infidélité à la logique et aux faits. Il ne s'agit pas seulement ici d'un petit nombre d'incidents, arrivés pendant un laps de trente siècles, par l'introduction, d'une, deux ou trois machines ; il s'agit d'un phénomène régulier, constant et général.

---

1. *Des améliorations matérielles dans leurs rapports avec la liberté,* 1839.

Après que le revenu a été déplacé, comme dit Say, une machine l'est par une autre, puis encore par une autre et toujours par une autre, tant qu'il reste du travail à faire et des échanges à effectuer. Voilà comme le phénomène doit être présenté et envisagé ; mais, alors, convenons qu'il change singulièrement d'aspect. Le déplacement du revenu, la suppression du travail et du salaire est un fléau chronique, permanent, indélébile, une sorte de choléra qui tantôt apparaît sous la figure de Gütenberg, puis revêt celle d'Arkwright ; ici, on le nomme Jacquard, plus loin James Watt ou marquis de Jouffroy. Après avoir sévi plus ou moins longtemps sous une forme, le monstre en prend une autre ; et les économistes qui le croient parti, de s'écrier : Ce n'était rien !

Il est étonnant de voir un progressiste si généreux, non rousselien, en venir à considérer, comme un mal en soi, la machine, en y comprenant Gütenberg. Mais, un moment après, la raison reprend quelque peu le dessus :

L'exemple de l'imprimerie a été maintes fois cité, toujours dans une pensée d'optimisme. Le nombre de personnes que fait vivre aujourd'hui la fabrication des livres est peut-être mille fois plus considérable que ne l'était celui des copistes et enlumineurs avant Gütenberg ; donc, conclut-on d'un air satisfait, l'imprimerie n'a fait tort à personne. Des faits analogues pourraient être cités à l'infini, sans qu'un seul fût à récuser, mais aussi sans que la question fît un pas. Encore une fois, personne ne disconvient que les machines aient contribué au bien-être général : mais j'affirme, en regard de ce fait irréfragable, que les économistes manquent à la vérité lorsqu'ils avancent d'une manière absolue que la simplification des procédés n'a eu nulle part pour résultat de diminuer le nombre des bras employés à une industrie quelconque.

Nous serions ici dans une note bien plus juste, si les mots « permanente » et « fatale », cités en contexte, ne contredisaient quelque peu le multiplicateur *mille*, cité à propos de Gütenberg. Atterré par les misères bien en vue, il ne voit pas, il n'imagine pas les déplacements de consommation et de travail possibles. En un autre passage, il dit que la population chassée, sur les canaux, par la machine à vapeur « s'est évanouie », optique conservatrice.

L'exemple de Proudhon est d'autant plus intéressant qu'il nous montre le degré de stérilité où peut pousser l'affectivité. Partant de faits incontestables, la misère des ouvriers éliminés, il ne parvient à aucune idée constructive.

Allant vigoureusement dans le même sens que Sismondi, il voit la production s'arrêter, faute de consommateurs.

Quel système, que celui qui conduit un négociant à penser avec délices que la société pourra bientôt se passer des hommes ! La mécanique a délivré le capital de l'oppression du travail ! C'est exactement comme si le ministère entreprenait de délivrer le budget de l'oppression des contribuables. Insensé ! Si les ouvriers vous coûtent, ils sont vos acheteurs : que ferez-vous de vos produits, quand chassés par vous, ils ne les consommeront plus ? Aussi, le contrecoup des machines, après avoir écrasé les ouvriers ne tarde pas à frapper les maîtres : car, si la production exclut la consommation, bientôt elle-même est forcée de s'arrêter.

Cette thèse de la sous-consommation des travailleurs, bien dessinée déjà par Owen, sera reprise par Marx et par d'autres et ne perdra quelque peu de sa séduction que lors des difficultés survenues, après la deuxième guerre, du fait de la stimulation de la demande.

## Karl Marx l'opportun

Plus encore, peut-être, que tout autre prophète, Marx arrive au moment qu'il faut. Sur le rôle de la machine, sa doctrine ne semble pas différer notablement de celle de divers socialistes et est même parfois en retrait (par exemple, dans la réfutation des arguments des libéraux sur l'extension des marchés), mais elle prend une importance particulière par deux traits :

1. Longtemps contestée, refusée, la machine était, au milieu du siècle, définitivement entrée dans l'économie. *Puisqu'il fallait désormais l'accepter, c'est le système lui-même qu'il fallait changer.* Se gardant toutefois de s'aventurer, comme le fera un peu imprudemment Engels, dans la description de la société sans classes, dont il pressent, sans doute, les difficultés, il se borne à quelques évocations, de temps à autre, comme celle-ci :

C'est pourquoi, dans une société communiste, l'emploi des machines aurait une tout autre étendue que dans la société bourgeoise[1].

Le surtravail demandé aux ouvriers pour produire la richesse de leurs « maîtres » disparaîtrait en partie et recevrait, pour l'autre partie, une affectation sociale.

---

1. *Le Capital*, livre I, quatrième section.

2. Un développement novateur moins pessimiste prévoit un certain élargissement de la gamme des emplois.

## Marx contre Malthus

En généralisant, Marx pose la question démographique. Divers auteurs et une partie notable de la classe bourgeoise attribuaient la misère des ouvriers à l'excès de leur nombre. Dès lors, le marché jouait contre eux. Sans être encore importante, la baisse de la mortalité avait créé, dans les campagnes, un manque de terres qui entraînait un exode vers les villes et l'industrie. C'était là, selon la thèse conservatrice, héritée de Malthus, l'origine de la pauvreté.

Les socialistes de diverses écoles (Owen, Fourier, Proudhon, etc.) se sont tous élevés contre cette explication qui, disculpant les riches et la propriété, retournait contre les pauvres la responsabilité de leurs malheurs (« ils n'ont qu'à avoir moins d'enfants »). Marx réagit violemment contre ce renversement des responsabilités et établit sa théorie de la surpopulation ouvrière relative.

La demande de travail effective étant réglée, non seulement par la grandeur du capital variable, déjà mis en œuvre, mais encore par la moyenne de son accroissement continu, l'offre de travail reste normale, tant qu'elle suit le mouvement. Mais, quand le capital variable descend à une moyenne d'accroissement inférieur, tandis qu'augmente le capital fixe, la même offre de travail, qui était jusque-là normale, devient désormais anormale, surabondante.

Cette description, pas plus que d'autres en divers points, n'ajoute rien aux explications classiques des « adversaires de la machine », mais elle combat directement la thèse de la surpopulation. Si vive est la réaction de Marx contre l'égoïsme de classe de Malthus, si cruel dans l'apologue du banquet de la nature, qu'en se cristallisant, elle va prendre figure de théorie positive de la population, ce qu'elle ne prétend pas être ; si bien que, pendant longtemps et au lendemain de la guerre encore, à propos des pays en développement, les marxistes déclareront que « dans un pays socialiste, il ne peut pas y avoir de surpopulation » (Encyclopédie soviétique). L'aventure de la Chine et diverses expériences ont fait disparaître cette robuste confiance. Du reste, du temps de Marx, la vie moyenne de l'homme ne dépassait guère 40 ans (celle aujourd'hui des pays les plus attardés d'Afrique noire) et sur 100 nouveau-nés, 60 seulement parvenaient à l'âge de procréation. Le risque de croissance trop rapide de la population était donc bien moins accusé qu'il l'est aujourd'hui dans les actuels pays en développement [1]. Ce n'est pas à Marx qu'il faut s'en prendre, mais à ceux qui l'ont incorrectement prolongé. Mais voici plus délicat :

## La paupérisation

L'accumulation du capital fixe engendre fatalement, selon Marx, une misère croissante.

Le paupérisme est l'hôtel des Invalides de l'armée active du travail. Il forme avec elle une condition de la richesse capitaliste... Plus la réserve industrielle grossit comparativement à l'armée active du travail, plus grossit aussi la surpopulation consolidée... Il en résulte que, quel que soit le taux des salaires haut ou bas, la condition du travailleur doit empirer, à mesure que le capital s'accumule. La loi, qui toujours équilibre le progrès de l'accumulation et celui de la surpopulation relative..., établit une corrélation fatale entre l'accumulation du capital et l'accumulation de la misère[2]...

Autrement dit, le progrès technique réduit le nombre des emplois.

## La réfutation de la « compensation[3] »

Le défaut le plus notable de la théorie de Marx est l'insuffisance de vues macro-économiques, notamment sur la baisse des prix par l'effet de la concurrence et sur les industries nouvelles. Rien n'est contesté de façon absolue. Mais tout est réfu-

---

1. Si vive a été la réaction de Marx contre Malthus qu'en 1976 encore, dans *La Pensée économique avant Marx*, ouvrage plein d'indulgence souriante envers tous les économistes prémarxiens, y compris même de Sismondi, le professeur A. Anikine de l'Université Lomonossov, à Moscou, écrit que Malthus est « le personnage le plus odieux dans l'histoire de l'économie politique ».

2. *Le Capital*, livre I, chapitre XXV.

3. *Le Procès de la production du capital*, tome III, chapitre XIII : la théorie de la compensation appliquée aux ouvriers évincés par la machine.

té, tantôt par un retour à l'analyse micro-économique, tantôt par l'emploi de chiffres partiels. Voici quelques arguments à l'encontre de son raisonnement :

– il dit bien que la production de luxe s'accroît, mais l'idée n'est pas suivie. Or, si la totalité du gain procuré par la machine revient à l'employeur, l'utilisation de ce gain (déversement) devrait réemployer un nombre de personnes équivalent ;

– il est vrai que, selon Marx, une partie de ce gain supplémentaire se traduit par une augmentation du nombre des domestiques. Cette augmentation est loin d'être prouvée, tant était déjà élevé le nombre de serviteurs avant l'industrie, mais il s'agirait tout de même d'emplois. Du reste, le nombre de domestiques ira, dans la suite, en diminuant ;

– pour contester l'influence des branches nouvelles, Marx estime que les cinq suivantes : usines à gaz, télégraphie, photographie, navigation à vapeur et chemin de fer n'occupent que 94 145 personnes. Il faudrait ici une présentation complète du recensement de 1861.

Pour réfuter les arguments des classiques, il a écrit :

> D'ailleurs, les efforts passagers des machines sont permanents en ce qu'elles envahissent sans cesse de nouveaux champs de production.

Cette réfutation des vues des classiques, si insuffisantes, nous l'avons vu, ouvre la place à l'interprétation. On ne trouve d'ailleurs pas ici de réfutation sérieuse des arguments des libéraux sur la baisse des prix et l'apparition de nouvelles activités. C'est que Marx réfléchit, se conteste lui-même, s'efforçant vraiment d'être scientifique :

> Le développement capitaliste des forces productives se caractérise moins par l'élimination que par le remplacement, grâce aux machines, d'une force de travail supérieure par une force de travail dont les coûts de reproduction sont plus faibles et qui est moins bien placée pour défendre son salaire.

Nous trouvons déjà une précision intéressante, mais il y a plus :

## Une vue plus large

Le propre des prophètes c'est non seulement d'arriver au moment qu'il faut avec la libération attendue, mais aussi d'ouvrir une voie assez large, par la diversité des interprétations possibles, ce qui conduit même à ce que l'on peut appeler des contradictions.

Souvent évoquée, par exemple, est la contradiction entre la baisse tendancielle du taux de profit et la paupérisation des travailleurs. Mais une autre vue se différencie singulièrement de la thèse de la paupérisation par élimination [1] :

Du fait de l'impulsion que reçoit l'accumulation sur les nouvelles bases qui exigent moins de travail vivant, par rapport au travail passé, les travailleurs qui ont été licenciés et paupérisés, ou tout au moins cette fraction de population qui les remplace sont absorbés :
– soit dans les usines mécaniques, en expansion elles-mêmes ;
– soit dans des branches de production que l'emploi des machines a rendu nécessaires et dont il a suscité l'apparition ;
– soit dans de nouveaux domaines d'emploi ouverts par du capital nouveau et satisfaisant de nouveaux besoins.

Nous sommes déjà assez loin de l'élimination pure et voyons une amorce de théorie, qui pourrait aboutir au déversement (voir chapitre 15). Mais Marx, affectif, ne peut pas se satisfaire des conclusions de Marx, observateur, et voici son commentaire :

Voici donc une autre perspective réjouissante : la classe ouvrière doit endurer tous les « désagréments passagers », mais le travail salarié ne doit pas, pour autant, être aboli ; au contraire, il sera reproduit sur une échelle sans cesse croissante, augmentant en termes absolus, bien qu'il diminue, relativement au capital qui l'emploie.

Voilà une vue assez éloignée de l'élimination simple, décrite par tant de ses contemporains, mêmes non-socialistes et redoutée aujourd'hui par les autorités les plus officielles à propos de l'informatique. Poursuivons :

Deux tendances s'affrontent en permanence :

– premièrement, employer le moins de travail possible pour produire une quantité donnée ou une plus grande quantité de marchandises ;
– deuxièmement, employer le plus grand nombre possible de travailleurs, parce qu'à un niveau donné de productivité, la masse de la plus value croît avec le volume du travail employé.

---

1. *Theories of surplus values,* Londres, Lawrence and Wisnart, 1969, 3 volumes, tome II, page 572. Un volume a été traduit aux Éditions Sociales, 1974, tome II, pages 550 et suivantes.

La première tendance jette les ouvriers sur le pavé et rend une partie de la population superflue, l'autre tendance les absorbe de nouveau et étend de façon absolue l'esclavage salarié, si bien que le sort du travailleur est toujours soumis à des vicissitudes et qu'il n'y échappe jamais [1].

Avec une terminologie un peu différente, plus d'un néoclassique acceptera cette argumentation, qui ne formule plus de pronostic sur la baisse fatale des salaires.

## *Jules Guesde (1845-1922)*

Sa formule « le socialisme est le fils du cheval-vapeur » résume bien sa pensée, comme aussi, assez largement, l'évolution du siècle. L'esclavage et le servage ont duré longtemps, ajoute-t-il, mais le salariat approche de sa fin. Saint-Simon, Fourier et plus encore, leurs disciples Enfantin, C. Pecqueur, Considérant, Bazard sont les ennemis de la révolution, car, à leurs yeux, « l'humanité pourra passer d'un régime à un autre, sans grandes collisions, sans guerre civile ».

## *Lénine (Vladimir Ilitch Oulianov, dit) (1870-1924)*

Entre le créateur et le comptable ou, si l'on préfère, l'observateur rationnel, existe une antinomie fondamentale. Les grands prophètes sociaux ont commis de nombreuses erreurs de fait, mais eux seuls sont parvenus à la postérité.

La situation est quelque peu différente, dans le cas de Lénine. Sans qu'on puisse, loin de là, parler d'une indifférence, à l'égard des questions économiques, le souci apparaît chez lui, certes peu conscient, de ne pas s'alourdir de préoccupations étroitement techniques. Si considérables que soient ses écrits de caractère économique, une volonté semble se manifester de ne pas être arrêté dans son action, par des observations et des comptes rigoureux. C'est ce qu'exprimera plus tard la formule « les Soviets, plus l'électricité » qui n'est, sans doute, pas de lui. Du reste, il épouse si étroitement les vues de Marx et Engels que nous ne pouvons espérer trouver, dans ses écrits, une ana-

---

1. *Theories of surplus values*, p. 573. Nous avons mis les arguments à la ligne pour plus de clarté.

lyse vraiment originale sur le rôle de la machine. Il s'en rapporte si fidèlement à ses maîtres, sur ce point, qu'il considère l'élimination du travailleur par la machine comme une évidence.

Pas plus que Marx, Lénine ne croit à la surpopulation, disculpation des capitalistes. Ces excédents d'hommes que dénoncent les conservateurs (moins vigoureusement, d'ailleurs, qu'au début du XIXe siècle) ne sont que le fruit du régime qui n'utilise les machines, ni à réduire la durée du travail, ni à augmenter la consommation des travailleurs (laquelle diminue au contraire). Selon Lénine, l'étude du machinisme doit se faire de deux façons :

— *Place du machinisme dans la succession des stades de développement* du capitalisme et rapports de ce stade avec ceux qui l'ont précédé.

— *Analyse du rôle des machines,* dans l'économie capitaliste, en particulier, par leur influence sur la transformation des conditions de vie.

– Il faut encore considérer l'augmentation des forces productives, et la *socialisation du travail.*

Vue puissante, mais cette fois encore, la création de nouveaux emplois, de nouvelles consommations et de nouveaux besoins, résultant des progrès permis par la machine, n'est pas entrevue.

La question de la paupérisation, sous l'effet de la machine, mérite attention. Le 30 novembre 1912, Lénine écrit dans la *Pravda* :

Les réformistes bourgeois et, à leur suite, certains opportunistes appartenant à la social-démocratie, affirment qu'il n'y a pas de paupérisation des masses dans la société capitaliste... Ces derniers temps, la fausseté de pareilles affirmations se révèle de manière de plus en plus flagrante aux yeux des masses. Le coût de la vie augmente, les salaires des ouvriers... augmentent beaucoup plus lentement que ne s'élèvent les dépenses nécessaires à la force de travail.

Suivent quelques données :

D'après les chiffres des social-politiciens bourgeois, qui puisent leurs renseignements dans les sources officielles, le salaire des ouvriers allemands a augmenté, au cours des trente dernières années, de 25 % en moyenne. Dans la même période, le coût de la vie a augmenté d'au moins 40 %.

La dernière phrase est de Lénine lui-même et ne fait pas partie naturellement des appréciations des social-politiciens bourgeois. Le chiffre cité de 40 % n'est fondé sur aucun relevé, comme le confirme le complément « au moins ». Il correspond à l'impression ressentie non seulement par lui, mais par l'ensemble des consommateurs. Nous savons, par tant d'expériences, que l'impression subjective donne toujours en matière de prix, des résultats très différents de ceux que fournit l'observation sur pièces, la différence étant toujours dans le même sens.

L'*Institut français d'opinion publique* (I.F.O.P.) a comparé, pendant quinze ans, l'indice observé du coût de la vie (devenu indice des prix à la consommation) à l'indice psychologique, ressenti par les consommateurs. La figure 1 ci-dessous montre l'importance de l'écart à partir du moment où la hausse s'est ralentie :

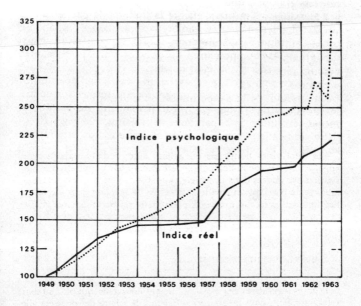

*Fig. 1 — Indice observé et indice psychologique
du coût de la vie*

En mettant bout à bout les mouvements ressentis et décrits à diverses époques, divers auteurs ont obtenu un singulier résultat : le niveau de vie de notre époque, c'est-à-dire les quantités que nous consommons, serait inférieur à celui du Moyen Âge. Les nombreuses observations confirment l'augmentation du pouvoir d'achat des salariés à cette époque. Mais la théorie de la paupérisation absolue rencontre, dans l'esprit populaire, un tel apui (le mythe de l'âge d'or lui est apparenté) qu'elle a longtemps résisté et qu'elle était encore totalement admise du temps de Lénine.

Que Lénine ait estimé la paupérisation prouvée par l'expérience peut encore s'expliquer, tant est délicate une comparaison doublement différentielle (les prix et les salaires à deux époques) en une époque pauvre en données comparables. Il était possible de suivre une série de salaires homogènes, mais les indices de prix n'existaient pas encore. Plus surprenant est qu'un siècle après *Le Capital*, alors que le pouvoir d'achat des ouvriers avait plus que triplé, sans compter la Sécurité sociale, des marxistes défendaient encore la thèse de la paupérisation absolue. La destruction de nombreux capitaux par l'inflation a certes contribué à l'amélioration des revenus du travail, mais, déjà en 1914, l'augmentation du pouvoir d'achat des salaires dans les pays industriels était notable.

À l'augmentation du salaire d'une catégorie déterminée s'étaient ajoutés de menus avantages sociaux (protection contre les accidents du travail, etc.) et le phénomène de promotion sociale (évolution de la pyramide des salaires, voir page 287).

La vérification de la théorie de la paupérisation sera reprise au chapitre 5, *Expérience*.

# IV

# Évolution contemporaine

Poursuivant l'exposé de critique historique des chapitres précédents, nous reportons au chapitre II « les vues et explications des économistes contemporains sur le mécanisme du progrès technique et de l'emploi ».

Selon une pratique fréquente, nous avons prolongé le XIX<sup>e</sup> siècle jusqu'à la guerre de 1914, en raison de la discontinuité que celle-ci a provoquée.

*Après 1918*

La perte de nombreux hommes tués au combat, la généralisation de la journée de 8 heures, les nécessités pressantes de la reconstruction, encore stimulées par l'inflation en divers pays mettent un moment au second plan la question du progrès technique et de l'emploi.

Un chômage important *apparaît* cependant, en plusieurs pays dans les années 20, notamment en Allemagne, en Angleterre et aux États-Unis. Nous employons volontairement le mot *apparaît* et non *naît,* car les pays prennent conscience d'une situation de fait très antérieure, dissimulée jusque-là par le jeu libéral et la discrétion des relevés statistiques (voir p. 221).

Les distorsions causées par la guerre, la crise du charbon en Angleterre, par exemple, ont entraîné l'extension des indemnités de chômage, socialement bienfaisantes et économiquement inhibitrices. Aux États-Unis, la « fermeture », qu'a été la quasi-disparition de la « frontier », a ralenti le mouvement d'apparence indéfinie, qui se poursuivait depuis plus d'un siècle. Le chômage s'est étendu malgré, dit-on, la sévère réglementation de l'immigration, mais ne pourrait-on pas dire à cause d'elle ?

En 1913, 1 200 000 immigrants étaient entrés aux États-Unis. Un arrêt aussi brutal ne se fait pas sans dommages. Et cependant, ces diverses secousses auraient été quelque peu amorties, sans la prise de conscience elle-même, suivie de mesures stabilisatrices. Dans toutes ces aventures, la machine et le progrès technique n'étaient guère mis en cause.

En 1928, avant le déclenchement de la grande crise, le nombre de chômeurs s'élevait en Angleterre à 1 200 000, et, en Allemagne à 1 900 000. La proportion par rapport à la population active, était sensiblement supérieure à celle de 1980. Même observation pour les États-Unis, où 9,2 % des travailleurs étaient en chômage, contre 5 % aujourd'hui.

Notons déjà l'inanité de l'explication arithmétique du chômage : il s'étend au moment où, en Allemagne et en Angleterre, de nombreux hommes ont été tués et la durée du travail réduite et au moment où l'immigration est arrêtée aux États-Unis.

Dans cette optique trouble des années 20, les explications ou doctrines quantitatives, globales, de l'emploi mettent en cause, moins la machine, que le progrès de la productivité, appelé à l'époque *rationalisation*.

Là-dessus, survient une autre secousse, moins meurtrière que la guerre, mais non moins affligeante, par certains aspects.

## La grande crise

Non seulement cet effondrement n'a pas été prévu, mais le *Harvard Economic Service*, détenteur du meilleur modèle prévisionnel de l'époque, en a, par amour-propre, longtemps contesté l'existence même.

La machine ne pouvait manquer d'être mise en cause par les préjugés courants sur le sujet. Non seulement les vieux arguments moralisants du XVIIIe siècle, contre le luxe et « l'artifice », sont exhumés, à peu près intacts, mais la crise est imputée à la surproduction, elle-même fruit du machinisme. Politiques, professeurs, doctrinaires, journalistes, etc. accusent la machine de créer le chômage.

Voici Joseph Caillaux, ancien président du Conseil, président de la Commission des Finances du Sénat, grande autorité politique, qui s'exprime ainsi[1] :

L'humanité d'aujourd'hui plie sous l'abondance... la machine dévore l'homme... Il faut surtout maîtriser la technique... Nous voyons que ces prétendus progrès n'abaissent pas les prix des produits, mais ont pour effet de faire renvoyer du personnel. D'où sous-consommation et aucun progrès du point de vue économique.

Pour un peu, le grand aristocrate de gauche antisocialiste découvrirait l'accumulation du capital de Marx. Mais le remède proposé est bien différent :

Un moyen serait de mettre des impôts assez lourds sur toutes les inventions d'outillage.

La même année, son ami personnel Jacques Duboin, ancien sous-secrétaire d'État va, mais un peu moins loin, dans la même direction, en préconisant :

une politique fiscale qui mette un frein aux transformations trop rapides du matériel.[2]

La *Revue d'Économie Politique* rend compte ainsi du congrès tenu, en 1932, par les économistes de langue française :

La discussion engagée autour du rapport de M. Ansiaux, rapporteur général, tend à mettre en avant le progrès, parmi les facteurs responsables de la crise : la mécanisation extrême (sic) de l'industrie est un élément essentiel de l'aggravation de la crise actuelle.

Selon R. Bergerioux[3] :

Il faut créer une caisse de compensation, à laquelle seraient soumises obligatoirement les nouvelles inventions. Elle les achèterait à juste prix, mais n'en livrerait le secret qu'au fur et à mesure des besoins de la production et des possibilités de consommation.

---

1. *Le malaise mondial,* conférence prononcée le 2 mars 1932. Information financière, 2 mars 1932.
2. *Nous faisons fausse route,* Éditions des Portiques, Paris, 1932.
3. *Le Socialisme capitaliste* et *Un monde commence,* 1932.

À moins de recourir à une planification d'ensemble, ce serait un arrêt total, puisque la chaîne serait coupée.

En 1931, Emil Lederer, professeur à l'Université de Berlin fait, lui aussi, intervenir la notion de rythme du progrès[1] :

> Lorsque le progrès technique se développe à un certain rythme, les créations d'industries nouvelles ne peuvent être assez considérables pour assurer le réembauchage des ouvriers congédiés.

Plus formel encore, est l'économiste américain Alvin Hansen, qui sera l'un des champions de la déconcertante théorie stagnationniste (page 75).

Dans la *Revue d'Économie politique* de janvier-février 1932, Grégoire Khérian opine dans le même sens :

> Le gigantesque effort de rationalisation d'après-guerre semble avoir laissé sur notre planète, un résidu de chômeurs permanents. »

Tous ces hommes, qui ont au moins quelques notions d'économie, ne font que traduire l'opinion commune générale. Leurs vues concordent également avec celles des adversaires de la machine, socialistes ou non (Montesquieu, Sismondi, etc.).

Bertrand Nogaro, qui tient alors presque la tête des économistes français, ne voit pas autrement :

> La crise procède tout d'abord d'une surproduction réelle, portant sur un petit nombre de produits intéressant un grand nombre de producteurs, blé, bétail, laine, café, sucre, caoutchouc, métaux et aussi d'une surproduction virtuelle provenant d'un accroissement excessif des moyens de production, du développement de l'outillage et du perfectionnement des techniques.
> Et ce n'est pas seulement de la rationalisation dans l'industrie, c'est aussi et surtout du développement des méthodes de production dans l'agriculture. Augmenter la production, le critérium du progrès !

Le dernier point d'exclamation est ironique.

En face de ce concert d'hommes qui n'ont pu résister, ni aux apparences simplistes, ni aux idées qui règnent dans l'opinion, il y a cependant quelques esprits plus clairvoyants, notamment Mentor Bouniatian :

---

1. *Technichen Fortschritt und Arbeitlosigkeit,* Tübingen, 1931.

Dans le désarroi des idées sur la crise, on a tiré cette conclusion que la surproduction était une conséquence des progrès trop rapides de la technique de production et de l'accroissement extraordinaire de la productivité du travail. Dans le public, c'est une opinion très répandue. On en rencontre, tous les jours, l'expression dans les journaux. Souvent, on voit des sommités financières et politiques se prononcer dans le même sens... Et cependant, même en période de dépression, les progrès techniques, loin d'aggraver la situation, ne peuvent qu'aider à surmonter l'anémie de l'activité économique[1].

N. Kaldor réplique à l'Allemand Lederer cité plus haut :

Reprocher au progrès technique un manque d'ajustement dû à des rigidités, c'est mettre la charrue devant les bœufs[2].

Il faudrait cependant voir plus profond ; mais la confusion des esprits ne s'y prête guère.


*Le stagnationnisme*

Dans les années 30, de désespérance, les théories les plus étranges ont trouvé des soutiens parmi les meilleurs économistes. C'est, en particulier, le *stagnationnisme* ou la théorie de la *maturation*, dont le représentant le plus marquant a été A. Hansen[3]. La doctrine est un peu oubliée aujourd'hui, tant elle a reçu de démentis.

Selon les stagnationnistes, le progrès technique n'aura été, dans la longue durée, qu'un feu de paille. L'humanité a eu la chance de mettre la main, au XVIIe siècle, sur une sorte de filon de progrès économique (vapeur, électricité, etc.) et géographique aussi, qui a alimenté constamment la machine économique, en même temps que l'accroissement de la population. Ces deux sources de progrès étant taries, l'humanité doit se résigner à voir ralentir son rythme et à entrer dans une période de stagnation relative. Il y a un conflit, une contradiction entre l'accumulation passée de richesses et les créations nouvelles.

---

1. Le progrès technique et le chômage, *Revue Internationale du Travail*, mars 1933.
2. A case against technical progress, *Economica*, mai 1932.
3. *Full recovery or stagnation*, New York, 1938. Economic progress and declining population growth, *American Economic Review*, mars 1939.

Lorsqu'une économie est incapable de recevoir son apport créateur, selon le même rythme, elle est arrivée à l'état de « maturité » ou de « stagnation ». Nous sommes d'ailleurs loin des considérations écologiques actuelles : la saturation annoncée ne résulte ni d'un débordement des hommes, ni d'une insuffisance de ressources naturelles. Le progrès économique s'arrête, au contraire, par assèchement de trois sources :

— *ralentissement démographique* ;
— *épuisement des possibilités territoriales* ;
— *moindre accumulation du capital* nécessité par les formes modernes du progrès technique.

Voici, d'ailleurs, comment s'exprime l'éminente Mrs Robinson, de Cambridge :

> Étant donné que l'accroissement de la population approche rapidement de sa fin, dans le monde occidental, qu'il ne reste plus de continent vierge à découvrir et que l'on ne peut espérer une ère nouvelle d'inventions comparables à celles du XIX$^e$ siècle...

De 1940 à 1970 cependant, en une génération, la population des pays développés augmentera d'un tiers en plus que pendant les 30 années précédentes. L'espace vierge sous-marin entrera dans le champ d'exploitation. Quant aux inventions, elles se succéderont à un rythme rapide : radar, nylon, matières plastiques, énergie atomique, rayons laser, navigation spatiale, électronique, informatique, etc.

Le manque possible de matières premières n'est pas plus évoqué par les stagnationnistes que l'existence d'énormes besoins non satisfaits. Si le ralentissement démographique est regretté, ce n'est pas du fait de la perte de nouveaux producteurs qu'il représente, mais en raison de la perte de consommateurs. Les stagnationnistes sont traumatisés par la vue microéconomique de la demande qui s'effondre.

En France, les théories stagnationnistes n'ont pas eu le temps de pénétrer ; du reste, les idées se sont orientées de façon très différente, sous l'influence de la doctrine de l'abondance.

### « Technocratie » et « abondance »

En 1931 ou 1932, époque où les États-Unis accentuaient leur plongée dans la crise, qui ne sera arrêtée qu'à l'approche de la deuxième guerre, en 1938, s'est formé, à New York, un groupe d'études, dirigé par Howard Scott. S'inspirant de Thorstein Veblen, ce groupe a proclamé la venue prochaine de « l'abondance », grâce aux progrès de la technique, qu'il fallait exploiter en totalité. Réagissant contre les remèdes malthusiens suggérés, il proclamait la fin du système des prix et un régime distributif.

Les membres de ce groupe, qui semble avoir disparu en 1933, se sont curieusement appelés « technocrates ». Le mot a pris, dans la suite, un sens bien différent, mais la doctrine s'est propagée en divers pays, notamment en France, sous les auspices de plusieurs doctrinaires dont le chef de file fut Jacques Duboin. Ce fut la « doctrine de l'abondance ». Duboin, jusque-là homme politique assez conservateur, ne doit pas avoir connu les idées de Keynes, dont il est, du reste, très éloigné. Son premier ouvrage sur le sujet, *La grande relève des hommes par la machine* (1932) est d'ailleurs antérieur à la *Théorie générale*, dont l'édition française ne paraîtra que bien plus tard.

La doctrine diffère de la doctrine marxiste léniniste, en ce que celle-ci prévoit une phase de transition, pendant laquelle il faut construire les conditions de l'abondance, alors que, selon Duboin, celle-ci est déjà obtenue, même à l'échelle internationale :

L'abondance généralisée, fille du progrès, capable d'assurer le bien-être de tous, est toute récente, car c'est un phénomène apparu, pour la première fois, aux États-Unis en 1929 et qui, depuis lors, s'étend à tous les pays disposant d'un très puissant appareil de production. L'abondance, au sens large du mot, est réalisable dans une nation, au moment où, non seulement, il n'existe plus de travail pour ceux qui ont besoin de gagner leur vie, mais dans laquelle la production des choses utiles peut croître en même temps que le chômage des hommes.

L'idée que la production augmente en même temps que le chômage revient souvent dans ses vues, comme s'il s'agissait d'un phénomène inédit, alors que c'est le cas, chaque fois que la production augmente moins vite que la productivité.

Cette doctrine a eu une influence bien plus grande qu'on a pu le penser. Basée sur les apparences (la mévente étant prise pour de la surproduction absolue et le stock pour le flux), propre à bercer les hommes, elle est plus libératrice que toute autre et a fortement, par des canaux semi-conscients, inspiré la confiance générale dans la semaine de 40 heures, et dans la suite, confirmé le mythe du robot. Si séduisantes sont ces vues que les économistes, conservateurs ou marxistes, n'ont pas osé les combattre.

## La « libération » keynésienne

Ces exemples montrent combien les esprits étaient tourmentés. La crise des années 30 a déconcerté les économistes classiques, sans fournir aux marxistes des aliments satisfaisants, bien qu'elle apportât à leurs vues de précieuses confirmations. Il est vrai que les procès et les crimes de Staline, les hécatombes de la deuxième famine, faisaient une sorte de contrepoids, accentuant encore le désarroi.

Le champ était libre à un prophète, à un *libérateur*, qui résolve les problèmes et améliore l'emploi, sans faire trop de mal, bref *qui permette de continuer*.

Les peuples et ceux qui entendent les représenter n'admettent jamais de révolution que libératrice. C'est pourquoi les seuls économistes qui aient dans l'Histoire bénéficié d'un crédit étendu durable, les « prophètes » sont ceux qui ont annoncé une libération. Laissant de côté les utopistes, nous voyons au premier plan :

— *J.-J. Rousseau,* qui libère des contraintes sociales ;
— *Adam Smith* (précédé de Quesnay), qui libère des règlements ;
— *Malthus,* qui libère de la servitude naturelle ;
— *Marx,* qui libère de l'argent et de la propriété ;
— *Keynes,* qui libère des dogmes et des servitudes d'équilibre financier.

Parfois ce sont leurs disciples qui poussent la porte entrouverte et élargissent la percée. Mais, à chaque fois, de nouvelles chaînes sont forgées, qui suggèrent d'autres libérations.

## J. M. Keynes (1883-1946) et la stimulation de la demande

Comme tous les prophètes économistes ou sociologues, J. M. Keynes a été suffisamment obscur ou, du moins s'est suffisamment contredit pour ouvrir une voie large donnant l'assurance d'être suivi. L'influence du progrès technique sur l'emploi n'était guère dans ses préoccupations, tant il était attaché à détruire le modèle libéral, à base d'automatismes. La stimulation de la demande, héritée de Law, Dutot, Mercier, Mirabeau, etc. était, pendant la crise, déjà proposée de divers côtés et même parfois appliquée. La *Théorie générale*[1] est loin de se limiter à préconiser le déficit budgétaire, mais c'est ce qui en a été le plus retenu, notamment dans les milieux politiques. Deux exemples, aussi mémorables que mal connus, peuvent être cités : F. Roosevelt (1882-1945) aux États-Unis et H. Schacht (1877-1970) en Allemagne.

### F. Roosevelt et la limitation de l'offre

En mars-avril 1933, F. Roosevelt a détaché l'amarre d'or du dollar, employant ainsi le remède spécifique à cette époque, qui avait réussi en tous pays. La reprise est rapide : de mars à juillet, l'indice FRB de la production industrielle monte de 54 à 91 (base 100 en 1928). La crise est vaincue et, dans quelques mois la production aura remonté au niveau 113 de juin 1929 (voir page 294).

Mal conseillé, mal informé, Roosevelt introduit, en juillet, le N.R.A. *(National Recovery Act)* plein de bonnes intentions sociales, mais résolument malthusien. Il stimule bien la demande ce qui était encore concevable, *à condition toutefois de laisser toutes chances à l'offre*. Bien au contraire, *soucieux de faire monter les prix*, signe de guérison, croit-il, il multiplie les efforts pour limiter ou réduire la production[2]. Le résultat est immédiat : l'indice de la production industrielle retombe en juillet à 67.

Dans la suite, malgré la stimulation d'une dépréciation monétaire accentuée, se produit, après diverses oscillations, une seconde crise, dont le déroulement économique initial est plus rapide encore que celle de la première. En un an, la production industrielle diminue de plus de 1/3 et la proportion de chômeurs passe de 11,5% en mars 1937 à 17,2% en 1938. Cette

---

1. *Théorie générale de l'emploi, de l'intérêt et de la monnaie*, traduction de J. de Largentaye, Payot, Paris, 1966.

2. En 1936, Léon Blum et le Front Populaire commettront la même erreur : réduction de l'offre, avec les mêmes résultats. Voir notre *Histoire économique de la France entre les deux guerres*, volume II, chapitre XVII, voir aussi page 294.

crise a été arrêtée par l'*Anschluss* (mars 1938) et la spéculation
à l'approche de la guerre, puis oubliée dans le tumulte des
événements.

## H. Schacht (1877-1970) et les traites de travail

A la même époque, se déroule en Allemagne une autre
expérience de stimulation de la demande : dès le mois de mai
1931, le contrôle des changes est introduit en Allemagne ; en
1932, comme par réflexe ou désespoir, le déficit considérable
du Trésor conduit à émettre des émissions non gagées, lesquelles stimulent la demande. Comme la production industrielle
est très élastique et le contrôle des changes sévère, la reprise
économique commence dès l'été 1932. Cette amélioration devait provoquer la décision la plus dramatique de l'histoire.
Averti du danger et se sachant perdu, si le chômage diminue,
Hitler précipite la prise du pouvoir (janvier 1933). Il bénéficie,
du même coup, du système des « traites de travail », monté par
Schacht.

Dès 1935, la production industrielle retrouve le niveau
d'avant la crise ; le nombre de chômeurs qui avait dépassé 6
millions en janvier 1932 tombe à 1 million en janvier 1938. Le
système est cependant compromis (et non stimulé, comme on
le croit) par la production intensive d'armements, qui joue
doublement : non seulement l'offre marchande est insuffisante
eu égard à la progression des revenus, mais la population active
n'est pas adaptée *en structure professionnelle* à la demande. La
tendance inflationniste est accusée, *alors même que le plein
emploi n'est encore réalisé qu'à environ 90%*. Dès 1937, Schacht
veut alors arrêter ou ralentir le système, mais Hitler refuse et
fait la guerre.

## Leçons de ces deux événements

Ainsi, les deux grandes politiques de stimulation de la
demande ont finalement échoué *par insuffisance de l'offre* : aux
États-Unis, erreur économique et peur traditionnelle de la surproduction ; en Allemagne, sacrifice de la production marchande, au profit des armements :
Dans les deux cas, l'expérience n'a pas été comprise :

– *pour les États-Unis*, attribution au *New Deal* de résultats obtenus par la dévaluation monétaire ;
– *pour l'Allemagne,* croyance en la vertu des armements créateurs d'emploi.

Ces deux grandes expériences nous montrent que la stimulation de la demande exige :
– *une grande élasticité de l'offre.* Il faut laisser, ou donner, à celle-ci toutes ses chances ;
– *une pleine adaptation en structure professionnelle* de la population active à la demande de produits et services.

### *Après la deuxième guerre*

Ce mépris de l'observation et de l'expérience, de la part des économistes les plus en vue, a eu pour conséquence une suite d'aventures, de surprises et finalement de déconvenues.

À la fin de la guerre, en 1945, libéraux, keynésiens et marxistes ont communément annoncé une grande crise de liquidation. Le précédent de 1920, l'existence d'un chômage important en 1938 et l'ignorance en matière d'emploi ont inspiré de telles craintes. A la surprise générale, l'emploi s'est maintenu, montrant, une fois de plus, combien les hommes de notre temps connaissent mal leur société et les systèmes qu'ils utilisent. En outre, l'économie allemande a, contre toutes les théories, absorbé 7 millions de travailleurs supplémentaires (« le miracle allemand »).

Mais il ne s'agissait guère alors de progrès technique. Les événements l'ont peu à peu remis au premier plan de l'actualité :
– *l'automation,* appellation donnée, pendant les années 50, à certains procédés d'automatisme ;
– *la montée du chômage* pendant les années 1970, improprement appelées *crise* ;
– *les perspectives de l'informatique.*

En tout état de cause, s'est affirmée une résistance, de plus en plus forte, des syndicats et une sensibilisation de l'opinion à tout licenciement de personnel.

### L'« *automation* »

Les machines du XIXᵉ siècle ne supprimaient pas toujours le

personnel, mais en employaient directement, beaucoup moins, pour une tâche déterminée. Le mouvement nouveau, dit *automation*, a visé à faire exécuter toute une série d'opérations manuelles et même certaines autres, par des mécanismes réglés à l'avance.

Ce mouvement, encore simple avant-garde de l'informatique et de la télématique, a marqué particulièrement les États-Unis, après la guerre, ou plus exactement les a touchés avant les pays d'Europe, provoquant un débat peu différent de ceux qui ont jalonné l'histoire moderne et contemporaine.

Dans une conférence de presse, le 15 juin 1962, le président Kennedy a déclaré sur un ton désabusé « il faut maintenir le plein emploi, alors que l'automation remplace les hommes ».

Les opinions exprimées étaient d'ailleurs, comme dans le passé et comme encore aujourd'hui, plus sentimentales et spontanées que le fruit de réflexions et de calculs.

## Le débat chiffré

En tête des pessimistes, on peut placer le sociologue français Georges Friedmann (1902-1977). Dans une série d'articles publiés dans *Le Monde,* il a défendu, sans examiner les faits, la thèse pure du chômage arithmétique, trouvant un large auditoire et soulevant peu d'opposition.

Nier le chômage suscité par l'automation, affirmer qu'elle crée, pour l'absorber, assez d'emplois, non seulement dans la surveillance des machines, mais aussi dans leur construction, croire toujours possible la reconversion des déplacés vers d'autres tâches... ce sont, au regard des faits, autant de naïvetés et de duperies.

Le point essentiel n'était pas connu de lui, les résultats : Voici le nombre de personnes employées aux États-Unis à des travaux non militaires et celui des personnes sans emploi, jusqu'à l'époque où parle l'auteur (en millions) :

|        | Pourvues d'un emploi | Sans emploi |
|--------|---------------------|-------------|
| 1940   | 47 200              | 8 210       |
| 1950   | 58 920              | 3 288       |
| 1955   | 62 171              | 2 852       |
| 1960   | 65 778              | 3 852       |
| 1965   | 71 088              | 3 366       |

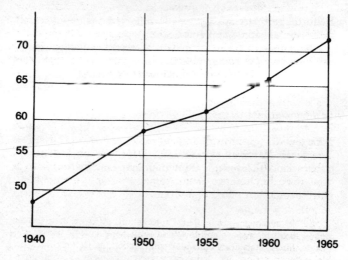

*Fig. 2 — Augmentation du nombre des emplois aux États-Unis,
pendant la période de l'automation*

En dépit de l'accroissement de la population active, qui,
dans cet esprit, devait augmenter le chômage, la proportion des
chômeurs aux États-Unis n'a pas augmenté :

| 1950 | 5,3 % |
|------|-------|
| 1955 | 4,4 % |
| 1960 | 5,5 % |
| 1965 | 4,5 % |

Ce sont de simples oscillations autour d'une position stable.
La pointe de 1960 était la séquelle d'une dépression, qui a

déconcerté les économistes par sa fin, plus encore que par son début[1].

Enfin, la population agricole a diminué de 7 160 000 en 1950 à 4 361 000 en 1965. Autant d'emplois supplémentaires qu'ont procurés l'industrie et les services. Attaché à quelques cas particuliers, l'éminent sociologue a vu quelques arbres, sans avoir l'idée de regarder la forêt.

## Les optimistes

Ils utilisent, eux aussi, sans approfondir beaucoup, les arguments des générations précédentes.

Charles Silberman[2] rassure, en observant que l'automation ne couvre qu'une fraction réduite de l'économie, car son coût est trop élevé, mais A. Vickers[3] annonce que les travailleurs libérés par l'automation pourront être rapidement reconvertis, car la consommation est illimitée. Seulement il ne précise pas le mécanisme de transfert. Denis Gabor, prix Nobel de physique 1971, est un peu moins optimiste[4] et pense qu'il faudra faire un effort pour transférer, vers les services, tous les hommes libérés du travail par la machine. Mais, cette fois encore, il s'agit d'un désir plus que d'un cheminement explicatif.

## L'attitude générale

Les vues et explications des économistes spécialisés devant être exposées dans le chapitre 6, nous ne donnons ici que celles de divers groupes, ainsi que les tendances générales de l'opinion. Celles-ci étant assez divergentes, nous reproduisons d'abord les vues exprimées par le grand dictionnaire Larousse

---

1. En mars 1958, a été envoyée une mission du Conseil économique et social, pour étudier les méthodes américaines d'observation économique et particulièrement les idées sur la situation du moment. La mission a rencontré les principaux experts officiels et privés. De tous les avis, le moins pessimiste était celui du *Department of Commerce*, du reste quelque peu normatif. « Nous espérons, a-t-il dit, qu'en automne pourrait survenir le point le plus bas de la dépression. » Or, à ce moment même, comme les indices l'ont montré, la reprise était déjà commencée. Les experts se sont tous trompés, dans le même sens.

2. *The Myths of Automation*, New York, Harper and Row, 1966.
3. *The Engineer in Society*, 1966.
4. *La société de maturité*, Paris, éditions France-Empire, 1973.

en 10 volumes, paru en 1962, si représentatif de l'opinion éclairée de langue française. Nous lisons au mot *machinisme* :

Le machinisme est-il vraiment une cause de chômage ? Une distinction est nécessaire. A court terme, l'introduction des machines entraîne le licenciement d'une partie des ouvriers (chômage technologique) et quelquefois le remplacement par des femmes et des enfants.

C'est un passé déjà lointain que la phrase vise, tout au moins pour les enfants, comme le confirme la suite :

Les réactions ouvrières au machinisme ont été violentes, elles ont donné lieu parfois au bris des machines. Aujourd'hui les syndicats d'ouvriers s'efforcent d'obtenir dans les conventions collectives, des clauses protégeant les travailleurs contre le chômage technologique, et sur le plan législatif, des systèmes d'assurance chômage.

Vue quelque peu optimiste et normative. En particulier, les conventions collectives ne peuvent pas protéger contre le progrès technique survenu dans d'autres branches (théâtre, du fait du cinéma, cinéma, du fait de la télévision, etc.). Poursuivons :

Sur une période plus longue, le machinisme n'apparaît plus comme défavorable aux ouvriers. L'abaissement des prix de vente consécutif à la production en série, provoque un accroissement de la vente de biens : pour les satisfaire, il faut plus d'ouvriers ; le chômage technologique tend à se résorber.

C'est l'explication classique de l'extension du débouché, décrite de façon simpliste, qui convient bien mal à l'agriculture et ne fait même pas allusion aux consommations nouvelles, privées ou publiques, qui résultent de l'extension de l'économie. Le retard de ce jugement s'accentue encore, dans la suite :

Au XIXe siècle, en France et en Angleterre, les travailleurs licenciés ont tous retrouvé du travail et il a fallu faire appel à la main-d'œuvre fournie par les campagnes.

Par peur de s'aventurer dans le XXe siècle, l'auteur préfère juger sur un passé classé. Mais cette vue sommaire laisse de côté la population active dans son ensemble.

Aucune mention n'est faite de l'immigration étrangère (ni de l'émigration en d'autres pays, au XIXe siècle), non plus que du secteur tertiaire. Ces omissions, dans un ouvrage qui fait autorité, montrent combien l'opinion est faiblement renseignée sur cette question vitale.

## Opinion et enseignement

La vue localisée d'une entreprise licenciant du personnel, par suite de l'adoption de machines, inspire l'opinion, plus encore, peut-être, qu'aux siècles précédents, car, placée de façon continue devant des statistiques de chômage alarmantes, elle lie fatalement les deux aspects.

De façon générale, dans l'enseignement, la question n'est abordée qu'incidemment par des personnes peu au fait, ce qui donne au pessimisme simpliste des chances appréciables de l'emporter. Voici, par exemple, comment s'exprime M. Victor Prévot dans *Géographie du monde contemporain* :

La recherche d'une haute productivité réduit en nombre la main-d'œuvre industrielle et condamne les Japonais au sous-emploi et au chômage.

Dans cet ouvrage, qui doit préparer aux grandes écoles, ce professeur agrégé n'a même pas pris la peine d'examiner les données de fait (voir p. 123), et ce n'est pas un cas isolé ; il est même représentatif, tant les exceptions sont peu nombreuses.

## La presse et la radio-télévision

L'opinion n'est pas mieux renseignée par ces moyens puissants. Les journaux politiques jugent, le plus souvent, d'après leur orientation et la conjoncture du moment. Quant aux feuilles de grande information, elles évitent le sujet, dans sa complexité, mais se complaisent souvent dans la citation de faits spectaculaires, en sélectionnant les cas où un seul ouvrier en remplace 1 000 ou davantage. Par cette sélection, elles contribuent largement à répandre la thèse pessimiste de l'élimination, toujours présente à l'esprit populaire.

Bien qu'elle n'ait pas les mêmes motifs que la presse, de se taire ou de déformer, jamais la télévision n'a entrepris la diffusion nécessaire auprès du public. Si elle attaquait cette tâche, elle éprouverait, du reste, des difficultés à trouver des personnes connaissant bien la question et ne penchant pas d'un côté ou de l'autre, par pure tendance socio-politique, mais aucune tentative n'est entreprise.

## Les hommes politiques

Dès l'instant que les experts gardent un silence prudent, ou se confinent dans des expressions trompeuses, telles que « remplacer le travail par du capital », il ne faut pas s'étonner de voir les hommes politiques céder volontiers à la facilité. Pour ceux qui sont au pouvoir, c'est, du reste, une sorte de disculpation : ne pouvant, selon la formule, « arrêter le progrès » ils pensent, en face du chômage, bénéficier d'une certaine excuse. Voici une citation d'un ministre français en 1978 :

Le drame (sic) c'est qu'il faut beaucoup moins d'ouvriers pour construire un canal électronique qu'une centrale mécanique. Déjà, nos équipements sont venus de l'étranger, mais les constructeurs français s'apprêtent à licencier les hommes devenus inutiles.

Pour illustrer combien la technique moderne est génératrice de sous-emploi, le délégué à l'Aménagement du territoire, André Chadeau, se lamente aussi (1978) :

Au lendemain de la Libération, les Houillères du Nord employaient 225 000 salariés. Demain, les quatre tranches de centrales nucléaires de 1 000 MGW en emploieront beaucoup moins.

L'idée est suggérée d'une suppression définitive. Jamais d'ailleurs, le précédent de l'agriculture n'est évoqué.

Il ne s'agit encore que d'une appréhension primitive, mais voici deux citations, plus caractéristiques encore de l'ignorance sur le sujet :

A l'Assemblée nationale, lors du débat sur le budget de l'industrie de 1978, le député Schwartz (majorité au pouvoir) préconise « dans le tertiaire, la substitution du travail au capital ».

C'est, en somme, supprimer la machine à photocopier, pour donner du travail à des dactylos et, à un stade plus poussé, supprimer la machine à écrire, pour occuper un nombre plus élevé de copistes. Il est difficile d'être plus rétrograde.

Le Sénat n'est d'ailleurs pas en reste : à l'occasion du débat sur le budget du ministère du Travail de l'année 1978 également, le sénateur Jung (majorité au pouvoir) déclare (5 décembre 1977) :

> Là où en France le travail est fait par 10 personnes, si on pouvait en mettre 11 ou 12, un grand pas serait fait pour améliorer la situation de l'emploi.

Le plus piquant est que cette proposition est formulée dans un débat sur le budget et que l'auteur de cette proposition, sans doute approuvé par nombre de ses collègues, ne voit pas l'augmentation de la dépense qui résulterait de cette augmentation de personnel, pour un même travail. Une fois de plus, nous voyons le manque de liaison entre les comptes en hommes et les comptes financiers, même lorsque la liaison est directe et élémentaire.

Les illusions des hommes politiques et l'impuissance qui en résulte pour eux sont d'autant plus préoccupantes qu'au lieu d'être des avocats, comme autrefois, ils ont étudié l'économie aux plus hauts sommets.

Dans son ouvrage *L'avenir n'est écrit nulle part,* dans des discours et des articles, M. Michel Poniatowski se montre si marqué par la lecture du rapport S. Nora-A. Minc (voir p. 131), qu'il voit toute la société absorbée par la télématique. Attaché à la seule question des communications, il ne tient compte ni des nombreuses activités vitales peu progressistes, ni des importants besoins, publics ou privés, non couverts. Il serait facile, en transposant les termes, de retrouver les arguments des adversaires de la mule Jenny et du métier jacquard.

Cette analyse sommaire et affective, toute visuelle et localisée sur quelques points n'occupant, dans l'ensemble de l'activité économique, qu'une place limitée est, du reste, partagée par une partie de l'opinion. Si ces vues étaient justes, il faudrait passer dès maintenant à la planification. Mais, sentant ce pas dangereux, M. Poniatowski affirme que le choc frappe autant les sociétés marxistes planifiées que les sociétés capitalistes, alors que les premières sont à la recherche continuelle de main-d'œuvre.

*Les syndicats*

Engagés dans la défense continue des salariés, les représentants du travail ont été amenés peu à peu à étudier la question de plus près que les enseignants et que de nombreux employeurs. La connaissance de l'économie est, chez certains d'entre eux, étendue, mais leur objectif précis et la crainte de mécontenter la base ou leurs collègues ne leur permettent pas d'exprimer pleinement leur pensée.

Il est donc plus clair, ici, de parler d'*attitude* que de connaissance.

De toute façon, les syndicats, même modérés, souhaitent une réforme profonde des institutions et de l'entreprise privée. Sans formuler nécessairement de théorie économique, ni s'opposer, dans le principe, aux innovations techniques, ils demandent que l'ouvrier conserve son emploi ou en obtienne un équivalant à celui qu'il a perdu.

L'exemple est classique, des serreurs de freins des chemins de fer américains, qui ont demandé, et obtenu, pendant un certain temps, à conserver leur salaire et leur fonction, en restant sans utilité, auprès du frein automatique.

Chaque syndicat juge la question, non en fonction de l'économie générale, mais du point de vue des ouvriers de sa branche. Or, l'intérêt d'une branche commande souvent, même pour les employeurs, de limiter la productivité.

Les syndicats allemands sont plus favorables à la machine que les Français et plus encore que les Britanniques. Ayant une vue plus générale, ils demandent que le profit supplémentaire soit affecté au reclassement et à la création de nouveaux emplois.

Quant au maintien du personnel en surnombre, il s'exerce au détriment de la rentabilité et par suite de la recherche d'autres solutions.

Un autre reproche a été formulé contre l'informatique : le geste de l'ouvrier est contrôlé et même jugé par une machine ; cette subordination a été jugée astreignante et contraire à la dignité ; mais cette attitude n'est pas générale.


*Progrès technique, gaspillage et ressources naturelles*

Suivons le cours des événements, du point de vue des attitu-

des à l'égard du progrès technique et de l'emploi : les années 70 ont été marquées par :
– *la prise de conscience de l'environnement* ou, plus précisément, de la dégradation du capital de base, les ressources naturelles ;
– *la dénonciation des gaspillages.*

Ces deux questions sont liées, car les calculs de rentabilité capitaliste ou les jugements personnels conduisent souvent, de façon rationnelle, à mettre hors d'usage (jeter) divers produits ou objets (métaux, papier, etc.), alors que la prise en considération des ressources de la planète (« l'amortissement de la nature ») dicterait une autre solution. Le cas le plus souvent mis en évidence est celui des ressources non renouvelables et particulièrement de l'énergie.

Lors de la prise en considération de ces facteurs, souvent négligés, il a été spécifié, de divers côtés, que les travaux contre la pollution fournissaient de nouveaux emplois. Ce jugement renouvelle l'erreur commune, selon laquelle le travail est un but en soi et les tâches manquent. C'est d'ailleurs selon cette même idée que le progrès technique est jugé destructeur d'emplois. En fait, pour obtenir une richesse déterminée, le produit final, il faut désormais consacrer plus de temps direct (travaux dans une usine par exemple) et indirects (produits achetés pour la lutte antipollution). Le coût se retrouve ailleurs (hausse de prix, réduction des investissements, etc.).

Après une période d'émotion et de bonnes résolutions, les habitudes de gaspillage ou plus exactement de consommation excessive et inutile, n'ont guère changé, du moins en France. Si quelques modestes efforts ont porté sur l'énergie, c'est en raison de la hausse de son prix. Mais leur insuffisance grave est défavorable à l'emploi.


*L'innovation*

Contrairement aux vues des *stagnationnistes* (voir p. 75), le désir d'innovation est plus répandu qu'il n'a jamais été, encore stimulé par la pénurie d'énergie en vue et par l'industrialisation des pays en développement. Ce qu'on appelle improprement la crise a eu, sur ce point aussi, des effets inverses de la grande crise des années 30. Les recherches portent particulièrement sur les énergies nouvelles (soleil, vents, marées, houle), le domaine nucléaire (surgénérateurs et fusion de l'atome), la pétrochimie, l'agriculture et l'alimentation (agriculture biologique, alimentation du bétail, viande végétale et synthèse de protéines, machines à récolter, etc.), l'aquaculture et l'exploitation rationnelle des pêches, les nodules sous-marins, etc. La plupart des progrès attendus doivent être favorables à l'emploi.

Quant aux progrès médicaux et thérapeutiques, ils occupent une place spéciale, leur but n'étant pas proprement économique. Ils n'en attirent pas moins l'attention de l'économiste, du fait de leurs conséquences. Le progrès se manifeste en termes de longévité, mais, le plus souvent (et contrairement à l'optique superficielle courante) de façon contraire à l'emploi (à niveau de vie égal, bien entendu).

## La recherche et l'emploi

Au début de toute recherche, même appliquée, l'emploi n'est guère en vue, encore que la répartition des crédits publics a pu être inspirée par cet objectif. Lorsqu'une recherche est en cours, on peut distinguer, à peu près, trois phases :
– *une phase proprement technique et scientifique*, pendant laquelle sont cherchés les moyens d'atteindre un objectif déterminé, par exemple l'utilisation du soleil comme source d'énergie ou la synthèse des protéines. Les procédés en vue trouvent une assez large audience, dans les publications, même non spécialisées ;
– *une phase où entrent les calculs financiers* pour juger si l'application est rentable, dans le sens usuel du mot. Le public est moins intéressé par ces considérations, souvent destructrices de rêves, mais la question entre dans le domaine des administrations (Finances, Plan, ministères ou entreprises intéressés) ;
– *une phase où sont examinées les conséquences sur l'emploi.* Presque toujours directes et superficielles, les vues ne pénètrent pas le fond du sujet.

Ces trois phases peuvent, bien entendu, se chevaucher.

## Politique d'innovation

Quels que soient les déboires de l'emploi et les erreurs commises à son sujet, l'innovation reste souhaitée dans les pays occidentaux et fait même parfois l'objet d'un culte. En cette matière, les plus libéraux reconnaissent aujourd'hui la nécessité d'une intervention de l'État. Sans doute, la découverte est-elle capricieuse, dépendant de hasards insaisissables ; encore faut-il leur donner leur chance. La question des répercussions sur l'emploi n'a jusqu'à présent guère influencé les décisions initiales. Cette abstention est-elle préférable, dans l'état, si fruste, où sont nos connaissances sur l'emploi ? Réponse négative, parce que l'expérience, qui fait tant défaut, peut être la source de lumière qui manque tant.

## Les progrès de l'électronique

Depuis son accélération, il y a deux siècles, le progrès technique n'a pas été continu. Dépendant largement du hasard, il a procédé par secousses et révélations. Lente à ses débuts, particulièrement en France, l'électronique a pris, ces derniers temps, l'allure d'un bouleversement. Comme il s'agit de mouvements en cours, sinon en avant de nous, et comme cette secousse a donné lieu à une reprise des débats sur ce vieux sujet, la question a été reportée au chapitre 7, en seconde partie.

## Les pays en développement

Après la deuxième guerre, trois événements ont contribué à bouleverser l'aspect économique du monde, particulièrement du point de vue de l'emploi :
— *la décolonisation* politique et en partie économique ;
— *la formation d'une conscience internationale ;*
— *l'accélération de la croissance de la population,* dite « explosion démographique ».
Dans les pays en développement, la question de l'emploi, obsession permanente, en particulier en Asie, est devenue plus pressante, sans, pour autant, être étudiée et traitée avec l'attention qu'elle mérite. En particulier, un souci fébrile d'industrialisation, encore stimulé par l'amour propre a conduit à un mimétisme excessif, vis-à-vis des pays industriels. Le calcul de rentabilité de diverses machines employées dans ces pays est doublement modifié par l'existence de bas salaires et l'obligation de fournir des devises.

Rares sont les pays et les auteurs à avoir discerné la priorité à accorder à l'agriculture. Le rythme du progrès, en production et en emploi, a été ralenti, en termes relatifs, sinon absolus, par cette interversion, tardivement dénoncée et imparfaitement combattue.

Dans les pays occidentaux, l'industrialisation de quelques pays (Extrême-Orient notamment) a retenu l'attention, surtout par les menaces qu'elle crée pour diverses industries (textiles, sidérurgie, etc.). Une fois de plus, l'optique dominante est à l'inverse de la réalité profonde. L'attention se porte sur l'exportation de produits fabriqués, laquelle n'est qu'un moyen, pour un pays, de satisfaire l'objectif fondamental, se procurer les matières premières vitales. Privé de ressources naturelles, les pays d'Europe occidentale, le Japon et même les États-Unis ne doivent leur prospérité qu'à l'importation de matières premières étrangères. Si, dans ces pays, la nature était suffisamment généreuse pour fournir énergie, métaux, huile, aliments, divers, etc., l'exportation ne serait nationalement pas nécessaire. Une relative autosatisfaction serait la règle, comme dans les pays de l'Europe socialiste, avec les avantages de la sécurité et de la stabilité. Une fois de plus, l'emploi est considéré comme un but en soi, alors qu'il n'est qu'une astreinte, à faire figurer au passif de la vie économique.

V

# Expérience

Ayant décrit les querelles de doctrine sur le rôle de la machine, en matière d'emploi, nous nous proposons maintenant d'examiner les résultats. Il ne s'agit pas bien entendu, de savoir si la machine remplace l'homme, puisqu'elle est faite pour cela, mais de voir comment, à l'échelle nationale, ont varié jusqu'ici le nombre des emplois et leur rémunération. Les deux observations concourent, du reste, au même objet.

Divers moyens se présentent, dès lors, pour trancher la fameuse querelle qui a rempli tout le XIX$^e$ siècle.

— *observation, dans le temps, de la population active pourvue d'emploi ;* comparaison peut être faite, également, entre pays d'inégal développement ;

— *évolution du niveau de vie des travailleurs.* Si des hommes sont durablement éliminés par la machine, le marché du travail doit s'en ressentir et le niveau de vie diminuer (paupérisation) ; les migrations de la campagne à la ville doivent s'arrêter ;

— *évolution de la durée de la vie,* compte tenu des progrès médicaux.

## 1. La population active pourvue d'emploi

Nous pourrions nous contenter de réfuter l'argument classique, de Dioclétien à Poniatowski, par l'observation suivante :
Si le raisonnement instinctif de l'opinion et de tant de per-

sonnes expertes sur l'élimination des hommes par la machine était juste, il y aurait aujourd'hui, après deux siècles de progrès technique, non pas 20 millions d'actifs et 1,5 million de chômeurs mais des proportions inverses, même en tenant compte de la réduction de la durée du travail.

Il faut cependant suivre l'évolution, pendant ces deux siècles, avec attention :

La comparaison, dans le temps, est rendue plus délicate, non seulement par suite des discontinuités possibles des nomenclatures ou des méthodes de recensement, dans un même pays, mais, pour une période assez étendue, par l'absence d'une définition constante de la population active. De ce fait, seules les différences assez notables ont une signification.

## Sur la longue période

Nous partons donc de la fin du XVIII e siècle, qui marque, sinon la naissance du machinisme, du moins le début de l'essor industriel.

Nous connaissons avec une approximation suffisante, la population totale des pays d'Europe à cette époque, mais non leur population active pourvue d'emploi. Les auteurs de ce temps cherchaient moins à distinguer la profession que la condition sociale, ce qui les conduisait à prendre en considération toute la population et non celle qui travaille professionnellement. Nombreux étaient d'ailleurs les vagabonds, mendiants, etc., à peu près sans profession. Dans la *Dixme royale*, Vauban estime qu'ils représentent, en France, le dixième de la population. D'autres auteurs donnent des chiffres encore plus élevés.

Contrairement à une opinion très répandue, les travailleurs eux-mêmes étaient, dans l'ancien régime, très loin d'être en plein emploi ; dans l'agriculture, le travail concernait bien toute la population, hommes, femmes, enfants, mais seulement à certaines époques, moissons, vendanges, etc. Nombreux étaient les paysans sans terre ou ne possédant qu'une surface insuffisante ; l'hiver était marqué par une longue hibernation, même dans les contrées tempérées. Les jours de fête appelés du nom de *chômage*, étaient volontairement multipliés, en raison du peu de travail à donner. Dans les villes, le travail manquait peut-être plus encore. Vauban estime qu'un tisserand ne travaillait que 180 jours par an. L.-S. Mercier, observateur pénétrant, écrit dans ses *Tableaux de Paris* :

Il est difficile de vendre et très difficile de se vendre. Beaucoup d'hommes restent sans emploi.

Cette observation ne se limite pas aux travailleurs manuels. Parlant des clercs, il déclare qu'en cas de vacance, « on en a cent pour un, qui vous assiègent ».

L'afflux vers la domesticité est également un test de la grande difficulté de trouver un emploi. Nombreux sont les auteurs du XVIIIe siècle à dénoncer l'abus du nombre des domestiques. C'est que la famille paysanne était fort heureuse, lorsque quelque notable choisissait une de ses filles, pour assurer le service ménager dans sa maison. Nombreux aussi étaient les domestiques masculins.

Enfin, il est très difficile, comme aujourd'hui encore, dans les pays d'Asie, de voir si le *mal-emploi* n'est pas du *sous-emploi* déguisé. Faute de travail, le paysan, le commerçant urbain, devaient s'adonner à des tâches très peu productives. Le ramassage d'herbes sur les chemins, particulièrement décevant les années sèches, l'enlèvement des insectes à la main, la vente dans la rue de menus objets n'étaient pas le fait de techniques primitives, mais résultaient de l'obligation, pour le paysan, presque dépourvu de terre, pour le citadin désœuvré, d'utiliser son temps de la façon qui se présentait.

Juger si un travail très peu productif est le résultat du sousemploi ne peut se faire que sur des cas d'espèce. Ce qui est certain, c'est que le manque de terre entraînait, pour beaucoup, l'obligation de se livrer à des tâches sous-productives.

Décrivant la misère extrême des campagnes françaises et le désœuvrement qui y est de règle, l'agronome anglais Young estime qu'il y a 5 ou 6 millions d'habitants en trop [1], ce qui ferait aujourd'hui 10 millions en proportion.

## Une comparaison plausible

Dans l'impossibilité de tenter un dénombrement, même approximatif, en travailleurs complets (ou en heures de travail effectuées), nous nous bornons à appliquer une proportion vraisemblable de l'activité professionnelle de la population.

Divers auteurs ont estimé à 50 % environ la population exerçant une profession, mais il se pose à nouveau une question de

---

1. *Voyages en France*, 1793, tome III, p. 217.

définition. D'ailleurs, ce chiffre supputatif serait moins élevé, si le compte était fait en travailleurs complets. Si important que soit l'arbitraire qui préside à ce choix, il ne présente qu'une importance réduite, étant donné la disproportion des résultats auxquels nous parvenons pour la population pourvue d'emploi [1] (en milliers) :

| | Fin du XVIIIe siècle | Aujourd'hui |
|---|---|---|
| France | 13 000 | 21 300 |
| Angleterre | 5 800 | 24 900 |
| Allemagne fédérale | 8 700 | 25 100 |
| Italie | 8 700 | 19 300 |
| Belgique | 1 450 | 3 850 |
| Suisse | 750 | 2 800 |
| Pays-Bas | 950 | 4 700 |

Ainsi, en moins de deux siècles, le nombre d'emplois a augmenté plus qu'il le l'avait fait pendant les dix siècles précédents, exception faite pour la France, dont la population a peu augmenté, en raison de la baisse de la natalité et qui, de ce fait, a dû, pour remplir les emplois existants, faire appel à des travailleurs étrangers, dès le milieu du XIXe siècle [2].

Cette forte augmentation de nombre pourrait, il est vrai, être attribuée à la diminution de la durée du travail. Il se pourrait que le nombre total d'heures de travail disponibles ait diminué en France. Sur ce point, comme sur le nombre des hommes, il y a des définitions à préciser et des illusions courantes à dissiper.

La notion de durée du travail était à peu près inexistante chez le paysan d'autrefois. Si nous le regardons avec notre optique, nous le voyons en sous-emploi étendu, son travail comportant non seulement de nombreux arrêts et pauses dans la journée, mais des journées entières de semi-oisiveté, en particulier pendant la mauvaise saison.

---

1. Nous laissons de côté les États-Unis et le Canada, pour lesquels la comparaison serait sans signification.

2. L'augmentation du nombre total des emplois n'exclut nullement, bien entendu, la diminution du nombre des personnes employées, dans certaines branches, favorisées ou non par le progrès technique.

Ne parlons pas des classes dirigeantes, beaucoup plus occupées aujourd'hui qu'autrefois.

Lorsque l'industrie a pris naissance, les habitudes paysannes « du lever au coucher du soleil » ont été transposées. Même en été, il ne pouvait s'agir de 12 ou 13 heures de travail, au sens où nous entendons ce mot. L'ouvrier œuvrait à un rythme ralenti, en rapport avec son alimentation. Il ne pouvait pas fournir plus que l'excédent, sur son métabolisme basal, des quelque 2 200 calories qu'il absorbait. Sa force disponible était trois fois moins grande que celle d'un homme d'aujourd'hui. Ce fait explique pourquoi la réduction du travail a été, dans les débuts, si facilement compensée, en termes de production. Il rend plus significative encore l'erreur commise par les industriels de 1830, quand ils affirmaient que la dernière heure de travail représentait tout leur bénéfice (voir p. 292).

Sur la longueur de la vie active courent des illusions dans le même sens, notamment sur le travail des enfants. Pour eux aussi, avaient été transposés spontanément dans l'industrie, les habitudes et horaires de la paysannerie. Le travail professionnel, qui était d'ailleurs loin d'être général, a été peu à peu remplacé par le travail scolaire, lequel peut être considéré comme une période d'apprentissage, de formation, puisque, sans lui, la productivité de l'homme serait très inférieure à ce qu'elle est. Il est donc permis de dire que l'homme contemporain travaille aujourd'hui à partir de 6 ans, ce qui était loin d'être le cas, au début de l'industrie.

Prise par des maternités successives, l'élevage des jeunes enfants et les tâches ménagères, la femme avait moins de temps disponible pour les travaux professionnels.

Dans les âges élevés, par contre, l'inactivité des personnes valides est aujourd'hui plus forte qu'autrefois, mais la proportion des plus de 65 ans était en ce temps trois fois plus faible. Nombreux sont, d'ailleurs, les retraités qui conservent aujourd'hui, pendant plusieurs années, une activité professionnelle ou, du moins, productive.

Dans les pays européens du début du XIX$^e$ siècle, il eût été impossible et de loin de trouver, à une population adulte aussi importante que l'actuelle, le nombre suffisant d'emplois productifs.

Quant au chômage, dont nous aurons l'occasion de reparler, en faisant un effort de définition, il donne lieu, lui aussi, à des jugements sommaires, même dans les milieux scientifiques, par un effet d'optique sociale, qui s'étend d'année en année : le visible est, le plus souvent, seul perçu, sans sa contrepartie. Par exemple, alors que les emplois sans travailleurs disparaissent, d'une façon ou d'une autre, les travailleurs sans emploi subsistent et attirent l'attention.

## Comparaison dans l'espace

Comparons maintenant les pays industriels aux pays témoins restés sans machines. En Asie, Afrique du Nord, Amérique latine et même dans l'Afrique noire peu peuplée, le chômage, le non-emploi est important, mais, n'étant ni rémunéré ni recensé, même dans les villes, il échappe souvent à l'attention. Selon divers auteurs (A. Tiano, M. Seklani), la moitié seulement de la population de l'Afrique du Nord est effectivement employée.

En outre, dans ces pays, on trouve un test éloquent : l'abondance de la domesticité.

## Régressions techniques

Le cas d'un recul de la technique, souvent accidentel, a été moins étudié que celui du progrès. A priori, si celui-ci accroît le nombre des emplois (lorsque diverses conditions de souplesse sont respectées), une régression devrait les diminuer.

Nous n'avons ici en vue que l'aspect expérimental :

Pour définir ce qu'est une régression technique, nous pouvons nous reporter à la définition du progrès (p. 14) en l'inversant. S'il s'agit d'une entreprise, une dégradation de la rentabilité vient rarement, sauf accident, d'un facteur technique, le plus souvent, il s'agit d'une augmentation des salaires, d'une aggravation fiscale, d'une mévente, etc.

Le cas le plus frappant, dans l'histoire contemporaine, est celui des déperditions causées par les deux guerres mondiales et surtout la seconde, en particulier dans les pays occupés par l'ennemi. Ne disposant pas des matières premières nécessaires, subissant diverses contraintes, usant l'équipement, sans pouvoir le renouveler, l'économie a souffert d'un recul de productivité, même si l'on compte, dans la production, les fournitures à l'ennemi.

Prenons l'exemple de la France : pendant l'occupation de

1940 à 1944, les effectifs ont diminué de 8 % et la production de 35 %.

Comme la réduction des effectifs a été à peu près compensée par un allongement de la durée du travail, nous pouvons la laisser de côté et estimer que la production par heure de travail a diminué d'environ 1/3, ramenant l'ensemble de l'économie au niveau de 1890 environ. Quelles ont été les conséquences sur l'emploi ?

Après une période de chômage intense, causée surtout par la pénurie de matières premières et la disparition de certaines professions (transports, etc.), le manque de main-d'œuvre est apparu peu à peu et s'est accentué tout au long de l'occupation.

Seulement l'économie, très éloignée du régime libéral, se caractérisait par :

– *un rationnement des produits de base,* notamment alimentaires, qui permettait de maintenir une forte demande excédentaire, laquelle se portait vers les secteurs libres ou clandestins, vers l'épargne et la thésaurisation ;

– *une forte diminution du pouvoir d'achat des salaires.*

Ces conditions ont, du reste, été réalisées également chez les belligérants non occupés (Angleterre, Allemagne) et même chez les neutres (Suisse, Suède).

L'opinion, et même divers économistes à sa suite, ont attribué la baisse du chômage à la mobilisation de nombreux hommes et à la fabrication de matériel non marchand. C'est être à l'opposé de la question, en s'attachant seulement aux apparences. L'armement a été financé par une création inflationniste de moyens de paiement, contenue par un contrôle sévère des prix et plus encore des salaires, lequel n'était possible qu'à la faveur des circonstances et seulement pendant une certaine durée. En théorie, le même système aurait pu être employé, en temps de paix, pour accroître l'activité de services publics non militaires (culture, santé, etc.) et mieux encore pour accroître la production de produits marchands.

C'est en Allemagne que le système a été le plus poussé : quand les Alliés sont entrés en 1945 en territoire allemand, ils ont été surpris de voir les prix peu différents de ceux d'avant-guerre et une masse énorme de moyens de paiement non utilisés.

Le maintien des libertés économiques et de la rentabilité était incompatible avec la production massive de matériel non marchand. S'il avait été néanmoins essayé, la recherche de la rentabilité n'aurait été concevable que pour une fraction très réduite de l'économie ; la plupart des entreprises auraient été dans l'impossibilité de survivre, en versant des salaires équivalents à ceux du temps de paix. Cette expérience n'est donc pas probante du point de vue des emplois.

La question de la durée du travail sera reprise au chapitre 17.

## 2. *Évolution du niveau de vie*

### *Élimination et paupérisation ?*

L'augmentation du nombre des emplois est-elle une raison suffisante pour disculper la machine des maux dont elle a été et dont elle est encore accusée ? Il faut voir plus loin : le XIXe siècle est réputé être celui de la grande misère. Les enquêtes de Villermé sont dans toutes les mémoires. Mais la réaction des hommes d'aujourd'hui est affective et morale. Les propriétaires et industriels de ce temps n'étaient pas d'une race différente de ceux du siècle précédent, ni du suivant. Il faut donc bien accuser les « rapports de production » et la situation du marché de l'emploi. Autrement dit, la machine n'a-t-elle pas permis, en éliminant les hommes, de payer des salaires plus bas, par le plein jeu libéral ? C'est une thèse souvent admise et qu'il est de bon ton d'approuver dans les divers milieux : les socialistes y voient un méfait de l'exploitation de la classe ouvrière, tandis que les conservateurs ont ainsi bonne conscience, en faisant valoir les progrès accomplis depuis et, par suite, leur propre mérite.

Cette idée demande un examen attentif.

### *Le niveau de vie*

Pour juger si l'appauvrissement a été effectif, pendant ce siècle de la machine, divers moyens de mesure se présentent :
– comparaison des prix et des salaires ;
– évolution de la consommation alimentaire ;
– migrations entre la ville et la campagne ;
– durée de la vie, en dehors des progrès médicaux.
   Voyons-les successivement :

*Les prix et les salaires*

Il est possible d'établir, par raccords successifs, une série continue de salaires annuels depuis 1910. D'autre part, le coût de la vie a fait l'objet de diverses mesures rétrospectives, dont les plus sûres semblent être celles de L. Dugé de Bernonville [1].

La figure 3 donne les résultats pour le XIXᵉ siècle :

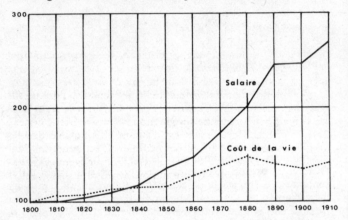

*Fig.3 — Salaires et coût de la vie en France, de 1800 à 1910*

Au début, les deux courbes s'entortillent, sans accuser de différence notable ; les écarts observés peuvent résulter des crises conjoncturelles et peut-être plus encore sans doute, des récoltes, sans oublier les aléas statistiques. A partir de 1840, elles divergent de plus en plus. Sans pouvoir fixer, avec précision, la date de ce décollage (1840 semble-t-il), nous pouvons dire que, *pendant la première moitié du siècle, le niveau de vie est resté très bas, sans changement notable* et qu'il s'est relevé à peu près constamment dans la seconde moitié.

L'augmentation a été encore plus rapide, dans la suite, en dépit de deux guerres, facilitée, il est vrai, par l'inflation rongeuse de capitaux.

Une évolution analogue a été observée en Angleterre : stagnation d'abord et progrès à partir de 1840 environ.

---

1. *Salaires et coût de l'existence à diverses époques jusqu'en 1910,* Statistique générale, Paris, Imprimerie Nationale, 1911.

Le niveau de vie des travailleurs, dans la première moitié du siècle, était-il inférieur à celui du siècle précédent ? La série ne remonte pas suffisamment haut pour en juger, mais les chiffres partiels que nous possédons n'indiquent pas qu'une telle baisse se soit produite. D'autre part, nous avons les autres moyens d'approche : consommation alimentaire, migrations, durée de la vie.

*La consommation alimentaire*

Dans une économie de subsistance, cette consommation mesure assez étroitement le niveau de vie. Comme c'est une mesure directe, les erreurs doivent être moins fortes que pour la mesure doublement différentielle précédente, portant sur deux quantités voisines, salaires et prix. Cependant, étant donné la méthode de mesure (production + importations nettes), l'aléa d'une année à l'autre est d'autant plus notable que les variations de stocks ne sont pas connues. C'est pourquoi l'auteur du calcul, M. J.-C. Toutain, a établi des moyennes décennales[1]. En dépit de cette précaution, il ne faut pas attacher d'importance aux dents de scie secondaires mais suivre le mouvement général. Voici les deux séries principales :

|  | Calories par jour | % en calories animales |
|---|---|---|
| 1781-1790 | 1 753 | 16,7 |
| 1803-1812 | 1 846 | 16,4 |
| 1815-1824 | 1 984 | 15,7 |
| 1825-1834 | 2 118 | 15,1 |
| 1835-1844 | 2 377 | 14,9 |
| 1845-1854 | 2 480 | 16,0 |
| 1855-1864 | 2 854 | 16,4 |
| 1865-1874 | 2 875 | 16,6 |
| 1875-1884 | 3 085 | 16,7 |
| 1885-1894 | 3 220 | 17,4 |
| 1895-1904 | 3 192 | 19,9 |
| 1905-1913 | 3 323 | 21,4 |

1. *La consommation alimentaire, en France, de 1789 à 1964*, Cahiers de l'I.S.E.A., novembre 1971, Librairie Droz, Genève.

Une correction doit être faite pour tenir compte du changement de la répartition par âge. Voici, en effet, la répartition au recensement, pour les années 1811 et 1911[1] :

|  | 1811 | 1911 |
|---|---|---|
| – de 15 ans | 32,4 | 25,8 |
| de 15 à 60 ans | 59,0 | 61,7 |
| 60 ans et plus | 8,6 | 12,5 |
| Total | 100,0 | 100,0 |

La proportion des enfants – dont les besoins sont plus faibles – ayant été plus élevée au début du XIXe siècle, le changement a, toutes choses égales d'ailleurs, augmenté la consommation moyenne. L'accroissement de la proportion des vieux a joué dans l'autre sens, mais moins fortement. La correction de cet écart, pour l'ensemble de la période, peut être estimée à 3 %. Dans ces conditions, de 1803-1812 à 1904-1913, le nombre de calories par personne n'est plus multiplié par 1,8 mais par 1,75. En rythme annuel, pour l'ensemble de la période qui va de la Révolution à la première guerre, la correction est très faible ; nous n'en tiendrons pas compte.

Il a pu cependant se produire une erreur dans l'estimation des récoltes ou, plus exactement, des erreurs différentes aux deux dates. Admettons même que le chiffre de la période 1803-1812 ait été sous-estimé de 15 %, c'est-à-dire qu'il faille le majorer de 18 % ; l'accroissement du menu des Français ne serait plus multiplié par 1,75 mais par 1,5, chiffre encore important.

*Deux périodes*

En nombre de calories par jour, la croissance est continue, à un rythme suffisant pour éliminer les variations accidentelles. La progression s'établit au rythme moyen de 0,6 % par an environ, un peu inférieur à celui du revenu moyen par an, ce qui est normal.

1. Évolution de la population française depuis le XVIIIe siècle par Jean Bourgeois-Pichat, *Population*, octobre-décembre 1951, pages 635 à 662 et avril-juin 1952, pages 319 à 329.

Le pourcentage de calories animales dans le menu ne suit pas exactement le même mouvement : il diminue jusqu'en 1835-1844, pour remonter ensuite notablement. Une interprétation rapide pourrait donner à penser que, pendant cette première période, une détérioration qualitative s'est produite.

Pour vérifier cette hypothèse, convertissons les chiffres de chaque période, en calories végétales primaires, en multipliant par 6 le nombre de calories animales (la production d'une calorie animale exige environ 6 calories végétales). L'évolution se présente alors ainsi, en calories par jour :

| | Total | Végéta-les | Anima-les | Animales en végétales primaires | Total des calories primaires végétales |
|---|---|---|---|---|---|
| | 1 (col. 2 + 3) | 2 | 3 | 4 (col. 3 × 6) | 5 (col. 2 + col. 4) |
| 1781-1790 | 1 753 | 1 460 | 293 | 1 758 | 3 218 |
| 1803-1812 | 1 846 | 1 544 | 302 | 1 812 | 3 356 |
| 1815-1824 | 1 984 | 1 673 | 311 | 1 866 | 3 539 |
| 1825-1834 | 2 118 | 1 798 | 320 | 1 920 | 3 718 |
| 1835-1844 | 2 377 | 2 023 | 354 | 2 124 | 4 147 |
| 1845-1854 | 2 480 | 2 084 | 396 | 2 376 | 4 480 |
| 1905-1913 | 3 323 | 2 612 | 711 | 4 266 | 6 878 |

Non seulement la consommation en calories végétales primaires a augmenté de façon continue, mais c'est aussi le cas de la consommation d'aliments animaux. C'est parce qu'elle a moins augmenté que la consommation végétale, que sa proportion dans le total a diminué pendant la première période.

Ainsi, contrairement aux apparences, cette évolution plaide, elle aussi, en faveur de l'amélioration de la condition ouvrière ou paysanne, si basse à la veille de la Révolution. La progression très modeste de leur revenu s'est, en effet, portée, en priorité, sur le nécessaire, sur les produits végétaux, déjà insuffisants.

*Influence de la pyramide des revenus*

Supposons cependant que la répartition des revenus ait, de 1781-1790 à 1835-1844, évolué au profit des plus riches. Nous schématisons volontairement, en considérant deux hypothèses extrêmes :

– la proportion des riches reste la même, mais le revenu de chacun augmente ;

– le revenu moyen des riches reste le même, mais leur proportion s'accroît.

Dans le premier cas, l'évolution n'a guère d'effet sur la consommation alimentaire, ni sur la place relative de la consommation animale, car la pleine satisfaction était déjà atteinte sur ces points, pour cette catégorie supérieure.

Dans le second cas, la consommation animale des personnes promues à une plus grande richesse s'accroît, ce qui augmente la proportion de la consommation animale globale, évolution contraire à celle qui est observée.

Dans aucune de ces hypothèses, la proportion de la consommation animale ne diminue ; il en est de même pour les hypothèses intermédiaires.

Voyons maintenant le cas où la pyramide des revenus « prend du ventre », au profit de classes moyennes. Il pourrait se faire que cette promotion sociale augmente la consommation alimentaire et plus encore la consommation animale, au détriment des catégories inférieures. Pour juger cette éventualité, prenons un exemple schématique, où trois classes sociales sont en présence et où la classe riche ne joue aucun rôle, ayant déjà, au départ, sa pleine satisfaction alimentaire.

Voici d'abord la situation initiale, en 1803-1812. Il s'agit, précisons-le, d'une répartition plausible, qui ne correspond pas à un relevé statistique :

|  | Riches | Moyens | Pauvres | Total |
|---|---|---|---|---|
| Nombre | 4 | 13 | 83 | 100 |
| Calories par personne | 3 000 | 2 430 | 1 700 | 1 846 |
| Nombre total de calories | 12 000 | 31 800 | 141 000 | 184 600 |
| Calories animales par personne | 740 | 500 | 250 | 302 |
| Nombre total de calories animales | 2 960 | 6 500 | 20 750 | 30 210 |
| % de calories animales par personne | 24,6 | 20,6 | 14,7 | 16,4 |

Quelques taux ont été légèrement arrondis.

Passons à la période 1835-1844, en accroissant le nombre des « moyens » et en améliorant leur consommation, les riches ne jouant aucun rôle.

|  | Riches | Moyens | Pauvres | Total |
|---|---|---|---|---|
| Nombre | 4 | 16 | 80 | 100 |
| Calories par personne | 3 000 | 2 860 | 2 250 | 2 377 |
| Nombre total de calories | 12 000 | 45 700 | 180 000 | 237 700 |
| Calories animales par personne | 740 | 600 | 286 | 354 |
| Nombre total de calories animales | 2 960 | 9 600 | 22 850 | 35 410 |
| % de calories animales par personne | 24,6 | 21,0 | 12,7 | 14,9 |

D'une période à l'autre, l'accroissement se mesure ainsi :

|  | Moyens (%) | Pauvres (%) |
|---|---|---|
| Calories par personne | + 18 | + 32 |
| Calories animales par personne | + 20 | + 24 |
| % de calories animales | + 2 | − 14 |

Malgré l'accroissement de la proportion des « moyens » et l'augmentation de leur consommation individuelle, l'amélioration est notable pour les pauvres. Pour parvenir à une réduction pour ceux-ci, en partant des chiffres globaux publiés plus haut, il faudrait pousser très au-delà des limites vraisemblables, l'augmentation de la proportion des « moyens ».

Une telle évolution pour l'ensemble traduit, pour les pauvres, une gêne persistante, des privations continuelles, mais, néanmoins, une amélioration.

Passons maintenant à la seconde grande période, à partir de 1840. Tout s'améliore, y compris, cette fois, la proportion des calories animales, dans le menu. Il est inutile d'essayer de reconstituer un modèle vraisemblable,

Le rythme d'accroissement annuel se présente ainsi, pour les deux grandes périodes :

|  | De 1781-1790 à 1835-1844 (%) | De 1835-1844 à 1905-1913 (%) |
|---|---|---|
| Calories végétales | 0,5 | 0,4 |
| Calories animales | 0,3 | 1,0 |
| Ensemble | 0,5 | 0,45 |
| Calories végétales primaires | 0,4 | 0,7 |

Le rythme d'accroissement annuel diminue un peu, pour les calories végétales, parce qu'on approche de la saturation ; il s'accélère, au contraire, pour les calories animales. Ces chiffres seraient encore amplifiés, pour les travailleurs, si nous pouvions disposer d'une répartition selon les classes sociales.

## Comparaison des deux sources

L'évolution du pouvoir d'achat des salaires et celle de la consommation alimentaire mènent à des conclusions peu différentes :

1. *Sur tout le siècle, la condition ouvrière s'est améliorée*. La machine n'a donc pas réduit le nombre total des emplois, comme le voudrait le mécanisme de la paupérisation.

2. *Les deux moitiés du XIXe siècle ne sont pas identiques* : les deux sources convergent ici encore ; la seconde moitié du siècle a été plus favorable que la première. Les rigueurs du progrès technique ont donc été plus fortes à ses débuts.

3. *Selon la comparaison du pouvoir d'achat, la condition ouvrière n'a pas bénéficié d'amélioration notable pendant la première période ;* autrement dit, la misère initiale est restée tout aussi vive. Selon l'évolution de la consommation alimentaire, l'amélioration a, au contraire, commencé dès le début du siècle. Il y a ici une petite divergence.

Réservant l'interprétation à la fin de ce chapitre, voyons maintenant la troisième source.

*Consommations diverses*

À partir de 1830, nous avons une autre source, plus directe et plus fractionnée, la consommation par tête et par an de certains produits de base ; laissons de côté le sucre et le café, dont l'usage s'est vulgarisé, pour voir surtout les produits de grande consommation [1] :

|  | Vers 1830 | Vers 1850 | Vers 1910 |
|---|---|---|---|
| Blé (en kilos) | 139 | 176 | 234 |
| Pommes de terre (en kilos) | 150 | 161 | 322 |
| Vin (en litres) | 44 | 121 | 125 |
| Bière (en litres) | 9,2 | 11,5 | 31,0 |
| Tabac (en kilos) | 0,3 | 0,5 | 1,0 |
| Coton (en kilos) | 0,9 | 1,7 | 4,0 |
| Laine (en kilos) | 1,5 | 2,5 | 6,9 |

L'accroissement de la consommation de blé et de pommes de terre a pu se faire, en partie, au détriment de celle d'autres produits, comme le seigle, le sarrasin, etc., mais ce changement lui-même implique une amélioration du niveau de vie populaire. Les progrès sont significatifs.

### 3. *Le sens des migrations intérieures*

Divers auteurs, non socialistes, étaient, en dehors même de l'extravagant Méline, parvenus, sur le rôle de la machine en termes d'emploi, à des conclusions pessimistes et avaient formulé un espoir dans le grand refuge de l'agriculture. Effectivement, si la société industrielle avait définitivement refoulé les travailleurs, en se passant de leurs services, grâce aux machines, un certain nombre d'entre eux auraient pris ou repris le chemin de la campagne, plus accueillante et moins comptable.

Les événements ont tourné autrement : partout, au contrai-

---

1. *Annuaire statistique de la France,* année 1938, partie rétrospective p. 172 à 184 et Jean Fourastié, *Machinisme et bien-être.*

re, la population rurale et la population agricole ont diminué ;
les jeunes surtout étaient attirés par la ville et par l'industrie.

Quelle que soit la définition adoptée pour la population
rurale, les chiffres concordent, tout au moins sur le sens du
courant. De 1806 à 1851, plus de 3 millions de personnes ont
quitté la campagne pour la ville, chiffre très supérieur aux
mouvements antérieurs. Et à partir de 1825 environ, certains
cantons ruraux ont vu, pour la première fois, diminuer leur
population.

Cet exode rural pouvait, au début, s'expliquer par les
rigueurs de la condition paysanne, ainsi que par l'attrait de la
ville et la perspective d'un salaire. Mais, si l'effet de la machine
avait été aussi défavorable qu'il a été dit, un reflux se serait
produit, d'autant plus intense que la famille était encore solide
et que la condition paysanne s'était légèrement améliorée. Non
seulement les retours n'ont été qu'exceptionnels, mais l'exode
s'est intensifié : de 1851 à 1900, il a atteint 5 millions de personnes, rendant même nécessaire, en certaines régions, une
immigration agricole étrangère. D'ailleurs, les salaires urbains
ont toujours été supérieurs aux salaires ruraux.

Dans la seconde moitié du XIX$^e$ siècle, des terres ont été
abandonnées. La productivité de la terre y était aussi élevée
qu'avant, mais la situation alimentaire permettait maintenant
de se passer de certaines terres pauvres. Nous sommes dans le
cas où le progrès technique chasse des travailleurs dans les
activités qu'il n'a pas touchées suffisamment.

Refoulement ? Appel de la ville ? Les deux ont joué dans des
proportions variables.


## 4. La durée de la vie


Dans tous les pays industriels, elle s'est sensiblement allon-
gée au XIX$^e$ siècle. Voici, pour la France, les données essentielles [1] :

---

1. Marcel Croze, *Tableaux démographiques et sociaux,* I.N.S.E.E. et I.N.E.D.,
1976.

|                                          | Vers 1789 | Vers 1850 | Vers 1910 |
|------------------------------------------|-----------|-----------|-----------|
| Espérance de vie à la naissance en années { sexe masculin | 27,5 | 40,5 | 48,5 |
| { sexe féminin | 28,2 | 41,0 | 52,4 |
| Mortalité infantile en % | 27,8 | 15,6 | 12,3 |

Ce recul important de la mort peut être attribué à des progrès sanitaires ou à une amélioration économique. Nous pourrons distinguer :
— *les progrès proprement médicaux ;*
— *la diffusion d'une meilleure hygiène ;*
— *l'amélioration du niveau de vie des plus faibles.*

Il est d'autant plus difficile de juger la part de ces trois facteurs que le second et le troisième sont assez étroitement liés. Quelques observations éclairent cependant la question :

À l'encontre des signes examinés précédemment (pouvoir d'achat des salaires et consommation alimentaire), l'allongement de la vie a été plus important pendant la première période que pendant la seconde, aussi bien en valeur absolue qu'en valeur relative. Cette différence plaide plutôt en faveur de la primauté des progrès médicaux ; ceux-ci ont été notables d'ailleurs au début du siècle, grâce surtout à la vaccination contre la variole, alors qu'un ralentissement a été observé, dans la suite, avant la révolution pastorienne.

Et cependant, dans une économie de subsistance, un léger progrès économique est proprement vital. Le gain de 500 calories de 1800 à 1840 a dû jouer un rôle plus important que les 1 000 calories gagnées de 1840 à 1910.

*La querelle entre malthusiens et socialistes*

Au début du XIX⁰ siècle, les classes conservatrices ont attribué la misère à l'augmentation de la population, traditionnellement meurtrière, dans une économie de subsistance à ressources limitées. Les socialistes, dont Marx, ont contesté cette opinion. À l'encontre de la thèse des conservateurs, divers arguments peuvent être invoqués :
1. *La croissance de la population a été moins rapide en France*

qu'en *Angleterre et d'autres pays industriels,* sans entraîner une amélioration relative de la condition populaire.

2. *Une baisse profonde de la mortalité est survenue après la seconde guerre, dans les pays en développement,* sans être partout accompagnée, loin de là, d'un progrès économique.

3. *La forte baisse de la mortalité infantile* a contribué à l'allongement de la vie moyenne, sans devoir beaucoup aux conditions économiques. Il s'agit surtout ici de facteurs sanitaires.

Mais d'autres arguments plaident en faveur de l'explication démographique de la misère.

1. *En France — et ailleurs aussi — le surpeuplement de certaines régions montagneuses ne peut être contesté.* Il est confirmé par les murs en terrasse, aujourd'hui ruinés, mais bien apparents, édifiés, en des lieux très impropres à la culture, du fait des rendements décroissants. C'est vers 1825, avons-nous vu, que le maximum semble avoir été atteint. Mais, comme la consommation alimentaire a augmenté, pour l'ensemble du territoire, le surpeuplement ne peut avoir eu que des effets locaux.

2. *L'afflux vers les villes n'a pu qu'être accentué par la croissance de la population,* en un temps où l'industrie était encore peu développée et hors d'état de faire face.

Nous conclurons que le recul de la mort peut être attribué en majeure partie aux facteurs sanitaires. Mais les progrès de ceux-ci ont trouvé, dans l'augmentation des ressources, un certain adjuvant ; sans eux, la surpopulation eût été meurtrière. Tout au long de la période, les dépenses publiques ont augmenté, à monnaie constante (voir p. 246), permettant quelques retombées de l'accroissement de production. Sans être décisif, l'allongement de la vie plaide donc en faveur d'une amélioration économique, en particulier au cours de la période critique qu'a été la première moitié du siècle.

## 5. Vue d'ensemble

Ainsi, le résultat des recherches sur l'évolution de la condition ouvrière, pendant la période de progrès des machines, dément non seulement les prévisions et jugements pessimistes formulés à ce moment, mais les opinions qui persistent aujourd'hui sur le sujet.

Comment concilier les conclusions qui se dégagent d'une observation méthodique de l'évolution générale et les constatations parfois chiffrées, faites, à cette époque, d'une misère extrême ? Diverses explications peuvent être données :
– *prise de conscience* par l'opinion d'une misère traditionnelle, jusque-là ignorée ou sous-estimée ;
– *différence entre dénuement et misère* ;
– *dispersion importante autour de moyennes.*

### La prise de conscience

Tant que la misère populaire était en grande partie localisée dans les campagnes, elle était peu visible, peu observée, non commentée. Les légendes sur la chaumière et les charmes de la vie rustique faisaient le silence sur la vermine qui séjournait dans ces chaumes, ainsi que sur la dureté et l'aléa de cette vie. La description de noces de village donnait à croire à une abondance permanente, alors qu'elles n'étaient que le corollaire d'une longue période de privations, et qu'elles ne concernaient que les familles de propriétaires, les années de belles récoltes.

Avant l'industrie, la misère des villes était, elle aussi, intense, mais, étant en quelque sorte classée, permanente, elle n'attirait guère l'attention de la noblesse et de la bourgeoisie, excepté pour dénoncer la mendicité. Celle-ci suscitait une certaine pitié, assez vite étouffée par l'aumône, sans inspirer aucun remords. La cause invoquée était souvent la paresse, ou la boisson et le remède classique, le retour dans les campagnes. La terre était censée pouvoir tout recevoir et le rendre sous forme de richesses. Son avantage essentiel, pour la classe supérieure, était de dissimuler, donc d'absoudre.

Au XIXe siècle, du fait de l'industrie et de l'urbanisation, du fait aussi de l'improvisation, du bouleversement, la misère s'étale au grand jour, tandis que naît le remords et une certaine notion de solidarité. Le voisinage du très riche et très pauvre devient peu supportable aux personnes d'une certaine sensibilité ; des philanthropes, des chrétiens, des socialistes s'émeuvent et attribuent ces malheurs, non à l'agriculture, ni même toujours à la propriété, mais à l'industrie et son appareillage infernal.

*Dénuement et misère*

Les quantités consommées ne suffisent d'ailleurs pas à définir un niveau d'existence. Dans une économie d'autoconsommation, le dénuement est parfois poussé à des niveaux que l'homme d'aujourd'hui a peine à imaginer et oublie vite, si on lui en parle. Si la récolte est mauvaise, le terrien réduit encore sa consommation, mais sans donner de signes apparents de son extrême modicité. À la ville, le travailleur est peu au courant des intempéries, mais il voit, un jour, les prix des denrées de première nécessité monter au-dessus de leurs normes.

Logé dans des conditions précaires, placé dans un environnement plus que contestable, privé du soutien familial traditionnel, il est voué aux fléaux sociaux : taudis, alcoolisme, prostitution, etc. Avec un *dénuement* moins poussé que le paysan, il est souvent conduit à une plus profonde *misère*.

*La dispersion*

Le choc industriel a entraîné une redoutable dispersion des situations individuelles. La lutte est partout et le pouvoir d'exploiter les hommes a favorisé les abus accablants qu'on n'ose presque plus imaginer aujourd'hui. C'est sur le vu des détresses les plus extrêmes, des cas cités en justice, que le jugement s'est formé. La sélection de la mémoire a ensuite agi dans le même sens. Quand Villermé dénonce la condition des ouvriers de Mulhouse, il a pleinement raison de le faire, mais il a été appelé là où le besoin se faisait le plus sentir. Une mortalité correspondant à une vie moyenne de 8 ans ne pouvait qu'être exceptionnelle, puisqu'elle serait incompatible tant avec la propagation de l'espèce, qu'avec les documents disponibles sur la démographie de ce temps. Ceux qui ont dénoncé les détresses et les turpitudes ont eu pleinement raison, mais les historiens ont eu tort de formuler, sur ces bases, un jugement d'ensemble.

L'observation de moyennes est, elle-même, loin de suffire, mais le lien entre ces chiffres ingrats et les exceptions frappant l'esprit n'est pas facile à assurer.

*Permanence du jugement rétrospectif*

Moins explicable a priori est la persistance des jugements pessimistes, un siècle plus tard, sur une époque riche en documents. Deux raisons peuvent être données :

– *l'utilisation des documents* exige des recherches laborieuses, à base d'une technique statistique consommée ;

– *l'affectivité s'accommode bien de reproches contre un ordre social,* qui n'est pas suffisamment éloigné de nous pour suggérer l'indifférence. À l'égard des patriciens et des esclavagistes de l'Antiquité, voire des sacrifices dans l'arène, nous n'éprouvons aucun trouble, tant ils sont loin. La féodalité elle-même se pare de traits glorieux et spectaculaires. Pour le XIXe siècle, cette esthétique disparaît.

Voici, parmi bien d'autres, un témoignage significatif et troublant :

En 1978, a paru un important ouvrage l'*Histoire économique et sociale du monde* rédigé sous la direction du regretté Pierre Léon, avec le concours d'historiens confirmés.

Dans le volume IV, la domination du capitalisme 1840-1910, dans le chapitre « Les débats et les tensions de la société industrielle », rédigé par M. Yves Lequin, la question est jugée ainsi (p. 375) :

L'aggravation de la situation matérielle des populations rassemblées et reclassées par l'industrialisation est un thème depuis longtemps rebattu, mais toujours discuté et repris, notamment il y a une quinzaine d'années, dans un débat devenu célèbre entre E.J. Hobsbawn et R.M. Hartwell, à propos, il est vrai, de l'Angleterre de la fin du XVIIIe et du début du XIXe siècle. Mais le décalage chronologique de la croissance permet de le poser, en termes semblables, pour les différents pays du continent européen, dans les décennies qui suivent.

Après ce préambule, bien posé, voici le jugement :

Paupérisation ? Elle paraît probable, à travers les indicateurs démographiques et médicaux, dans l'ampleur des dégâts créés par les crises industrielles plus fréquentes, plus brutales, plus larges que celles de l'Ancien Régime ; les statistiques globales de la consommation ne permettent pas de conclure que celle des classes populaires s'est améliorée. Bien au contraire.

Nous sommes déjà étonnés, puisque ces statistiques globales donnent à conclure favorablement, nous l'avons vu. Elles ne sont pas citées et la suite est plus déconcertante encore :

Un travail récent sur Anvers conclut à une baisse considérable, en quantité comme en qualité ; ainsi, en 1850, l'alimentation d'un ouvrier célibataire fournirait en moyenne, 1 863 calories, quand la ration de 1780 était de 3 765. Le recul atteint 50,5 %.

Une indication sur ce document serait précieuse, tant les chiffres sont peu vraisemblables, aussi bien celui de 1780 que celui de 1850. S'ils ont été choisis dans une masse de documents, plus probants, mais d'abord difficile, c'est parce qu'ils sont spectaculaires et vont *dans le sens souhaité*.

D'une légèreté vraiment inexcusable, cet auteur, poursuit, en parlant des progrès de la productivité agricole, mais sans chiffres ; après avoir invoqué, de façon plus convaincante, le logement, mais sans documents d'ensemble, il donne sur la seconde moitié du XIXe siècle, une série de chiffres décousus, sans étude sérieuse de cette question délicate, qui demande tant de ménagements.

Avec le temps, l'éloignement, le changement de nos conditions et de nos attitudes donneront à l'étude profonde une plus grande chance, mais la condition scientifique n'est pas réalisée pour le moment, du moins dans cette œuvre importante, à savoir :

– l'indifférence a priori devant les résultats ;
– le décor violent de vérité, quel que soit son aspect ;
– une technique éprouvée d'observations chiffrées.


## Conclusion générale

Une étude, quelque peu attentive et sans préjugé, de ce XIXe siècle, à déplorable réputation, ne le rend pas plus avenant dans ses manières, mais conduit à formuler, sur l'évolution des faits, un jugement favorable, du moins sur la question qui nous intéresse ici.

S'agissant des effets de la machine, nous concluons non seulement que les classiques avaient raison sur le fond, mais que les événements ont été le plus souvent au-delà de leurs prévisions. Le progrès technique a ouvert la voie à une prospérité et un pouvoir de l'homme, sans doute mal exploités, mais que même les utopistes n'imaginaient pas, sur certains points. Le soubassement économique, ainsi créé, a permis l'élaboration et l'utilisation de techniques de santé efficaces et leur généralisation progressive à l'ensemble des classes sociales.

Si l'on se place sous l'angle moral ou humain, on peut formuler des reproches contre les industriels et les doctrinaires
relativement impassibles aux souffrances. Et cependant, sans
ces rigueurs, l'évolution eût été moins rapide. Un accouchement sans douleur se serait traduit par des retards plus ou
moins importants.

Sous cet angle, les industriels de pointe pourraient être com-
parés à ces généraux qui, dans des conditions de grand confort,
exigent de la troupe des sacrifices extrêmement douloureux
(« le dernier quart d'heure »), pour obtenir la victoire.

Une fois de plus, morale et efficacité divergent. Le choix
entre ces deux objectifs peut toujours se défendre, mais il est
vain de contester leur divergence.

Reprenons, de façon plus précise, la question posée au xixe
siècle, sur le rôle de la machine et son action en matière d'emploi et de rémunération des travailleurs :

Une réponse claire, sinon brutale a été donnée, au lendemain de la guerre, quand ont été lancés les termes *sous-déve-
loppement* et *sous-développés,* pour désigner l'attardement, jugé
regrettable des pays qui, pour une raison ou une autre, n'ont
pas pu recourir aux machines.

La réponse de l'expérience doit cependant être précisée :
elle ne doit pas être présentée sous forme de loi ; le « progrès
technique augmente le nombre des emplois », mais d'une
façon plus fidèle ; *« le progrès technique a jusqu'ici et dans le
cadre national, augmenté le nombre des emplois ».* Il s'agit évidemment d'une balance entre les emplois supprimés et ceux
qui sont devenus possibles.

Des compléments sont alors nécessaires :
– *augmentation du nombre des emplois ne signifie pas nécessairement plein emploi ;*
– *augmentation du niveau de vie de l'ouvrier ne signifie pas que
cette augmentation ait été aussi forte que celle du revenu national,*
ni aussi forte qu'elle aurait pu l'être. Ces deux vérifications fort
délicates prêtent à controverse et sortent du cadre de cette étude ;
– *l'inflation rend les résultats récents plus difficiles à interpré-
ter ;*
– *l'expérience n'autorise pas à conclure que le progrès technique
continuera à l'avenir à augmenter le nombre des emplois.* Non
seulement, en effet, les choses peuvent prendre des formes iné-
dites, mais le comportement des hommes est devenu un facteur exogène essentiel.

Pour répondre à cette question, nous devons reprendre à la base tout le mécanisme de cette « perversion », de ce trouble, qu'est toute innovation. Ce sera l'objet de la seconde partie.

# VI

# Évolution de la population active
# dans les pays industriels

La vérification directe, par voie statistique, des rapports entre le progrès technique et l'emploi n'ont pas facile. Voici quelque-unes des difficultés qui se présentent :
— *Non-comparabilité des recensements successifs ;*
— *variations conjoncturelles le long d'un cycle.* Le nombre d'emplois diminue, au moins en valeur relative, pendant la période descendante du cycle ;
— *variations de la population totale.* L'augmentation du nombre absolu des emplois n'est pas probante, si la population augmente rapidement, du moins dans un pays neuf comme les États-Unis ;
— *variations de la durée du travail, journalière, annuelle ou pendant la vie.*

Les diverses conditions de mesure ne sont jamais réalisées de façon parfaite, mais, dans divers cas, l'approximation est largement suffisante : *dans tous les pays où la productivité a augmenté, le nombre des emplois a également augmenté, à salaires égaux, du moins en régime libéral.*

## La France de 1896 à 1926

Pendant ces trente ans, la productivité a augmenté notablement, du fait des machines. Sans doute, la durée du travail a-t-elle diminué de 54 ou 60 heures de travail à 48, mais la productivité a augmenté, même par année de travail.

Les recensements ont été établis sur la même base, avec la même nomenclature. La comparabilité des deux années 1896

et 1926 est donc bonne, même pour les femmes employées
dans l'agriculture.

Après léger relèvement (× 1,043) des chiffres de 1896, pour
avoir les mêmes frontières aux deux dates (90 départements),
la répartition de la population en grandes catégories professionnelles se présente ainsi (en milliers) :

|  | 1896 | 1926 | Accroissement ou diminution |
|---|---|---|---|
| Agriculture, forêts, pêche | 8 886 | 8 200 | −    686 |
| Industrie et transports | 6 661 | 8 252 | + 1 591 |
| Commerce, banque, assurances | 1 729 | 2 515 | +    786 |
| Professions libérales | 448 | 588 | +    140 |
| Services publics civils | 522 | 708 | +    186 |
| Domestiques | 944 | 780 | −    164 |
| Ensemble | 19 190 | 21 043 | + 1 853 |
| Chômeurs | 267 | 243 | −     24 |
| Nombre d'emplois | 18 923 | 20 800 | + 1 877 |

La diminution des emplois dans l'agriculture (au progrès
proprement technique s'ajoute l'abandon des terres pauvres) a
été largement compensée par un accroissement dans les services et plus encore dans l'industrie. Cette dernière, en progrès
technique elle-même, a pu accueillir la majorité des paysans.

Si nous remontons encore trente ans en arrière, nous trouvons en 1866 un nombre d'emplois un peu inférieur à 15 millions, mais moins sûr.

Fait plus significatif encore déjà signalé : le nombre de
domestiques (emploi refuge, peu apprécié) a notablement diminué, grâce aux possibilités supplémentaires offertes par l'industrie. Cette diminution s'accélère dans la suite, à mesure que
le progrès technique augmente le nombre des emplois : en mai
1936, alors que la crise économique était aiguë et que la population active avait diminué de 2 millions, le nombre de domestiques était revenu à 750 000 dont, un grand nombre à temps
partiel (femmes de ménage).

Pendant toute cette période, une immigration de travailleurs
a été nécessaire.

*Dans l'ensemble de l'industrie*

A l'intérieur même du secteur industriel, les changements n'ont pas été moins importants.

Nous avons les variations suivantes :

| | 1896 | 1926 | Accroissement ou diminution |
|---|---|---|---|
| Travail des étoffes, vêtements | 1 304 | 1 066 | – 238 |
| Textiles | 901 | 933 | + 32 |
| Industries chimiques | 84 | 218 | + 134 |
| Caoutchouc, papier, carton | 58 | 155 | + 97 |
| Métallurgie | 56 | 153 | + 97 |
| Travail des métaux ordinaires | 608 | 1 379 | + 771 |
| Travail des terres et pierres au feu | 146 | 218 | + 72 |

L'extension de la confection a entraîné une diminution des effectifs du travail des étoffes, mais le gain réalisé par les consommateurs sur ce point s'est reporté ailleurs et s'est traduit, de façon directe ou indirecte, sur plusieurs groupes, qui augmentent tant leur productivité que leurs effectifs.

*Divers pays*

Des comparaisons moins rigoureuses, mais probantes, par leur nombre et leur diversité même, ont été faites, notamment par M. Jean Fourastié[1]. Voici par exemple l'évolution de l'Allemagne (frontières de 1934), de 1907 à 1939. Il s'agit du nombre d'actifs en milliers.

| Branche d'activité | 1907 | 1939 | Accroissement ou diminution |
|---|---|---|---|
| Agriculture, forêts, pêche | 9 883 | 8 985 | – 898 |
| Industries extractives | 1 208 | 734 | – 474 |
| Industrie et construction | 10 048 | 13 883 | + 3 835 |
| Transports, communications | 1 026 | 1 897 | + 871 |
| Commerce, banque, assurances | 2 451 | 3 438 | + 987 |
| Services | 3 476 | 5 680 | + 2 204 |
| Population active | 23 092 | 34 617 | + 6 525 |
| Population totale | 57 798 | 69 460 | + 11 662 |

1. Migrations professionnelles, INED, *cahier n° 31*, 1957.

À l'accroissement de la population s'est ajouté, en quelque sorte, le refoulement de 1 372 000 personnes de l'agriculture et des mines, par l'effet du progrès technique, et d'environ 500 000 personnes refusant le travail domestique. Toutes les autres branches ont augmenté leurs effectifs, mais, alors que l'industrie, largement refoulante elle-même, n'accroît ses effectifs que de 38 %, *les services augmentent de 60 %*. Le mouvement de bascule est bien accusé et, en dehors de la crise économique, le nombre des emplois augmente dans la même proportion que la population totale.

## Une période plus récente

Voici, pour la France, pour la période 1952 à 1972, période de progrès rapides de productivité, l'indice, base 100 en 1952, de [1] :
– la productivité du travail ;
– la production ;
– le capital productif fixe par personne employée (intensité capitalistique) ;
– le nombre d'emplois.

| | Produc-tivité du travail | Produc-tion | Intensité capita-listique | Nombre d'emplois |
|---|---|---|---|---|
| Agriculture | 339 | 164 | | |
| Énergie | 542 | 401 | 371 | 116 |
| Industries alimentaires | 237 | 230 | 215 | 100 |
| Biens d'équipement | 302 | 420 | 218 | 152 |
| Biens de consommation | 335 | 251 | 315 | 82 |
| Industries intermédiaires | 365 | 381 | 292 | 116 |
| Transports, communications | 232 | 276 | 181 | 118 |
| Bâtiment, travaux publics | 211 | 353 | 261 | 167 |
| Commerce | 199 | 282 | 223 | 146 |
| Services | 171 | 284 | 199 | 165 |
| Ensemble | 298 | 296 | 265 | 104 |

---

1. D'après A. Fourçans et J.-C. Tarondeau, L'impact réel de l'automatisation, *Revue française de gestion,* mai-juin 1979.

Les deux effets : techniques de production et besoins se combinent ou s'opposent, dans chaque branche, de sorte qu'il n'y a ni corrélation directe, ni corrélation inverse, entre le progrès de la productivité et celui du nombre des emplois : si celui-ci a beaucoup diminué dans l'agriculture (de moitié environ) et augmenté dans les biens d'équipement, bien que les productivités aient progressé de façon voisine, c'est en raison des *différences d'élasticité des besoins*.

Pour l'ensemble des branches, la productivité a à peu près triplé et le nombre d'emplois a augmenté de 4,1 %, dépendant bien plus de la population active que du niveau technique.

### Progrès intense de productivité : le Japon

Au lendemain de la guerre, nombreux étaient ceux qui prévoyaient une ère de pauvreté et de régression au Japon, faisant valoir, selon la doctrine si répandue, qu'il avait perdu ses colonies et que la quasi-suppression des armements diminuerait le nombre des emplois. Voici, selon les principales étapes, les résultats essentiels, base 100 en 1948 :

| | Productivité | Production (PIB à prix constants) | Nombre d'emplois | |
|---|---|---|---|---|
| | | | base 100 en 1948 | en milliers |
| 1948 | 100 | 100 | 100 | 32 240 |
| 1950 | 129 | 136 | 106 | 35 140 |
| 1955 | 172 | 209 | 121 | 40 310 |
| 1960 | 242 | 322 | 132 | 44 200 |
| 1965 | 362 | 515 | 142 | 47 300 |
| 1969 | 527 | 799 | 152 | 50 400 |
| 1974 | 734 | 1 154 | 157 | 52 230 |
| 1976 | 772 | 1 225 | 159 | 52 710 |

La production a augmenté plus encore que la productivité et le nombre des emplois lui-même a augmenté de 60 % en vingt ans ; encore faudrait-il tenir compte du sous-emploi initial de nombreux artisans ou paysans.

Sur la fin, le progrès est moins rapide, par apparition de diverses résistances à l'approche du plein emploi.

*Une période moins favorable : la France*

Après cette période très favorable, en voici une moins brillante ; il s'agit de la France de 1973 à 1978, après la hausse du
pétrole et les erreurs politiques qui l'ont suivie [1] :

Pendant cette période, la productivité s'est accrue de 14 % ;
le nombre d'emplois a augmenté de 571 000, soit 115 000 par
an en moyenne, passant de 20 930 000 à 21 501 000 [2]. Cet
accroissement est plus faible que pendant la période antérieure
de progrès rapide de productivité, mais notable néanmoins, en
dépit des circonstances défavorables et de la politique non
appropriée.

---

1. En 1974, les prix des divers produits pétroliers ont été augmentés en sens
inverse des nécessités et des besoins d'économie d'énergie (voir notre *Tragédie du
pouvoir*, Éditions Pluriel, pages 35 à 39).

2. Enquêtes annuelles sur l'emploi. Le nombre d'emplois est défini au sens
même de l'enquête.

*Deuxième partie*

# LES IDÉES
# ET LE MÉCANISME

VII

# L'informatique et l'emploi

La montée du chômage, l'utilisation de procédés tout nou
veaux et la perspective de bouleversements profonds ont eu
pour effet un regain d'attention à la vieille question de la
machine remplaçant l'homme. Le conflit le plus important
jusqu'ici s'est produit dans l'imprimerie de presse. Présentons,
en premier lieu, ce cas, déjà largement engagé.

*La révolution électronique dans la presse*

La technique traditionnelle, parfois encore utilisée, exige de
nombreuses opérations, de la rédaction du texte à la rotative :

– le *secrétaire de rédaction* livre la copie au prote ou au contremaître ;
– le *contremaître* la répartit entre divers linotypistes, chacun sur
une *linotype,* sorte de grosse machine à écrire, qui, au lieu
d'appeler les lettres sur le papier, déclenche un petit bloc de
plomb, qui se range dans une case métallique ;
– le *linotypiste* transmet la frappe au *plombier ;*
– le *plombier* mène celle-ci à une machine, dite à *épreuve,* la
« lichette » ;
– le *correcteur* reçoit la « lichette », signale les coquilles et
autres erreurs ;
– le *linotypiste* reprend la « lichette » et retape chaque ligne
erronée, pour le typographe ;
– le *maquettiste* indique au typo les titres, avec leur place et
leur largeur ;

– le *typo* fabrique alors sa page, dont il tire, à son tour, une *lichette ;*

– le *correcteur* revoit la lichette et la retransmet au typo ;

– le *secrétaire de direction* donne au typo une maquette dessinée sur papier ;

– le *typo* monte entièrement sa page et la « justifie » (solidification) ;

– le *prote, le correcteur et le rédacteur* reçoivent chacun une épreuve ;

– le *clicheur* installe la forme sur la *machine à empreinte ;* après clichage, elle s'engage dans les cylindres de la rotative.

La méthode nouvelle supprime linotypiste et linotype, plomb fondu et plombiers, lichette et toutes opérations de va-et-vient. Après tapage (*photocomposeuse* assurant automatiquement les espacements, dans la largeur de la colonne) vient un ordinateur programmé, qui a, en mémoire, les opérations de la photocomposeuse. Tout le reste est automatique, *sauf la correction et les titres,* opérations où l'électronique entre également en jeu.

Le gain est considérable, 75 à 80 % en temps et en personnel directement employé. On pense inévitablement à la confection de vêtements, de chaussures, etc. à la main et à la machine.

Non seulement l'introduction de ces techniques est directement « refouleuse », supprimant purement et simplement des emplois, mais elle touche un personnel particulièrement protégé. C'est donc un exemple plein d'enseignements.

### Micro et macro-économie

L'élimination de personnel par le nouveau procédé est bien visible, mais les répercussions sur l'économie générale et sur le nombre total des emplois des diverses professions n'ont guère retenu l'attention. Au moment où ce procédé a été mis en débat, on pouvait cependant estimer, même en se contentant de l'optique classique, un peu améliorée que :

– sans permettre certes une multiplication des quotidiens, industrie en perte de vitesse, le procédé nouveau permettrait à un certain nombre d'entre eux de rétablir une *rentabilité compromise* et sauverait ainsi des emplois menacés ;

– *le matériel nouveau, plus complexe, donnerait une activité supplémentaire* à d'autres branches, notamment chimie et électro-

nique (argument classique du temps consacré à la production des machines) ;
– *l'éviction de personnel libérerait des hommes pour d'autres tâches* (argument peu accepté en économie de marché, mais probant en économie planifiée) ;
– *les bénéfices plus élevés des journaux* permettraient soit des améliorations qualitatives (plus de pages, plus de rédacteurs, etc.), soit des dépenses au-dehors, génératrices d'emplois (comités d'entreprise, actionnaires ou commanditaires, banques parfois).

### Attitude des syndicats de la presse

Aucun de ces arguments, en dehors peut-être du premier, ne pouvait toucher les syndicats. L'introduction de ces techniques efficaces était, pour les ouvriers de Paris, d'autant plus destructrice qu'ils possèdent une situation exceptionnelle, plongeant ses racines assez loin dans le passé et comportant un corporatisme monopoliste : non seulement le syndicat fixe la durée du travail (4 à 5 heures par jour), la productivité et assez largement les salaires, mais il dispose d'un monopole d'embauche et de déplacements du personnel d'une entreprise à l'autre.

### Conflits et résultats

En divers pays, le conflit a été long, parfois violent et il est loin d'être encore terminé. À Paris, il a pris une forme d'autant plus aiguë que l'introduction de la nouvelle technique a été décidée par un « patron de combat », Émilien Amaury, directeur du *Parisien Libéré*. En agissant ainsi, il faisait d'une pierre deux coups : gain en économie de personnel et remise en question des privilèges. Selon lui, l'impression d'un quotidien à Paris nécessitait, à production égale, 5 à 6 fois plus de personnel qu'en province. Une fois de plus, les travailleurs du livre n'ont pas opposé un refus de principe à la technique, mais ont demandé le maintien de leurs avantages et de leur nombre, ce qui équivalait, en fait, à une impossibilité, dès l'instant qu'il y avait un matériel plus coûteux à acheter.

Le débat étant vite sorti de la technique, en raison des conditions particulières de l'entreprise, il ne semble pas qu'ait été envisagée une solution progressive de maintien « viager », per-

mettant de conserver les avantages antérieurs, sans les trans-
mettre aux générations suivantes. Peut-être le grand nombre
de postulants inscrits au syndicat pour ces postes était-il une
gêne supplémentaire.

Sous des formes et à des dates diverses, le conflit a touché
divers pays. C'est ainsi qu'ont disparu, à Paris, le *Paris Jour* et
d'autres, à New York, le *New York Herald Tribune*. La publication du *Times* à Londres a été suspendue pendant près d'un an.
Elle n'a repris que provisoirement [1]. Soucieux de ne pas céder
à un chantage à la disparition, argument fréquent des employeurs, les syndicats de la presse n'ont pas suffisamment tenu
compte des difficultés de cette industrie, concurrencée par la
télévision, tant en diffusion qu'en publicité. Il leur a été souvent possible de maintenir leur position dans le navire, mais
non d'empêcher le navire de couler.

### L'informatique et l'emploi

Au début, les performances de l'électronique ont surtout été
considérées sous l'angle des prouesses scientifiques, et, pour
une partie de l'opinion, classées parmi les manifestations du
merveilleux. La question de l'emploi a cependant été vite sou-
levée par des observateurs soucieux. Vers 1953, un grand hebdomadaire français a annoncé, sur la foi d'un envoyé spécial
aux États-Unis, que, dans une vingtaine d'années, les employés
de banque auraient disparu en France. La figure légendaire du
robot, si pittoresque, a aussi pris quelque consistance. Par
contre, l'application la plus spectaculaire et la plus efficace, la
navigation interastrale, n'a soulevé aucune objection, car elle
*semblait,* non seulement ne supprimer aucun emploi, mais en
créer de nouveaux, de l'espèce noble.

Plus tard des émotions se sont peu à peu manifestées. De
multiples professions se sentent menacées, documentalistes,
bibliothécaires, imprimeurs, postiers, juges administratifs, etc.
Nous avons cité (p. 87 et suiv.) quelques déclarations d'hommes politiques, plus sentimentales que scientifiques.

---

1. Disposant d'une fortune considérable, le propriétaire du *Times* peut d'autant plus facilement supporter le déficit d'exploitation que celui-ci est déduit de
son revenu, dans la tranche élevée. Cela revient à dire que le déficit est supporté
par l'État où il déclare ses revenus.

*Le rapport S. Nora et A. Minc*

Ce rapport publié en 1978 [1] sur les possibilités de transmission à distance ou télématique a ravivé les craintes et les émotions, notamment dans le service des postes.

Et cependant, sans dissimuler l'ampleur des transformations qui sont proposées, les auteurs ne cèdent pas à la vue affective, qui a frappé tant de personnes. Voici, par exemple, les banques :

Dans les banques, l'installation de nouveaux systèmes informatiques permet des économies d'emploi qui pourraient représenter jusqu'à 30 % du personnel. Elles ne signifient pas qu'il faudra licencier. Elles mesurent, en effet, les masses de personnel supplémentaire qui seraient aujourd'hui nécessaires, en l'état actuel des techniques de production, afin de satisfaire la demande à venir que la télématique dispensera d'embaucher... De fait, depuis un ou deux ans, les banques ont réduit considérablement leur embauche, alors que, précisément, elles accroissaient leur personnel de 5 à 10 % chaque année.

Voici maintenant la Sécurité Sociale :

Pour la Sécurité Sociale, le mouvement ne sera pas aussi rapide... Même si aucune pression extérieure n'impose une évolution que contrarie l'inertie des structures, des traditions et des réglementations, la nécessité de limiter les coûts y poussera.

Dans cette même Sécurité Sociale, le secteur médical échappe en grande partie à la mécanisation. Les effectifs d'infirmières, par exemple, ne sont limités que par les crédits financiers. Dans un article ultérieur, A. Minc a précisément évoqué le besoin d'infirmières, sans toutefois décrire les mécanismes de transfert financier (voir p. 153).

Dans l'ensemble des services visés, des économies considérables d'emplois sont prévues, mais l'analyse économique est absente ; ce rapport a provoqué, en conséquence, les émotions des hommes politiques.

*Alarmes parmi les ouvriers*

Dans la revue *Intersocial,* éditée par le *Bureau des liaisons*

---

1. *L'Informatisation de la société*, Paris, Seuil, 1978.

*sociales* figurent diverses indications données au cours de la *Conférence internationale des ouvriers de la métallurgie* (F.I.O.M.), pour les industries électriques et électroniques, qui a réuni, à Genève, du 24 au 26 octobre 1978, les représentants de 28 pays. La déclaration suivante a fait impression :

En Allemagne fédérale, le nombre des travailleurs manuels employés dans la fabrication de matériel électronique a baissé de 16 % entre 1973 et 1977, celui des non manuels n'a diminué que de 3 %. En Grande-Bretagne, sur cette même période, le nombre des femmes employées a baissé de 16 %, contre 9 % pour les travailleurs masculins. Au Japon, ces proportions sont respectivement 22 et 10 %.

Ces chiffres, quelque peu surprenants, ont, du moins, le mérite de traduire un état d'esprit. Il s'agit aussi, il est vrai, de dénoncer les transferts d'activité, les pays en voie d'industrialisation.

Selon M. Herman Rebhan, secrétaire général de la F.I.O.M., les moteurs de cette troisième révolution industrielle sont des « tueurs d'emplois ». La « pastille » électronique, qui intègre un nombre croissant de circuits, peut conduire à un autre « tueur d'emplois », le « robot industriel ».

En Grande-Bretagne, est-il indiqué, une étude récente réalisée par le gouvernement, le rapport Barron, prévoit que l'introduction de la microélectronique fera 4 millions de chômeurs dans les années 90.

Selon Mme Ursula Ibler, le nombre des salariés chez Siemens a été réduit de 35 %. Parmi eux, 10 % ont retrouvé des emplois dans l'entreprise.

Selon l'I.G. Metall, le progrès de la microélectronique ne favoriserait qu'une seule création d'emplois pour 5 suppressions.

L'emploi des ingénieurs serait lui aussi menacé :

Aux États-Unis, des spécialistes estiment qu'en 1985, 90 % du dessin technique sera réalisé en ordinateur... Alors qu'on compte actuellement 300 000 ingénieurs en R.F.A., une étude de l'Institut Batelle, pour le compte du ministère de l'Éducation et des Sciences, prévoit qu'en 1990, on devra recenser quelque 260 000 ingénieurs en chômage, à moins qu'ils n'acceptent une perte de qualification.

Ces chiffres, résultats d'une sélection naturelle, ont le mérite de traduire les appréhensions du monde ouvrier.

La fixation sur le visible jouant son rôle habituel, la majorité des avis chez les ouvriers est pessimiste, comme elle l'avait été 20 ans plus tôt, pour l'automation. Selon la centrale syndicale D.G.B., le micro-ordinateur met en danger l'emploi de 2 à 3 millions de salariés, affectés à des travaux de traitement de texte, dans les bureaux et les administrations.

Les citations alarmistes pourraient être multipliées.

*Autres avis*

Diverses voix se sont élevées, par contre, pour dissiper ces craintes. Le professeur Freeman, par exemple, de l'Université de Sussex, a annoncé fermement que les micro-ordinateurs créeraient plus d'emplois qu'ils n'en détruiraient, mais aucune démonstration n'a été donnée, par une analyse en profondeur, bien difficile à réaliser, il est vrai, avec les instruments existants.

Sans même faire intervenir l'idée de déversement des revenus supplémentaires vers des consommations nouvelles, M. Claude Salzman, ingénieur-conseil à la C.E.G.O.S., donne des vues plus optimistes[1] :

Plusieurs raisons font que la réduction d'effectifs par l'informatique est un leurre... La création d'un système informatique va engendrer, dans un premier temps, de nouveaux emplois... Par la suite, on arrive effectivement à dégraisser les effectifs, mais, après quelque temps, on constate qu'ils sont revenus au niveau d'origine et même parfois le dépasse.

Il fait allusion aussi, sans insister malheureusement, aux possibilités de faire disparaître des goulets d'étranglement.

*Un débat plein d'enseignements*

Le 26 avril 1979 s'est tenue à Paris, sous les auspices de la *Fondation Fredrick R. Bull,* présidée par M. Raymond Aron, une importante réunion groupant 126 participants, informaticiens, ingénieurs, économistes (très peu), industriels, universitaires, fonctionnaires, etc. [2]

---

1. « L'ordinateur crée des emplois », *Le Monde,* 28 septembre 1978.
2. *Les cahiers de la Fondation Fredrik Bull : Informatique et emploi,* n° 1, juillet 1979.

Au cours des débats, l'optique classique directe alarmiste sur la suppression massive d'emplois, par utilisation de l'informatique, a été adoucie par des vues plus nuancées, l'inquiétude restant cependant le sentiment dominant.

Le nombre des terminaux dans l'industrie peut être multiplié par 8, d'ici 1985, a-t-il été annoncé, entraînant sinon des licenciements, du moins une notable diminution du recrutement. En revanche, ont été avancés par M. J. Saint Geours, administrateur civil au ministère de l'Économie, trois arguments reproduisant à peu près ceux qui, depuis deux siècles, entendent combattre le préjugé du chômage technologique.

1. *La fabrication de matériel informatique entraîne des créations d'emplois.*

2. *L'accroissement de la productivité des entreprises utilisatrices doit permettre de baisser les prix et d'étendre les marchés.* Mais il ne s'agit curieusement que des marchés extérieurs, ce qui nous ramène bien au XVIII$^e$ siècle.

3. *Les entreprises ou les services proposeront à l'ensemble de l'économie,* de nouveaux biens et de nouveaux services. Selon l'usage, non moins classique, non seulement les précisions manquent sur ces produits nouveaux (en dehors d'une allusion à des produits de ménage), mais le mécanisme des transferts n'est présenté que de façon vague.

Nous reproduisons cependant le schéma publié à la fin de l'exposé. Pessimiste à court terme, il donne une réponse favorable à long terme, mais des explications auraient été les bienvenues.

L'incertitude, qui se confirmera au cours des débats, conduit fatalement à des jugements superficiels, qui se résument par la citation des deux arguments types opposés, que nous présentons vulgairement ainsi :

1 « Ne vous inquiétez pas. Ce sera, de toute façon, comme pour les cochers de fiacre. Le progrès technologique n'est pas dangereux, car on n'a jamais vu dans l'Histoire, de tels progrès qui n'aient été compensés par des créations d'emplois, grâce à l'émergence d'activités nouvelles. »
2 « Ce que vous dites est vrai pour le passé, mais cela ne se reproduira pas comme cela, à l'heure actuelle, parce que la France se trouve dans une situation tout à fait différente de celle qu'elle a pu connaître dans le siècle qui vient de s'écouler. »

Ces deux vues sont également préjugées et superficielles, mais la première est souvent suivie d'une précision sur la

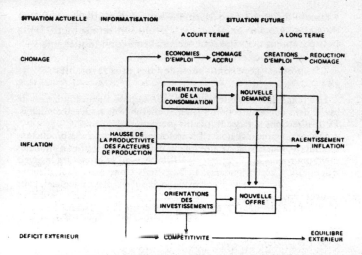

Fig. 4 – Informatique et emploi

contrainte extérieure (toujours elle) sans allusion aux nombreux changements survenus depuis un demi-siècle, susceptibles de mettre en défaut les mécanismes qui ont fait leurs preuves jusqu'ici.

### Dans les pays développés

La France n'étant pas en avant-garde, dans le domaine de l'informatique, il est intéressant de suivre l'expérience des autres pays : au cours de la réunion qui vient d'être citée, M. Hans Peter Gassmann de l'O.C.D.E. a d'abord présenté la situation d'autres pays industriels, fournissant des indications fort divergentes, mais parfois troublantes.

C'est ainsi que plus d'une entreprise ou d'une branche (montres, machines à écrire, caisses enregistreuses, etc.) a pu, grâce à l'informatique, éviter la disparition totale. Des licenciements valent mieux que la fermeture. Cette évolution ne laisse pas cependant d'être inquiétante : si les pays industriels ne parviennent à *lutter contre les pays à bas salaires* qu'en employant de *moins en moins de personnes,* l'évolution sera sombre. Il y a heureusement des conséquences macro-économiques, mais elles ne sont pas citées ici.

L'exposé est cependant suivi de vues plus favorables :

La grande question que tout le monde se pose aujourd'hui, c'est de savoir dans quelle direction il faudrait chercher de nouveaux emplois. Deux directions paraissent les plus prometteuses :

D'abord... toutes les nouvelles professions du *logiciel* : la production des micro-processeurs, c'est très bien, mais le grand goulet d'étranglement pour leurs applications, c'est l'absence ou la rareté des logiciels d'application correspondants. Et aux États-Unis, mais dans d'autres pays aussi, on déplore le grand manque de spécialistes en logiciel, pour trouver rapidement de nouvelles applications. Et je suis d'accord avec M. Saint Geours pour dire qu'il y a sans doute là un facteur de ralentissement de la diffusion de ces technologies dans toute l'économie.

Si cet argument, qui s'appuie à la fois sur un goulet de personnel et sur une extension possible du marché, s'appuyait sur quelques données quantitatives, il serait plus en mesure de répondre aux menaces de licenciements massifs ; mais voici l'autre débouché possible :

Une autre direction qui paraît très prometteuse, est la création de nouveaux services d'information, comme Teletel, View Data, etc., c'est-à-dire de services intégrant des appareils de télévision au réseau téléphonique avec des banques de données... Ces nouvelles structures d'information, cette informatique distribuée amèneront la création de services d'information assez diversifiés, qui pourraient augmenter la productivité de l'économie, non pas tant en innovant sur les processus de production qu'en diminuant les temps de recherche de l'information pertinente. C'est là un axe de recherche à creuser, car il est clair qu'aujourd'hui tout le monde navigue dans un océan d'information ; on en a trop !

Nous sommes quelque peu intrigués de cet excès, mais c'est la question du goût du client qui va, comme pour une marchandise, introduire le dialogue :

Nos systèmes d'information actuels (notamment presse, radio, télévision, tout ce qui est sur le papier...) sont, pour la plupart, à sens unique et c'est ce qui nous amène une information trop riche, parce qu'on ne trouve pas assez rapidement l'information pertinente, celle qui nous intéresse à un moment donné... Ces systèmes pourraient être moins chers demain, en devenant très capillaires... Évidemment, ces systèmes seront très exigeants en main-d'œuvre, car ils demandent un effort très poussé de mise à jour permanente.

Ces vues anticipantes sont fort attirantes, mais aucune indication chiffrée n'est encore disponible, en particulier pour les rémunérations accordées à ce personnel, facteur si important, nous le verrons, et toujours évité.

### Jouets électroniques et économies d'énergie

Avec les jouets électroniques, encore réservés à une clientèle aisée, nous touchons un nouveau débouché ; mais celui-ci entrera fatalement en concurrence avec d'autres jouets au moment même où le nombre d'enfants diminue. Une telle proposition confirme que, se sentant, en quelque mesure, en position d'accusés (« vous détruisez des emplois ») les informaticiens cherchent, moins par intérêt direct que par souci d'échapper à un reproche devenu très sévère, à accroître directement le débouché, sans chercher les autres élargissements possibles.

Cependant, de même source que plus haut (M. H.P. Gassmann), il est signalé que la N.A.S.A. a produit un petit appareil électronique dont le prix ne serait que de 14 dollars et qui assurerait la minimation automatique de la consommation de n'importe quel moteur électrique. Nous touchons ici une création d'emplois bien différente des précédentes, car elle touche moins la main-d'œuvre nécessaire à la production de cet économiseur que l'amélioration nationale de l'emploi liée à toute économie d'énergie, goulet permanent.

### Les commandes publiques

L'appel aux finances publiques se rencontre dans tous les domaines de la richesse privée, mais cette fois non sans justification. Seulement, du coup, se pose le problème si sérieux du transfert de ressources du privé vers le public, que nous retrouverons au chapitre 15. Dans les télécommunications, le fort accroissement des commandes publiques de 1970 à 1975 a été suivi, est-il dit, d'une stagnation, qui, faute de moyens, risque de se transformer en recul.

## Vue d'ensemble

De ces débats entre personnes de mérite, comme aussi des nombreux articles ou rapports paraissant sur la question, nous pouvons tirer les observations suivantes :

1. *La technique précède largement l'économique et même le financier.* Si logique qui soit cet ordre, le retard des études générales sur l'emploi est de plus en plus préoccupant.

2. *Les arguments des optimistes ne portent guère que sur le maintien des travailleurs dans leur branche,* grâce à de nouveaux débouchés de celle-ci. Sans contester de telles possibilités, il faut souligner l'insuffisance grave d'une telle optique. Pour en avoir une idée, il suffit d'imaginer le même débat, il y a un demi-siècle ou un siècle, sur l'agriculture, les optimistes affirmant « la terre finira bien par garder tout le monde ».

Les hommes qui raisonnent ou plutôt qui *voient* ainsi, que ce soit en noir ou en rose, évoquent le cas, souvent rappelé, d'êtres infiniment plats, vivant sur une surface plane et incapables de se représenter une troisième dimension.

Cette absence de vues macro-économiques s'explique par le souci, de plus en plus vif et bien compréhensible, de conserver à chacun *son* emploi. Satisfaire ce souci équivaudrait au mieux, à ralentir considérablement le progrès, en ne prévoyant le déplacement d'emplois qu'à travers les générations. En fait, la pression s'exercerait – comme dans la presse – non seulement contre tout licenciement, mais contre toute réduction du personnel, ce qui entraînerait l'arrêt du progrès.

3. Ceux qui évoquent des transferts de consommation et d'emploi dans d'autres branches (voir plus haut le cas des infirmières) le font sans précision, sans même indiquer le mécanisme des transferts. Or il ne suffit plus, comme autrefois, d'affirmer aux personnes éliminées que « le parachute s'ouvrira certainement, car il s'ouvre toujours » et qu'elles peuvent donc avoir confiance. L'absence de vues macro-économiques sur les transferts et la consommation finale est la principale lacune. Nous la retrouverons.

4. Il n'est à peu près jamais question de salaires et de rémunérations, ne serait-ce que pour formuler des prévisions. Le

phénomène si important et si mal mesuré de la promotion (page 287) n'est jamais mentionn', ni même semble-t-il, connu. La crainte classique de mécontenter, ou de devoir signaler des risques, retient ici les commentateurs.

Après ces échanges de vues entre techniciens sur le problème de l'informatique et de l'emploi, voyons les idées propres des économistes sur le sujet, plus général, du progrès technique et de l'emploi.

# VIII

# Vues actuelles des économistes

Dans ce chapitre, sont examinées les idées émises sur le sujet, par un certain nombre d'économistes contemporains. Le choix des auteurs n'échappe pas à l'arbitraire, mais l'ensemble montre que des points essentiels sont encore à explorer.

Il est certes peu d'économistes qui n'aient abordé incidemment l'influence du progrès technique sur l'emploi ; ils y ont, du reste, été poussés, depuis l'existence de la machine, les classiques, par une sorte de remords confus,en raison des reproches formulés contre le capitalisme, les autres par une occasion favorable de condamner le régime. Et cependant, aucun n'a poussé la question dans ses derniers retranchements, si l'on peut dire, ni élaboré un modèle satisfaisant :

– les uns par peur de se brûler sur cette question irritante

– d'autres, plus nombreux, parce qu'ils l'ont englobée dans le problème général de la croissance ;

– d'autres enfin considèrent comme une évidence l'élimination des travailleurs et l'appauvrissement qui en résulte.

– Certains économistes du début du xix$^e$ siècle, comme Babbage ou J.-B. Say, étaient, par certains côtés, moins éloignés de la solution que ceux de la fin du xx$^e$ siècle.

Du reste, jusqu'à la grande crise des années 30, les mouvements dits cycliques et, plus particulièrement, le grand problème de la prévision des crises retenaient plus l'attention que les effets de l'innovation. Parmi les auteurs de cette période, nous pouvons citer, en dehors du très classique C. Colson (1853-1939), A. C. Pigou et J. A. Schumpeter, lesquels bénéficient encore d'une certaine audience.

*A. C. Pigou (1877-1959)*. — Ce brillant économiste britannique a traité la question des « *Inventions and improvements* » (innovations et améliorations), dans son *Economics of Welfare* (1920) où il distingue, à juste titre, le progrès technique du progrès économique, sous diverses formes.

Il en arrive vite à l'idée, classique au possible, selon laquelle la baisse du prix de revient d'un produit provoque un accroissement de sa consommation. Sans poser vraiment la question de l'augmentation ou de la diminution du nombre total des emplois, il s'attache surtout à la répartition du revenu entre capital et travail. La connaissance du résultat, dans un cas déterminé, ne suffit d'ailleurs pas à déterminer si ce progrès est « *capital saving* » « *labor saving* » ou « *neutre* ». Troublé par la complexité du modèle, il en vient à distinguer deux cas :
— *les travailleurs sont des consommateurs des produits qu'ils élaborent ;*
— *les travailleurs ne consomment pas ces produits.*

Les biens acquis par les travailleurs, dit-il, sont plus susceptibles d'être produits par des machines sur une plus grande échelle, alors que les classes aisées achètent plutôt des produits contenant plus de travail.

Cet accent mis sur les différences de consommation est une vue fertile, nous le verrons aux chapitres relatifs au déversement et au circuit de travail, mais elle n'a pas été poussée suffisamment. D'autre part, à cette époque, A. C. Pigou était, sans doute, influencé par l'importance des services domestiques ou paradomestiques. Les personnes fortunées se piquaient en outre, de ne pas acheter les produits industriels de grande série.

Sur la bonne voie aussi, mais plus superficielle encore, est l'assertion selon laquelle une innovation dans la production d'articles, à demande peu élastique, entraîne automatiquement création d'épargne. La réduction de la consommation de pain, par exemple n'a pas toujours conduit les travailleurs à l'épargne, mais plutôt à consommer d'autres aliments plus appréciés, comme la viande, qui ont, eux, une forte élasticité de la consommation, selon le revenu.

La conclusion de Pigou est prudente et digne d'un scientifique ; n'ayant pu percer tous les mystères de cette question complexe et s'inspirant quelque peu des résultats connus, Pigou parle en termes probabilistes : selon lui, la grande majorité des découvertes et innovations est favorable aux revenus du travail en valeur absolue, mais peut-être pas dans la proportion qui conviendrait.

*J.A. Schumpeter (1883-1950)*[1]. – Il a été reproché à ce grand économiste sa maîtrise insuffisante du langage mathématique ; peut-être ce défaut lui a-t-il, en revanche, permis de brillantes ouvertures. Son rôle principal ici est la distinction entre l'*innovation* et l'*invention* ; la première, qui s'identifie au capitalisme est un facteur endogène indépendant, qui peut agir, sans qu'il y ait nécessairement invention. Et inversement, une invention peut ne pas engendrer d'innovation. Cette distinction reviendra, dans notre analyse, à propos du déversement.

Souvent rapproché de Marx, Schumpeter s'en sépare par bien des points et notamment sur la question de l'influence du progrès technique de l'emploi.

Laissant de côté le mécanisme, il estime qu'on ne peut distinguer le chômage dû au progrès technique, du chômage en général (ou plus exactement cyclique).

Les économistes ont l'habitude de distinguer le chômage technologique et le chômage cyclique et de les opposer l'un à l'autre. Or il résulte de notre modèle que le chômage cyclique et le chômage technologique sont, au fond, identiques. Le chômage technologique est de l'essence même de notre processus et sa liaison avec les innovations en fait un phénomène de nature cyclique[1].

Cette vue assez singulière ne peut se soutenir que du point de vue de l'observation, encore qu'une répartition des chômeurs, par branche et par profession, puisse permettre certaines distinctions. Cette vue trop globale est, en somme, une façon d'éviter la question. Mais c'est précisément celle qui va prévaloir, dans la suite, avec les théories générales de la croissance.

*J.H. Hicks*[2]. – Directement inspiré de son aîné et maître Pigou, il a pu pousser un peu plus loin, dans sa *théorie des*

---

1. *Theorie der wirtschaftlichen Entwicklung* (Leipzig, 1912). Capitalisme, socialisme et démocratie, *Business cycles : a theoritical, historical and statistical analysis of the capitalist process* (2 volumes, 1939).

2. *Theory of wages*, 1932. *Capital and growth*, Oxford Clarandon Press, 1965. Voir aussi : Richard G. Zind, L'hypothèse hicksienne de neutralité technologique : analyse et estimation, *L'actualité économique*, n° 4, octobre-décembre 1978 (Société canadienne de science économique et École des hautes études commerciales de Montréal).

*salaires.* Pour simplifier sa démonstration, il suppose qu'il n'y a aucun avantage d'échelle, le résultat pour une technique donnée ne dépendant pas de la quantité produite. Après élimination de ce facteur gênant, et peut-être parasite, il est plus à l'aise pour étudier l'influence respective des divers facteurs de production et la substitution qui peut se faire de l'un à l'autre, selon leur élasticité. Si, du fait des élasticités de substitution, l'accroissement de l'offre de capital accroît (diminue) la part relative du revenu du capital, l'accroissement de l'offre de travail accroîtra (diminuera) aussi la part relative du revenu du travail. Le progrès ou l'innovation qui accroît le rapport du produit marginal du capital au produit marginal du travail est *labour saving,* celui qui le diminue est *capital saving.* Entre les deux, le progrès est dit neutre. Un progrès *labour saving* diminue toujours la part *relative* du revenu du travail, mais pas nécessairement la part *absolue.* Voici d'ailleurs comment il s'exprime :

Si l'on appelle inventions « labour saving » seulement celles qui diminuent le produit marginal absolu du capital, il reste, entre les deux, une vaste marge d'inventions « neutres », qui, peut-être, comprend la plus grande part des innovations réellement intéressantes. Mais certaines de ces innovations « neutres » seront plus favorables au travail qu'au capital et inversement pour d'autres. Toutes augmenteront les produits marginaux des deux facteurs, mais certaines augmenteront celui du capital plus que celui du travail, tandis que d'autres agiront à l'inverse.

Cette conclusion prudente ne nous satisfait pas. Il serait possible, sur des exemples, de voir que le revenu du travail lui-même pourrait diminuer en valeur absolue ; ce qui sauve le travail, nous le verrons, c'est l'ensemble des innovations, les *bonnes* l'emportent sur les *mauvaises.*

Plus féconde sans doute, est la distinction fondamentale que Hicks introduit entre :
– investissements de progrès dans l'élaboration d'une production ;
– découvertes scientifiques donnant naissance à un nouveau produit, une nouvelle consommation, comme la T.S.F. par exemple.

Les premiers (les plus souvent étudiés dans les modèles des économistes) auront tendance à économiser le travail, facteur relativement onéreux, donc à être classés comme *labour saving.* Pour les autres, pense Hicks, rien ne permet de juger.

Nous verrons, dans l'analyse, aux chapitres 12 et 15, combien cette distinction est essentielle et doit être poussée davantage.

En conclusion, J.H. Hicks est enclin, comme A.C. Pigou, à penser que la prépondérance des innovations *labour saving* avantage le capital plus que le travail ; le monde salarié a intérêt à ces innovations, mais son revenu augmente moins que celui de l'ensemble des capitalistes. Il est vrai, ajouterons-nous, que ceux-ci ont peut-être augmenté en nombre, mais c'est là un autre aspect.

Sans avoir abordé directement la question du nombre des emplois, Pigou et Hicks permettent de lui donner une réponse favorable. Si, en effet, le nombre total des emplois diminuait, cela signifierait, en régime de marché, une réduction du salaire réel.

Enfin, certaines périodes sont plus favorables au revenu réel des travailleurs, ce qui pose une question de décalage et de délai.

Les concepts et modèles de Pigou et Hicks seront repris ou révisés, dans la suite, par divers auteurs, notamment par R.F. Harrod[1], J. Robinson[2], Kennedy[3], R.M. Solow[4]. Selon M.D. Laussel de l'Université de Perpignan[5], il n'est pas possible de classifier toutes les inventions possibles, en les rangeant, sans ambiguïté, dans une catégorie déterminée.

*Keynes (1883-1946) et keynésiens.* — Bien que Keynes n'ait pas, à proprement parler, étudié l'influence du progrès technique sur le nombre des emplois, en éliminant le plus possible, les autres facteurs, il est difficile de passer ici son nom, en raison de l'influence qu'exercent sur toute notre époque, ce qu'il a dit et même ce qu'il n'a pas dit. D'ailleurs, il serait sans doute possible de tirer de sa théorie et de sa tendance d'esprit des vues assez nettes sur le problème qui nous occupe.

Rappelons-nous d'ailleurs la confusion des esprits qui régnait partout, et surtout en Angleterre, après la dernière guerre et surtout pendant la crise, dite de 1929, du fait que les divers équilibres ne s'étaient pas rétablis spontanément, comme lors des crises précédentes, dites cycliques. L'illusion fonda-

---

1. *Toward a dynamic economics,* Mac Millan, 1948.
2. The classification of inventions, *Review of economic studies,* février 1938.
3. Technical progress and investment, *Economic journal,* 1961.
4. *Investment and technical progress,* Mathematical methods in the social sciences.
5. *Revue d'économie politique,* mai-juin 1979.

mentale, si l'on peut dire et qui dure encore est *la confusion
entre un système, nécessairement théorique et la façon dont il est
appliqué*. Le libéralisme n'a jamais fonctionné avec la fluidité
que lui attribuaient ses partisans, mais, pendant plus d'un siècle, les rigidités n'ont pas été suffisantes pour qu'il soit mis en
cause. Après la première guerre, non seulement la concentration a diminué la fluidité, mais les hommes ont refusé ouvertement les rigueurs du marché en crise, c'est-à-dire le mécanisme, la règle du jeu ; quiconque eût proposé de le rétablir – et
il y en eut d'ailleurs – n'eût pas été écouté et aurait été accusé,
non sans raison, de n'être plus de son temps ; les hommes ont
changé bien plus que le système.

L'apparition de la *stagflation,* quelque peu retardée par les
circonstances et, plus précisément, la résistance du chômage
aux stimulations de la demande n'ont pas encore suffi, tant les
idées du père de la *Théorie générale* étaient simplistes en matière d'emploi, ainsi que celles de R.F. Kahn, qui lui a inspiré
l'argument et le terme enjôleur de *multiplicateur*. H. Schacht
avait, nous l'avons vu, seul compris à peu près la question, à
l'expérience. S'il y a un domaine où la fluidité est mise en
cause, c'est bien celui des hommes, des travailleurs, donc de
l'emploi. Décontenancés devant les problèmes brûlants de
l'emploi, les économistes, même non proprement keynésiens,
ne voient plus d'autre salut que dans la demande. La stimulation est devenue une sorte de réflexe. Ainsi, le premier objectif, peut-on dire, de la doctrine de Keynes, à savoir la destruction a été atteint, mais le second, la construction reste devant
nous ; l'économie est un chantier.

Était-il libéral ou marxiste, l'auteur selon lequel Keynes a
permis, à l'économie, trente ans de croissance continue, tout
en faisant perdre un demi-siècle à la science économique ?
Cette science a certes progressé et le fait, de jour en jour, mais
dans un domaine restreint, de sorte que le piétinement actuel
ne saurait être assimilé à une marche. Le chômage en est la
sanction.

*Norbert Wiener (1894-1964).* — Ce père de la cybernétique, ou
du moins de ce mot, est trop au cœur de la machine, pour ne
pas être franchement pessimiste.

L'usine de l'avenir... sera contrôlée par quelque chose d'analogue à
une machine à calculer moderne à grande vitesse... Nous pouvons

nous attendre à un arrêt brutal et définitif de l'ordre d'emploi aux catégories d'ouvriers accomplissant des tâches itératives[1].

*Oscar Lange (1904-1969)*[2]. – Aussi familier avec le marxisme, qu'il épousera définitivement après la guerre, qu'avec le capitalisme, possédant parfaitement plusieurs langues, Oscar Lange, puissamment armé, a laissé des regrets et l'impression d'une œuvre inachevée, du moins dans le domaine qui nous intéresse.

Dans son *A note on innovations* (1943), il aborde la question du progrès technique dans une autre optique que Pigou et Hicks, se plaçant volontiers dans le cadre d'une évolution continue. Une innovation accroît, dans une entreprise, la demande d'un facteur de production, lorsqu'elle accroît la productivité physique marginale de ce facteur. Elle agit tantôt sur l'emploi d'un ou de plusieurs facteurs, tantôt en réduisant certains risques, tantôt enfin sur la production réalisée, ces trois effets pouvant être combinés. La plupart des innovations, montre l'expérience, utilisent certains facteurs de production (période de gestion), pour n'aboutir que plus tard à un accroissement de production (période d'opération). Le résultat varie selon le nombre de formes, en particulier selon le caractère de monopole ou d'oligopole.

*Gabriel Ferras.* – Plus porté sur l'observation que sur le modèle, cet économiste français insiste, dans *Le Progrès technique et le chômage* (1938), sur la variété des circonstances selon l'époque, le lieu et la nature de l'innovation. Réagissant contre l'opinion courante, il remarque que « le nombre de chômeurs a atteint une très grande importance, à l'époque où les améliorations techniques étaient arrêtées » ; d'autre part, selon que les salaires sont en avance ou en retard sur les conditions du moment, l'innovation technique est un résultat ou un point de départ. Le progrès du nombre de chômeurs en France (l'auteur a rédigé son ouvrage pendant la crise des années 30) n'est pas dû, dit-il, au progrès technique, mais à la diminution des débouchés. La mécanisation de l'agriculture, point crucial, est considérée par lui comme un mal nécessaire.

---

1. *The Human Use of Human Beings* (Cambridge, New York, 1950).

2. *Leçons d'économétrie*, Gauthiers-Villars, 4e partie, *Théorie de la reproduction et de l'accumulation*.

*Colin Clark et J. Fourastié.* – Dans *The conditions of economic progress* (1940), il s'agit moins du mécanisme de l'emploi, après une innovation technique, que d'une analyse de la croissance continue ; le développement du secteur primaire finissant par être bloqué, il se produit un déplacement de travailleurs vers le secteur secondaire ; une fois celui-ci saturé, le transfert se fait vers le secteur tertiaire. J. Fourastié[1] poursuit dans la même voie, en voyant plus le résultat final que le réseau des réactions intermédiaires. A partir de cette époque, les théories de la croissance l'emportent et englobent le problème du progrès technique et de l'emploi, sans le résoudre et, souvent même, sans le poser.

*Nicholas Kaldor[2].* – Économiste britannique d'origine hongroise, N. Kaldor, socialisant, a souvent conseillé les gouvernements travaillistes. S'efforçant, au rebours de Schumpeter, de distinguer le progrès technique, tant du cycle (ou en style moderne, de la croissance) que de l'accumulation du capital, il ne cherche pas à préciser le mécanisme de l'influence directe sur l'emploi (keynésien, il fait confiance à la stimulation de la demande). Sa préoccupation est de savoir si le progrès technique s'adapte bien à la quantité de travail disponible, c'est-à-dire à l'évolution démographique, proposition qui semble trop globale.

*Paul Mandy.* – L'auteur d'un des très rares ouvrages consacrés exclusivement à la question [3] reprend une distinction assez voisine de celle qui concerne l'innovation et l'invention. Il n'est pas certain, dit-il, qu'il arrivera toujours une nouvelle consommation aussi opportune que la télévision. Tout en proposant un modèle enrichissant, il ne parle pas des « services purs », lesquels peuvent résulter d'une évolution des mœurs, plus que d'une invention.

*Wassily Leontief.* – Le célèbre créateur des tableaux d'échanges interindustriels [4] a émis un avis franchement pessimiste :

1. *Le grand espoir du XX^e siècle* (1945). *La civilisation de 1960* (1947) *Machinisme et bien-être* (1951 à v.).
2. *Accumulation de capital et croissance économique...*
3. *Progrès technique et emploi*, Paris, Dunod, 1967.
4. Politique de l'emploi à l'ère de l'automation, *Informations OIT*, 1978.

Il est incontestable que la machine évince la main-d'œuvre. Mais de nombreux théoriciens en économie se sont empressés de préciser, à l'époque de la rébellion des Luddites, que cela n'implique pas, pour autant, que la demande totale de main-d'œuvre et d'emplois, considérée globalement diminue. Et d'ajouter qu'un nombre élevé, voire plus important, de nouveaux emplois serait nécessairement créé dans l'industrie des machines et des branches annexes.

La construction des machines, fait-il observer justement, ne peut suffire à retrouver les emploi perdus. Laissant de côté le déversement vers des consommations nouvelles, W.L. suggère un accroissement des investissements, donc de la croissance économique ; mais celle-ci a ses limites. Une diminution des salaires ne peut donc pas davantage résoudre le problème ; il faudrait une société, non en vue « où chacun combinerait des fonctions de travailleur et de détenteur de capital ».

*Paul Samuelson.* — Les vues de l'économiste américain sur le sujet sont peu profondes et peu novatrices. Après avoir repris l'image si répandue du robot accomplissant toutes les tâches manuelles et intellectuelles, il annonce que toute invention abaissant le coût de production peut être avantageuse pour le premier concurrent qui l'applique et sans détailler le mécanisme, ne semble pas approuver les vues courantes sur la diminution du nombre des emplois.

*Cl. Bensoussan.* — Dans son excellente thèse *Progrès technique et distorsions internes* (1971), le jeune économiste estime, comme Schumpeter, difficile de distinguer le chômage technologique du chômage structurel. Après une analyse des arguments des classiques, des marxistes et de quelques contemporains, il observe que l'élasticité de substitution (du capital au travail) ne fournit aucune règle simple, comme on l'a trop souvent cru. Pour passer de l'empirisme à la construction d'un modèle de croissance, il faut améliorer encore cette notion, comme le cherchent d'ailleurs les économistes anglo-saxons et trouver, pour l'avenir, une fonction de production extrapolée du passé.

Poussant plus loin l'analyse, il souligne l'importance du facteur démographique, la croissance facilitant les ajustements structurels et cite à l'appui le cas de la France, où, en 1945, existait encore une population agricole pléthorique. Cependant, en dépit du ton généralement favorable au progrès technique (du point de vue de l'emploi), il évoque une curieuse possibilité de « saturation », auquel cas « le progrès technique prendrait véritablement l'allure d'un fléau social ». Mais l'analyse reste malheureusement assez imprécise sur ce point.

*J.-L. Gaffard.* – Ce jeune économiste français s'est attaché aux conséquences des investissements, sans bien isoler, lui non plus, leur effet direct et surtout indirect sur l'emploi [1]. S'attachant particulièrement aux motivations des investissements, il constate d'abord que le déséquilibre continu de l'économie et la pression des salaires poussent les entreprises à une sorte de fuite en avant, propre à la récupération du profit. Mais au-delà de cette considération assez classique, il observe que les industries placées devant une forte demande augmentent les prix plutôt que les quantités et, à leur suite, l'emploi, alors que les industries sans débouché réduisent volontiers leur production et l'emploi. Ce comportement, assez différent du précédent mais heureusement loin d'être général, est propre à accélérer le processus inflation-chômage, mais ne nous éclaire pas sur le fond. Conclusion générale plutôt pessimiste.

*Raymond Courbis.* – Sans étudier, de façon générale, l'influence du progrès technique sur le nombre des emplois, l'économiste français, père du modèle Régina, a abordé de diverses façons la question, établissant une nette distinction entre secteur abrité et secteur exposé [2].

Pour accroître l'emploi, il y a intérêt à améliorer la productivité du travail du secteur exposé, ou à diminuer le taux d'investissement nécessaire de ce secteur. Seulement, pour améliorer la productivité moyenne du travail, il faudra, en fait, recourir aux investissements de productivité.

S'il existe des possibilités de substitution entre capital et travail, le nombre maximal d'emplois est obtenu quand la productivité marginale du capital est égale à la marge d'autofinancement unitaire (profit unitaire non distribué). Mais les incidences sur le reste de l'économie restent en dehors du débat.

*Arnold Heertje.* – Dans sa remarquable étude sur le progrès

---

1. *Efficacité de l'investissement Croissance et Fluctuations,* Éditions Cujas, Paris, 1978. L'investissement et l'emploi, *Eurépargne,* n° 4, 1979.

2. Voir en particulier, *Compétitivité et croissance en économie concurrencée,* Dunod, 1975.

technique1, le professeur hollandais consacre divers développements à l'influence qu'il exerce sur le marché du travail, tout en généralisant la question. Reprenant la définition de la neutralité du progrès technique, selon Harrod (la fonction de production et le coefficient de capital restent constants, pour un même taux d'intérêt), il conclut qu'il peut y avoir un accroissement de la population active (compensation). Mais la réponse totale n'est pas donnée, parce que, trop éloignée du concret et embrassant trop de facteurs, l'étude laisse de côté le *déversement,* et le circuit de travail des notions essentielles (chapitre 15).

## Le modèle D.M.S. (dynamique multisectoriel)

Ce modèle économétrique de prévision stimulation à moyen terme (cinq à huit ans) par cheminement annuel, utilisé notamment pour la préparation du VIIIᵉ plan français, comporte 1 129 équations (+ 335 identités), dont 9 seulement pour la population active et le chômage.

À l'encontre de tant d'autres modèles, assis essentiellement sur la demande, il a le mérite de donner une place importante à la capacité de l'offre.

Mais, une fois de plus, l'étude du facteur emploi et chômage est trop globale. Il existe bien une répartition de l'emploi par branche, mais les professions et aptitudes individuelles sont, une fois encore, laissées de côté. De ce fait, selon le degré d'adaptation structurel de la population active aux tâches proposées par la demande, le résultat peut être très différent.

## La demande globale

L'impuissance de la science économique contemporaine devant l'emploi, en général et les effets du progrès technique, en particulier, se jugent à deux optiques fréquentes, en dépit des démentis enregistrés :

1. *Le globalisme.* Non seulement le chômage est jugé sur les nombres totaux, mais ce moyen, souvent employé pour suggérer l'impossibilité de trouver des emplois à tous, laisse volontiers de côté les facteurs favorables contraires. C'est ainsi que,

---

1. *Économie et progrès technique*, Éditions Aubier, Paris, 1979.

dans un rapport au ministre du Travail en 1978, M. A. Cotta dénonce l'influence de l'augmentation des naissances de 1946 à 1965, en passant sous silence l'arrivée de 2 millions d'étrangers et en se refusant, d'ailleurs, à examiner l'aspect qualitatif et structurel.

Aussi bien l'O.C.D.E. que les services officiels français emploient un calcul de productivité moyenne et de production totale, dont les conclusions sont presque toujours pessimistes. Cette optique, qui a longtemps prédominé au *Commissariat au Plan,* avant même que le chômage ne prenne une certaine extension, pourrait sembler tautologique, mais un calcul élémentaire par grands secteurs montre les erreurs qui peuvent être commises par cette mesure globale.

2. *La stimulation de la demande.* Née en pleine crise économique des années 30, cette méthode propose des médications trop agréables pour ne pas bénéficier d'une faveur persistante, en dépit des démentis infligés et de l'inflation permanente qui en résulte. Sans doute, le procédé ne peut être totalement abandonné, ne serait-ce que pour des raisons politiques, mais l'attraction qu'il exerce sur les esprits est si forte qu'elle conduit à écarter les solutions positives retardant indéfiniment la correction des défauts de structure fondamentaux, peu à peu formés à la faveur de l'inflation faciliste.

### Diverses sortes d'investissements

Dans la conception la plus usuelle, il y a deux sortes d'investissements qu'on pourrait, en raison de la place que tient aujourd'hui l'emploi dans les préoccupations, appeler les *bons* et les *mauvais,* ceux qui augmentent le nombre de postes de travail et ceux qui le diminuent. Mais la définition précise varie selon les auteurs.

Dans la vue classique, on distingue, nous l'avons vu :
– *les investissements économiseurs de capital* (en anglais, *capital saving*), qui permettent d'utiliser moins de capital pour assurer une production donnée, avec une main-d'œuvre donnée ;
– *les investissements économiseurs de main-d'œuvre* (en anglais, *labor saving*), qui permettent, avec le même capital, d'obtenir la même production, avec une main-d'œuvre réduite.

Ces définitions sont volontairement simplifiées, idéalisées, car, le plus souvent, des cas plus complexes se présentent.

Autour de ce concept, les vues des auteurs varient d'ailleurs quelque peu.

Quand il s'agit de prévision économique (par exemple, pour un plan ou une prévision quinquennale), une certaine opposition est marquée entre :
– *les investissements de croissance* ou de capacité, qui permettront de produire davantage et emploieront de la main-d'œuvre en proportion, améliorant l'emploi ;
– *les investissements de productivité,* qui permettront de produire les mêmes quantités qu'avant, avec une main-d'œuvre réduite.

Ici aussi, sans que l'expression soit expressément prononcée, les *bons,* c'est-à-dire les premiers, sont distingués des *mauvais,* créateurs de soucis politiques et de conflits sociaux.

La division précédente, si utilisée en France, est non seulement superficielle, mais contestable. Des « investissements de croissance », à l'allure favorable, ne peuvent aller bien loin : s'ils correspondent simplement à la croissance de la population, ils ne sont accompagnés d'aucune augmentation du niveau de vie ; s'ils emploient des hommes jusque-là en chômage, on peut se féliciter de ce résultat, mais son étendue possible est si limitée qu'il est excessif de parler d'investissements de croissance.

Seuls les investissements de productivité sont capables de procurer une augmentation du niveau de vie, de façon continue, sous réserve, bien entendu, d'un remploi suffisant des travailleurs éliminés.

L'expression, souvent employée à propos des investissements de productivité, est « le remplacement du travail par du capital », juste en soi, du moins au début de l'opération, mais qui, par son simplisme, ouvre la voie à l'interprétation classique, selon laquelle le nombre des emplois est réduit par le progrès de la technique.

Examinons maintenant, de façon malheureusement trop succincte, les arguments de quelques auteurs contemporains ayant traité le sujet.


## Gouverner les hommes ou les choses

Longtemps indifférents aux vues de l'opinion, les économistes se prononçaient naguère volontiers en faveur des solutions douloureuses, notamment dans le domaine financier, peu soucieux d'une quelconque popularité. À l'occasion de la crise des années 30 et surtout après la deuxième guerre, ils ont encouru de sérieux reproches, souvent mal fondés ; l'épithète de *techno-crates*, qui ne signifie pas grand-chose, les a particulièrement touchés et conduits à modifier leur attitude : les uns se sont, en quelque sorte, réfugiés dans l'abstraction et dans les modèles mathématiques ; d'autres, touchés par le souci de leur réputation, ont été conduits, inconsciemment parfois, à se préoccuper, comme les hommes politiques, des hommes plus que des choses et, en tout cas, à éviter les points difficiles et les recommandations sévères. La montée du chômage et surtout sa persistance trouvent, en partie, leur explication dans cette défaillance.

### Quelques vues plus optimistes

Dans un article intitulé *La psychose Jacquard,* Chr. Stoffaes constate l'impression, quasi physiologique, exercée sur les hommes les plus éminents, par une machine nouvelle. Analysant « la révolution micro-électronique » et le pouvoir des machines-outils automatiques de se passer de 30 à 90 % des ouvriers de production, il fait observer que le progrès de productivité crée des revenus supplémentaires, qui sont dépensés à de nouveaux investissements ou de nouvelles consommations, au besoin avec une relance keynésienne ; il ne pousse malheureusement pas l'analyse. Plus originale est l'idée selon laquelle la concurrence des produits fabriqués, dans un pays en développement équivaut, pour les pays industriels, à un progrès technique. Conclusion optimiste, mais sans approfondissement. Quant à Alain Minc, l'un des deux auteurs du rapport qui a fait une telle sensation (voir p. 131), il s'est exprimé ainsi [1] :

L'informatique est une chance pour l'emploi. Aujourd'hui, compte tenu de la contrainte extérieure que nous subissons, notre économie fonctionne tous freins serrés. On a la possibilité de solvabiliser et de voir naître des emplois d'un type nouveau. Pourquoi, aujourd'hui, n'a-t-on pas plus d'infirmières, plus d'enseignants, plus de transports en commun ? Sans parler de demandes locales nouvelles d'animation sociale, de vie sociale, de loisirs, etc.

---

1. Interview par L. Zecchini parue dans *Demain n'est pas un autre jour.* Ouvrage collectif, Hachette, 1979.

Les besoins sont bien indiqués, mais le moyen de transfert n'est pas envisagé.

Dans *L'impact réel de l'automatisation* [1] MM. André Fourçans et Jean-Claude Tarondeau combattent la thèse, à nouveau, si souvent soutenue, de l'évincement des hommes par la machine. La production doit augmenter à la suite de la productivité. Lorsqu'il n'en est pas ainsi, le progrès se transmet à d'autres secteurs. Pourquoi, disent-ils, prenant l'exemple classique de l'agriculture, où le nombre d'emplois a considérablement diminué depuis la guerre, le plein emploi a-t-il été maintenu ? Parce que jusqu'au début des années 1950 l'industrie... a pu absorber une bonne partie de cette force de travail. Les services ont pris ensuite le relais. Mais il s'agit seulement de constatations et non d'une analyse du mécanisme. Des résultats sont d'ailleurs rassemblés dans le tableau que nous avons reproduit dans le chapitre 6, sur l'évolution du nombre des emplois. Mais le mécanisme reste incertain, en particulier pour l'évolution à venir.

Pourquoi les économistes se sont-ils de plus en plus attachés à l'évolution de l'emploi dans le seul secteur progressiste, sans étendre suffisamment la question à l'ensemble de l'économie ? Peut-être cette localisation résulte-t-elle de la résistance des syndicats et des idées de plus en plus admises, selon lesquelles tout travailleur a le droit de garder sa profession et même l'entreprise où il est engagé.


## Les socialistes


Parmi les auteurs socialistes ou socialisants contemporains qui ont étudié les rapports entre le progrès technique et l'emploi, nous pouvons citer surtout Maurice Dobb, P.M. Sweezy et P. Baran.

Contrairement à bien d'autres, M. Dobb pense[2] que, dans une phase initiale, le progrès technique peut déclencher une expansion favorable au plein emploi, mais que la baisse du taux de profit réduit les investissements, de sorte que « l'armée de réserve » des prolétaires augmente. Ce ne serait donc pas le progrès technique, mais plutôt son insuffisance, qui serait créateur de chômage.

---

1. *Revue française de gestion*, n° 21, mai-juin 1979.
2. *Studies on the development of capitalism*, Raul Ledge, 1945.

P.M. Sweezy a proposé, vers la même époque, un processus à peine différent[1] : les découvertes techniques et les investissements créent des demandes de main-d'œuvre, qui ont pour effet une augmentation des salaires ; l'accumulation ne se produit plus qu'au ralenti, ce qui engendre une dépression et une crise de l'emploi.

Inspirée par l'observation des événements aux États-Unis avant la guerre, cette analyse est, comme la précédente, bien sommaire et laisse de côté des facteurs importants. Cependant, en association avec M. P. Baran, P.M. Sweezy a modifié sa façon de voir[2] : selon eux, il n'existe aucune corrélation entre le rythme du progrès technique et le volume des investissements, car le progrès innovateur modifie la forme de l'investissement, plus que son montant. Le capitalisme aurait donc déjà sombré dans une stagnation désastreuse, sans les guerres et sans le secours d'innovations fondamentales comme la vapeur, le chemin de fer et l'automobile. Ils rejoignent ici en partie les stagnationnistes.

Seulement, peut-on objecter, lorsque survient une telle innovation (l'informatique aujourd'hui), on lui impute, au contraire, la responsabilité du chômage. Il manque visiblement une réflexion plus profonde, accompagnée d'un modèle macro-économique.

Ernest Mandel, syndicaliste marxiste, s'est également exprimé sur le sujet[3]. Pour être employée, une machine doit réduire le personnel et accroître le profit. Il en conclut à une expulsion simple des ouvriers, selon le processus admis au XIXe siècle par les socialistes ou socialisants. Il en est à peu près de même de H. Braverman[4].

Dès l'instant que les socialistes ne voient de remède que dans le changement de régime, il n'est pas surprenant qu'ils n'éprouvent pas le besoin d'approfondir une question fort complexe.

---

1. *The theory of capitalist development*, New York, 1942.
2. *Monopoly capital*, New York, Monthly Review Press, 1966. Édition française, *Le capitalisme monopoliste*, Maspero, Paris, 1969.
3. Marxistische Wirtschafts Theorie, Francfort, 1971, *Traité d'économie marxiste*, 1969.
4. *Travail et capitalisme monopoliste*, avant-propos de Paul Sweezy, Paris, Maspero, 1976.

*Vue d'ensemble*

La marche, depuis les débats précis sur le rôle de la machine, en termes d'emplois, jusqu'aux théories de la croissance, qui entendent tout embrasser, pourrait nous donner à croire que cette question brûlante a disparu, engloutie dans un ensemble complexe, ensevelie dans les modèles à plusieurs milliers d'opérations, d'où le plus fin observateur ne peut parvenir à les faire sortir.

Ce serait, évidemment, une erreur : la question subsiste avec autant de netteté que du temps de Jacquard, comme le montrent les angoisses créées par l'informatique. Nous allons maintenant nous efforcer, à contre-courant peut-être, de séparer les facteurs et d'éclairer ainsi les décisions à prendre, dans les entreprises et plus encore dans le cadre national.

# IX

# Économie agricole

L'agriculture et ses compléments, forêts, pêche, ont été longtemps l'activité économique essentielle pour l'homme, en quête perpétuelle de nourriture. Il est donc intéressant de suivre d'abord l'effet des progrès techniques dans ce domaine naturel. Nous nous plaçons particulièrement en économie de subsistance, avec tendance continue au surpeuplement.

Cet examen conduit vite à une distinction classique :
– un progrès *extensif* permet, sur une même terre, d'obtenir au moins la même production, avec moins d'hommes ou moins de travail ;
– un progrès *intensif* permet sur une même terre, d'employer plus d'hommes avec une productivité au moins maintenue, ou bien autant d'hommes avec une productivité supérieure.

## Le progrès extensif

Dans notre définition provisoire du progrès technique, le jugement est formulé par le chef d'entreprise ou le propriétaire. Dès l'instant qu'il obtient la même récolte qu'avant, avec moins d'hommes à rémunérer (que ce soit en espèces ou en nature) il y trouve son avantage ; mais cet avantage peut être contesté, si on examine l'intérêt de la collectivité.

Les exemples sont d'ailleurs fréquents dans l'Histoire, notamment la substitution de l'élevage à la culture. Thomas More le dénonce déjà, dans son Utopie :

Lorsqu'un seul berger remplace cent cultivateurs dans les champs transformés en pâture, que peuvent faire les hommes privés de leur terre ? Devenir mendiants, vagabonds et gens sans aveu ou voleurs, s'ils en ont le cœur.

C'est l'optique de l'emploi qui l'emporte sur celle de la production ; déviation naturelle devant les résultats, qui s'accentuera par la suite.

C'est la rigueur de la propriété et surtout de la grande propriété, qui était, ou est encore, responsable de telles évolutions. En Amérique du Sud, notamment, l'extensivité sur les latifundia refoule les paysans sans terre vers les terres pauvres ou les grandes villes, où l'emploi est difficile à trouver, mais l'espoir permanent [1].

La parade la plus efficace contre l'extensivité est *l'impôt foncier,* indépendant de la récolte obtenue. Ce moyen, qui allège le poids de la propriété foncière sur la collectivité, a inspiré la doctrine du géorgisme et est en partie la cause des hauts rendements de l'agriculture au Danemark, mais il s'agit déjà d'une agriculture évoluée. Revenons à un système plus primitif.

### Un propriétaire et des travailleurs

Nous inspirant quelque peu de l'économie féodale, nous supposons que, dans un domaine, vivent un propriétaire et une population excédentaire, en quête de travail et de nourriture. La juxtaposition de multiples domaines de ce genre et des échanges entre eux compliqueraient le modèle sans utilité, du moins à ce premier stade.

Nous supposons, en outre, que les travailleurs ont tous mêmes charges de famille, ce qui conduit à laisser celles-ci de côté, puisqu'elles introduisent un multiplicateur uniforme.

Dès lors, il s'agit d'examiner :
– le *nombre d'emplois initial,* avec une technique déterminée ;
– le *nombre d'emplois ultérieur,* avec une technique meilleure.

La constance de la technique va d'abord nous permettre de mettre en évidence le « *système du parapluie* ».

---

1. Voir notamment René Dumont, *Paysans écrasés, terres massacrées : Équateur, Inde, Bangla Desh, Thaïlande, Haute-Volta,* Robert Laffont, Paris, 1978.

*Le système du parapluie*

Prenons un exemple simple : Dans un domaine possédé par un propriétaire, il y a 99 cultivateurs ; mettre plus d'hommes à la terre n'augmenterait pas la production.

Ces 99 cultivateurs produisent 120 unités. Une unité permet à un homme de vivre, sans plus. Au-dessous, le travailleur ne produit plus suffisamment ; cette éventualité est donc exclue. En outre,

— *le propriétaire a le droit de prélever ce qu'il désire ;*
— *chacun a le droit d'employer à sa guise ce qui lui est attribué.*

Ces deux latitudes influent sur le nombre des emplois. Parmi l'infinité de situations possibles, nous retenons les quatre extrêmes :

n° 1 *répartition égalitaire et consommation directe, par chacun, de ce qui lui revient ,*

n° 2 *répartition égalitaire et consommation minimale, par chacun,* le reste étant affecté à rémunérer des serviteurs ;

n° 3 *prélèvement maximal du propriétaire et consommation directe, par lui,* de ce prélèvement ;

n° 4 *prélèvement maximal du propriétaire et consommation minimale, par lui,* le reste étant affecté à la rémunération des serviteurs (au plus juste).

Voici le bilan de la situation n° 1 :

|  | Nombre | Consommation unitaire | Consommation totale |
|---|---|---|---|
| Cultivateurs | 99 | 1,2 | 118,8 |
| Propriétaire | 1 | 1,2 | 1,2 |
| Total | 100 | 1,2 | 120 |

Le nombre d'emplois est 99 ; c'est le minimum.
Voici maintenant la situation n° 2 :

|              | Nombre | Consommation unitaire | Consommation totale |
|--------------|--------|-----------------------|---------------------|
| Cultivateurs | 99     | · 1                   | 99                  |
| Propriétaire | 1      | 1                     | 1                   |
| Serviteurs   | 20     | 1                     | 20                  |
| Total        | 120    | 1                     | 120                 |

Le nombre d'emplois est 119, sensiblement relevé par *l'orientation de la consommation.*

Dans la situation 3, le prélèvement du propriétaire est maximal et sa consommation est en totalité directe :

|              | Nombre | Consommation unitaire | Consommation totale |
|--------------|--------|-----------------------|---------------------|
| Cultivateurs | 99     | 1                     | 99                  |
| Propriétaire | 1      | 21                    | 21                  |
| Total        | 100    | 1,2                   | 120                 |

Le nombre des emplois est retombé à 99, au même niveau qu'en situation n° 1.

Dans la situation 4, le propriétaire prélève toujours le plus possible, mais préfère ne consommer directement qu'une ration, pour avoir le plus possible de serviteurs.

|              | Nombre | Consommation unitaire | Consommation totale |
|--------------|--------|-----------------------|---------------------|
| Cultivateurs | 99     | 1                     | 99                  |
| Propriétaire | 1      | 1                     | 1                   |
| Serviteurs   | 20     | 1                     | 20                  |
| Total        | 120    | 1                     | 120                 |

Le nombre d'emploi est à nouveau 119. Nous avons déjà une première loi intéressante :

*Le facteur déterminant n'est pas l'importance du prélèvement, mais l'orientation de la consommation.*

Mais il y a plus : quelle est la situation la plus probable ?

Entre les situations 2 et 4, toutes deux favorables, la 2e, plus équitable, a moins de chances de se produire que la 4e, pour des raisons d'*élasticité de consommation*. Chaque cultivateur entendra consommer plus que sa ration vitale ; le besoin de serviteurs ne se fera sentir qu'à un niveau plus élevé. Au contraire, si le prélèvement est élevé (situation 4) le propriétaire consommera certes directement plus qu'un cultivateur, mais moins que leur ensemble. Il ne sera pas tenté, notamment, de consommer une énorme quantité de nourriture.

*Ainsi l'orientation de la consommation est plus favorable quand l'inégalité est forte.*

Le propriétaire joue ici, en quelque sorte, le rôle d'un répartiteur, d'un rationneur. Il existe certes, en théorie, une solution plus équitable, à nombre d'emplois égal (la n° 2), mais elle a beaucoup moins de chances de se réaliser.

## Progrès technique

Dans la définition adoptée, c'est le propriétaire, ou le chef d'entreprise, qui est juge et qui base son jugement sur le profit réalisé. Nous retrouvons ici diverses sortes de progrès, basés sur l'extensivité ou l'intensivité.

Si, dans l'exemple précédent, il devient possible de produire les 120 rations, avec seulement 80 cultivateurs, au lieu de 99, le prélèvement exercé par le propriétaire peut être porté à 40 rations au lieu de 21 ; le nombre total d'emplois est diminué et ne reste le même (dans le cas le plus favorable) que si la totalité du prélèvement supplémentaire est utilisée à payer des serviteurs. Dans ce cas, les cultivateurs sont en quelque sorte, remplacés par des serviteurs.

Mais il y a beaucoup de chances en faveur d'une diminution, car il est bien peu probable que l'élasticité de consommation directe d'un cultivateur soit nulle. Le nombre d'emplois diminue, parce que le propriétaire (ou les cultivateurs plus encore) prend en partie la place des 19 cultivateurs supprimés, *non seulement en production, mais en consommation.*

Au contraire, si les 99 cultivateurs parviennent à produire 130 rations, au lieu de 120, le nombre total d'emplois augmente. Il ne reste le même que dans le cas le plus défavorable où toute la production supplémentaire est consommée directement par les cultivateurs ou par le propriétaire. Mais, cette fois, l'élasticité de consommation joue en faveur du nombre des emplois : le propriétaire va augmenter son prélèvement et en consacrer au moins une partie à employer des serviteurs supplémentaires.

Lorsque les deux progrès se produisent simultanément, toutes les situations sont possibles, mais si ces deux progrès s'accentuent, le nombre des emplois augmente. Nous le verrons au chapitre 12.

## Machine consommatrice et cheval mangeur

Le progrès technique peut s'obtenir parfois en employant des moyens autres qu'humains, permettant d'accroître la production. Le cas le plus classique, en économie agricole, est l'utilisation d'animaux. Si, sur une surface donnée, un homme, aidé d'un cheval, produit 6 fois plus que 2 hommes, alors que le cheval consomme 4 rations humaines, il reste un avantage d'une ration, avec un emploi de moins. En Extrême-Orient, on voit des cultivateurs n'employer leur buffle que pour les gros travaux indispensables, et le laisser, le reste du temps, vautré dans le marécage, où il se nourrit tant bien que mal. Le gain que réalisent ainsi les cultivateurs s'exprime en calories alimentaires.

L'économie agricole primitive n'utilisait guère d'énergie mécanique, ou, du moins, ceci ne remplaçait pas l'homme *à la fois en production et en consommation*, comme le font les animaux. Le moulin à eau, par exemple, pouvait supprimer des hommes, mais il ne consommait aucune fraction de la production utilisée ; il était donc possible de maintenir le nombre des emplois, la quantité de nourriture disponible restant au moins aussi élevée qu'avant.

## Les classes moyennes et le progrès technique

Dans le modèle précédent, en situation 3 et 4, essayons d'introduire des hommes, « moyens », mieux rémunérés que les serviteurs. Ils reçoivent, par exemple, 3 rations au lieu d'une. Avec la même somme, le propriétaire ne pourra rémunérer qu'un nombre de serviteurs trois fois moins élevé. Si par exemple, il consomme directement 9 et consacre 12 à des serviteurs, il ne pourra en employer que 4 au lieu de 12. Or, toujours pour des raisons d'*élasticité de consommation*, ces 4 « moyens » emploieront eux-mêmes moins de serviteurs que lui.

Cette fois encore, nous voyons que *la forte inégalité sociale est moins meurtrière que l'inégalité relative*. C'est seulement à la faveur du progrès technique et de l'accroissement des ressources que la pyramide des revenus peut sans inconvénient « prendre du ventre ».

Ce rôle nocif des moyens et utile des riches n'est cependant pas absolument général. Des exemples ont été donnés de consommation des riches mal orientée : le bain de lait de la princesse, les chasses du propriétaire sur des terres fertiles, les moutons meurtriers déjà cités, la consommation de dentelles de Bruxelles, payées en vin de champagne, selon Cantillon (voir p. 30), etc. Quand la cour de Russie exportait du blé pour acheter des bijoux, elle éliminait des travailleurs, parce qu'elle les remplaçait *en termes de consommation*.

## L'Ancien Régime

Examinons, sous cet angle, la situation de l'économie française à la veille de la Révolution. La classe supérieure inactive prélevait sur une production agricole, déjà insuffisante, environ 25 % des besoins publics et pour sa propre consommation. Le « système du parapluie » permettait d'augmenter le nombre des emplois (domestiques, artisans, etc.). L'exaction de la classe supérieure portait moins sur le prélèvement de 25 % lui-même que sur la consommation de subsistance (y compris celle des animaux non productifs, chevaux principalement). Au moyen des comptes financiers et d'une hypothèse raisonnable sur la consommation alimentaire des privilégiés (en calories végétales), il serait possible de calculer l'accroissement du nombre des emplois par rapport à l'hypothèse où les cultivateurs auraient eu à leur disposition toute leur production en employant des hommes avec l'excédent restant, une fois leurs besoins assurés. Des éliminations physiques se seraient produites. C'est, en somme, la théorie de l'utilité du luxe. Il eût beaucoup mieux valu, bien entendu, que le prélèvement sur les paysans fût employé à des investissements productifs, générateurs d'emplois futurs.

*En conclusion*

L'examen de l'agriculture primitive nous montre déjà :
– *que l'équité n'est pas nécessairement la solution la plus favorable au nombre des emplois et qu'elle est même parfois opposée à cet objectif ;*
— *que le nombre des emplois dépend largement de la façon dont le riche emploie son revenu ;*
— *que le nombre des emplois est, dans certaines conditions, en raison inverse de la rémunération des travailleurs.*

X

# Économie planifiée

L'autorité suprême peut, *a priori*, tout voir et tout faire, pour le mieux. L'œil et la main invisibles jouaient ce rôle, dans le modèle idéal d'Adam Smith. J.-B. Say et plus encore Bastiat, l'ont montré, sur de multiples exemples, concluant sur l'ensemble, tout en négligeant les imperfections de cet œil et de cette main, notamment la connaissance générale des faits par les agents économiques et les délais d'exécution. Mais, ce que la spontanéité ne pouvait qu'approcher et parfois de fort loin, au prix de fortes et cruelles inégalités, la planification semble pouvoir, a priori, le réaliser.

Certes Marx, Engels et même Lénine n'avaient qu'une idée très sommaire de ce que pouvait être une planification.

Ce sera un rien de régler la production selon les besoins [1].

Peut-être eux et leurs disciples se seraient-ils lancés avec moins de conscience et de foi, s'ils avaient entrevu les complexités de la planification. C'est peu à peu seulement, à l'expérience, que se sont précisées les règles, de sorte que sans préjuger encore de l'application pratique à tous les degrés, nous avons aujourd'hui une idée de la question [2].

Pour cela l'autorité centrale doit :
– tout voir, tout embrasser, tout connaître, et cela très vite ;

---

1. Engels, *Discours prononcé le 15 février 1845* (Mega, édition allemande, première partie, vol. 4 p. 372).
2. On peut consulter en particulier Antchichkine. *Théorie de la croissance de l'économie socialiste*, Editions du Progrès, Moscou.

– dicter, à tout moment, la solution optimale ;
– bénéficier de délais d'exécution aussi courts que possible.

Cela signifie *l'œil, le cerveau, le système nerveux, la main.*

Le système libéral idéal entendait se passer du cerveau et du système nerveux, puisque tout se produisait au moyen de réflexes.

Ludwig von Mises défiait l'économie de résoudre par la planification un système de millions d'équations à millions d'inconnues. Le nombre des équations a encore augmenté depuis et augmente de jour en jour, mais les moyens de les manier font de même.

Les aperçus qui suivent ne visent en rien à donner une idée même approximative, de la planification contemporaine. Ils se proposent, seulement, de montrer la place que peut jouer l'emploi et se bornent aux seuls aspects techniques, sans faire intervenir les facteurs moraux et, à leur suite, l'efficacité des exécutants (stimulants matériels, bureaucratie, etc.).

## Objectif emploi et objectif production

L'emploi – nous le répétons souvent, tant la tendance est forte à croire le contraire – n'est pas un but en soi. Le nombre d'emplois ou d'heures de travail, c'est le *passif* de l'action économique, dont *l'actif* est la production de richesses.

Encore faut-il que les heures de travail soient bien réparties ; lorsqu'un certain nombre de personnes aptes au travail en sont privées, le dommage est double :
– *dommage social subi par ces personnes,* que, d'une façon ou une autre, il faut de toute façon indemniser, et, à tout le moins, nourrir ;
– *dommage économique,* car ces personnes sans activité, pourraient produire des richesses supplémentaires.

Cette dernière condition risque cependant de ne pas être remplie ; si ces chômeurs sont mis en activité coûte que coûte, sans augmenter la production, le dommage social est bien compensé, mais non le dommage économique.

En Chine, l'ouvrier, le paysan sans travail, est (ou était, au temps de Mao) envoyé dans une usine, dans une commune populaire, sans souci de l'efficacité de cette mesure. Cette usine, cette commune, était parfois embarrassée par cette recrue supplémentaire. La renonciation partielle à cette solution a fait apparaître ce que nous appelons des chômeurs.

Cependant, comme la collectivité doit, en tout état de cause, nourrir l'individu en question, il n'est pas nécessaire que l'accroissement de production réalisé grâce à son apport soit égal à sa consommation, il suffit qu'il soit positif.

Parmi les multiples solutions qui emploient toute la population active disponible, il faut choisir celle qui donne la production la plus élevée.

Voyons maintenant les diverses données et leur utilisation : il ne s'agit pas, pour le moment, de la façon dont opèrent actuellement les divers pays socialistes d'Europe, mais d'un ordre logique dans la recherche de l'optimation économique.

## Économie agricole primitive

La planification agricole pose une question de dimension. Tant que le domaine reste dans la vue directe d'un homme, il n'y a guère de différence, en technique pure, entre propriété privée et collective. C'est seulement lorsqu'il s'agit de grands espaces que se différencient propriété privée et domaine d'État. Du moment que nous restons sur le gouvernement des choses, la propriété collective semble toujours plus efficace, puisque les maîtres du plan auraient, en principe, la ressource de pratiquer la solution technique qu'adopteraient des propriétaires isolés.

Pour qui a bien en main tous les éléments, il semble facile de mettre chaque personne à sa place. En pratique, le résultat est bien différent.

## Économie industrielle : options principales

Entre les diverses actions possibles existent des liens de dépendance, mais il reste des choix indépendants de la technique ; ce sont des options politiques.

Le plan comporte une série d'objectifs qu'une recherche préalable a jugés accessibles et compatibles avec les priorités politiques, l'option principale se posant entre plusieurs groupes :

– durée du travail ;
– investissements, équipements, innovations, recherches ;
– armement ;
  services publics civils ;

– consommation des ménages.

Un tel choix pourrait se poser aussi bien en préhistoire ou en économie tribale.

Les *investissements, équipements, innovations, recherches* comportent une consommation immédiate de temps et d'efforts, aux fins d'accroître la capacité de production ultérieure. Selon une certaine conception, les dépenses d'enseignement et de formation des hommes peuvent être rangées dans cette catégorie. Nous allons y revenir.

L'*armement* est une consommation de temps et d'efforts, sans satisfaction économique autre qu'une sorte de prime d'assurance contre des dommages, à moins que la guerre ne soit considérée comme un moyen d'acquérir des richesses.

Entre *les services publics civils* et *la consommation des ménages*, la distinction est moins nette. On peut concevoir la gratuité totale des produits et services, assortie ou non d'un rationnement des quantités ou, au contraire, une limitation stricte des services publics aux secteurs traditionnels (routes, enseignement obligatoire, etc.). Le plus souvent, l'ultime planification ou ensemble de décisions est laissée aux ménages, sous forme de revenu en espèces monétaires ; leurs décisions sont cependant guidées par le jeu des prix ou des quantités accessibles, mais toute latitude laissée aux ménages peut contrarier l'emploi ; voyons ce point.

## La contrepartie en consommation

Si les achats de matières premières et de produits intermédiaires font corps avec le plan et les exigences techniques, il n'en est pas de même de l'emploi que font les ménages de leur revenu.

La méthode souvent employée pour réduire l'aléa consiste à distribuer une masse de salaires un peu supérieure à la valeur des produits de consommation mis sur le marché. Cette méthode présente divers avantages :
– *elle permet d'écouler les articles de qualité contestable* ou ne répondant pas rigoureusement aux besoins (ajustement total) ;
– *elle assure le plein emploi du personnel* affecté dans les commerces et même dans certaines fabrications ;
– *elle favorise l'épargne* ; ce retour permet de satisfaire nominalement les travailleurs et donne donc des facilités psychologiques.

Le plein emploi des travailleurs trouve cependant une contrepartie dans l'attente du consommateur dans ou devant les magasins. M. Libermann a qualifié cette attente de perte sociale. Comme celle-ci n'est pas inscrite en comptabilité sociale, ni même privée, elle avantage la puissance publique, dans toute la mesure où elle n'est pas prise sur le temps de travail et son efficacité.

## *Le plein emploi*

Si le plan s'étend non seulement aux actions productives, mais aux hommes, soit par autorité pure, soit par incitations suffisantes à occuper tel ou tel emploi, le plein emploi doit toujours être assuré. En mettant les choses au pire ou au plus simple, un homme disponible peut être envoyé (p. 166) rejoindre le groupe des travailleurs le plus proche, sans considération pour son aptitude et pour l'accroissement de production qui en résultera. Le plein emploi prime ici la pleine production.

Utiliser tout homme au mieux de ses capacités, pose des options nouvelles : l'objectif fondamental du plan et par suite de l'évolution de la société porte sur les produits et sur les hommes. La formation de ceux-ci doit-elle se conformer strictement aux besoins matériels ou obéir à ses règles propres ? Aucune des deux solutions extrêmes n'étant concevable, la décision est politique. Si l'autorité décide de former un certain nombre de musiciens, d'artistes, de philosophes, il convient de prévoir les postes professionnels correspondants. Le lien entre leurs activités et la production économique, n'étant pas déterminé, même approximativement, par le marché, la décision est, cette fois encore, politique.

La vie active d'un homme s'étalant sur plus de quarante ans, la formation des travailleurs répond à une prévision, plus ou moins explicite, s'étendant sur une durée largement supérieure à celle du plan.

Plus généralement, une fois la répartition politiquement décidée entre les groupes énumérés plus haut, l'ensemble des actes est rigoureusement déterminé, pour un état donné de la technique et des connaissances.

Si un groupe de chasseurs de la préhistoire décide d'améliorer ses moyens de défense contre quelque ennemi (armement) et ses instruments de chasse (investissements), il peut, s'il a pleine conscience de ses actes et de ses besoins de consommation, régler, réserve faite de l'aléa, toute sa vie économique. Dès lors que le groupe est de faible dimension, aucune question de plein emploi ne se posera.

## Expansion continue ou plans successifs

Ni Engels, ni Lénine, ni leurs contemporains ne semblent avoir conçu l'idée de plans quinquennaux ; plus naturelle paraissait sans doute l'idée de plan continu. Ne serait-il pas possible de construire un plan indéfini, selon une méthode de projections glissantes ?

Le plan à durée limitée facilite le calcul et repose l'esprit. Avoir, en cours de plan, des repères sur le chemin accompli facilite la tâche, même si l'optimation n'est pas atteinte ainsi.

## Goulets et ralentissements

Tout goulet, tout retard, même léger, du moins au-delà des limites permises par les stocks, entraîne le non-emploi ou le sous-emploi de forces productives en un autre point ; l'exécution du plan peut, en dehors d'innovations techniques locales, se ramener schématiquement à l'élargissement des points où surviennent des ralentissements, au hasard des imprévus. Le sous-emploi peut porter inégalement sur les hommes et le matériel. L'ajustement parfait sur les deux ne pouvant être réalisé qu'exceptionnellement, le dilemme se pose à nouveau entre emploi et production.

Pour compenser les multiples incidents, lesquels engendrent tous un goulet, une qualité est nécessaire, la souplesse, qui semble s'opposer à la centralisation.

## Le progrès technique

Après une période de réaction contre les pratiques capitalistes, la productivité a, sous un nom ou sous un autre, été remise en honneur, dans tous les pays d'économie planifiée. Le reclassement des travailleurs éliminés par un procédé mécanique est plus facile qu'en régime capitaliste, puisque le cerveau peut tout faire ; mais deux cas sont à distinguer :

*– progrès prévus, dans leur nature et dans leurs résultats, lors de l'élaboration du plan*. Ils font corps avec lui ;
*– progrès survenus en cours d'exécution du plan*, du fait d'initiatives ou d'innovations. Cette *perturbation* crée une situation initiale quelque peu à l'inverse des goulets, le réajustement suppose le plus souvent des transferts de personnel.

Le régime planifié manifeste ici une supériorité sur l'économie de marché, où le licenciement de personnel ne trouve que peu de secours de la main invisible et s'accompagne rarement d'un reclassement prémédité. L'Union Soviétique et les républiques populaires s'estiment, de ce fait, seules capables d'accomplir la *Révolution technique et scientifique* (RTS), décidée en 1961 et mise en application à l'occasion de la réforme de 1965, largement prolongée ensuite. Mais cette « révolution » réclame elle-même le recours, si controversé, aux stimulants.

Ce serait d'ailleurs une erreur de croire que le cerveau réalise de façon indolore et sans coût uu lui, les transferts nécessaires. Il faut bouleer des habitudes et parfois décider des changements de lieu de travail et même de domicile. Des résistances se manifestent de temps à autre.

Enfin le frein peut venir d'en haut, car le pouvoir politique doit se prémunir contre les technostructures et le risque de technocratie. La fluidité est donc loin d'être parfaite, mais les difficultés sont moins grandes et surtout moins visibles qu'en économie de marché.

# XI

# Le nombre d'emplois possibles
# et le plein emploi

Voici une unité nationale, un territoire, où vivent des hommes organisés, il s'agit de préciser deux notions :
— *le nombre d'emplois maximal concevable,* possible, sur ce territoire, avec une technique donnée ;
— *le plein emploi des ressources humaines,* telles qu'elles se présentent.

*Le nombre des emplois possibles est-il limité ?*

La persistance du chômage, dans les pays occidentaux, donne à croire à l'opinion, même éclairée, que le nombre des hommes est trop élevé, qu'il dépasse le nombre d'emplois « existant » dans ce pays, d'où l'idée, très répandue, de partager cette sorte de stock, comme on peut le faire pour un produit rare.

Nous voici donc devant un pays d'une certaine dimension ; supposons l'organisation sociale parfaite, en vue de l'emploi maximal, qu'elle soit à base de planification autoritaire ou de tout autre système. Le nombre des emplois possibles peut-il augmenter indéfiniment et, sinon, par quels facteurs est-il limité et dans quelles conditions ?

Écartons d'abord les possibilités fournies par l'extérieur : il est toujours possible de concevoir, dans cet espace, une industrie, au sens propre du mot, comportant la transformation en matières importées. Le nombre d'emplois possibles n'est alors limité que par l'espace et la capacité des habitants, sans égard aux ressources naturelles. Mais ce gain d'emplois est, dans ces conditions, obtenu au détriment des emplois en d'autres pays. Dans l'ensemble du monde, nous retrouvons bien la nécessité d'examiner la limitation des ressources naturelles.

Pour éviter cette augmentation « artificielle », dans un territoire donné, laissons donc de côté les échanges extérieurs, ou bien limitons-les à des produits à un même degré de fabrication. Comment, toujours en dehors de l'espace, le nombre des emplois peut-il être *physiquement* limité ?

Deux limitations paraissent possibles, bien différentes :
— *le manque de ressources naturelles,* c'est-à-dire les moyens d'exercer une activité productive ;
— *les besoins* à satisfaire.

### Les ressources naturelles

Le progrès technique permet, peu à peu.
— *de tirer parti de ressources naturelles jugées longtemps sans valeur ;*
— *de donner à une matière un ouvrage de plus en plus poussé.*

Le nombre d'emplois possibles dépend donc de la technique.

Dans un état donné de la technique, si le nombre des hommes augmente constamment, il vient un moment où un travail supplémentaire ne produirait aucun aliment ou bien exigerait plus de calories alimentaires qu'il n'en fournirait. La population n'a pas intérêt à aller au-delà, mais ce n'est pas par le manque de travail qu'elle est alors limitée, *c'est par les subsistances.* Tant que celles-ci sont assurées, on peut, en effet, toujours concevoir des services réciproques entre les hommes, par exemple des recherches artistiques de plus en plus poussées, n'exigeant pas de matériel ; mais ces services réciproques sont limités par la quantité de subsistances disponibles (Zénon d'Elée lui-même a besoin de manger), laquelle dépend elle-même des ressources naturelles [1].

Atteindre le nombre d'emplois maximal exige un partage égalitaire de la quantité de subsistances. En pratique, le partage n'est jamais tout à fait égalitaire ; de ce fait, le nombre d'emplois est inférieur au maximum possible. Même si le partage est absolu et le nombre des emplois maximal, il peut rester du

---

1. Voir chapitre VIII, Économie agricole.

travail possible, qui augmenterait la production de richesses non alimentaires, mines, bois, etc.

En fait, qu'il s'agisse de l'Inde, en régime de propriété privée ou de la Chine communiste, réputées toutes deux très peuplées, les travaux matériels concevables et présents à l'esprit, pour mieux exploiter les ressources naturelles, y sont considérables. C'est également le cas des pays très développés ayant un grand nombre de chômeurs. Des tâches importantes se proposent partout, qu'il s'agisse d'exploiter des ressources naturelles, de construire des bâtiments, de rendre des services, etc. La pénurie des ressources naturelles ne limite nulle part dans le monde, le nombre des emplois possibles, mais l'organisation sociale est souvent conçue dans un but autre que d'avoir le nombre d'emplois maximal : la propriété des ressources naturelles ou du capital accumulé, l'inégalité des revenus, le rendement décroissant des ressources naturelles ou des activités possibles, l'élévation des rémunérations ou de certaines d'entre elles, d'autres facteurs encore, peuvent limiter le nombre *effectif* des emplois. Ce n'est pas notre sujet, pour le moment.

Voyons maintenant si ce nombre maximal d'emplois ne peut pas être limité par les besoins.

### Les besoins

A *priori*, plus les besoins des hommes sont faibles et peu supérieurs aux besoins physiologiques, plus le nombre d'emplois possibles est élevé. Mais nous nous plaçons d'un point de vue différent : si les besoins des hommes sont satisfaits, le travail qui reste possible n'est plus nécessaire. C'est surtout en économie de marché qu'il faut se placer.

Dans une telle économie, l'apparence de l'excédent est permanente. Si l'on excepte les marchés à terme des valeurs en Bourse ou des marchandises, il y a toujours un stock disponible, pour faire face aux aléas, à la variété des produits. Le marché exige en somme, un certain jeu. L'existence de ces stocks permanents, non vendus et la difficulté de vendre, laissent croire à un excès absolu des produits et parfois à une saturation des besoins, par confusion entre le besoin solvable et le besoin réel.

Cette idée de saturation des besoins réels, déjà atteinte ou proche, est une permanence dans une économie de progrès. On la trouve déjà chez divers auteurs du XVIIIe siècle, alors

que la seule consommation alimentaire était notablement inférieure aux besoins vitaux. Elle a inspiré des auteurs de haute
qualité. C'est l'optique classique de l'horizon, que l'œil juge
immuable. Bien que la saturation soit avant tout une idée de
marchand, elle a inspiré Marx et Engels, quand ils ont pensé
satisfaire et au-delà les besoins de chacun. Leurs vues optimistes ont persisté chez Lénine et ses successeurs, en même temps
que chez les représentants de commerce du monde entier.

Dans les années 20, des inquiétudes se sont, par exemple,
manifestées à propos de la radio : « Quand chaque ménage
aura un poste récepteur, disait-on, qu'adviendra-t-il ? » Avant
même que les diverses pièces du logement soient pourvues, les
voitures, les résidences secondaires se sont multipliées, créant
de nouveaux besoins. En outre, la télévision en noir, puis en
couleur, a fait son apparition et déjà, dans certaines familles,
les diverses personnes souhaitent prendre chacune une chaîne
de leur choix ; c'est la dépense qui les arrête ou le manque de
place, non le manque de besoins. Dans des familles plus
modestes, le logement s'avère insuffisant pour bien loger la
télévision et d'autres appareils ménagers. Si la vente de postes
n'est pas plus importante, c'est par l'insuffisance générale de
pouvoir d'achat, c'est-à-dire par concurrence d'autres besoins.

Plus généralement, la notion même de besoin n'a, pour
diverses raisons, été que faiblement creusée. Les classes supérieures craignent d'y trouver une source de revendications des
travailleurs et se sont longtemps consolées de leurs propres
exactions, par l'expression « Ces gens-là n'ont pas de besoins ».
Quant aux défenseurs des travailleurs, ils ont toujours suresti-
mé la facilité de satisfaire les besoins de tous [1].

Dès l'abord, nous voyons une augmentation des besoins physiologiques : au début du siècle, une température de 14° dans
les logements était largement suffisante ; 17° c'étaient les
« chambres de malades ». Entre les deux guerres, se sont géné-

---

1. Vers 1840, un progressiste se voyait objecter une saturation prochaine des
besoins pour les ouvriers : « Il faut d'abord leur assurer une nourriture convenable », répondit-il. « C'est entendu, mais ensuite ? » – « Il leur faudra un meilleur
logement », etc. Au bout de quelques répliques, l'homme soucieux de progrès
lança : « Et après tout, après tout, pourquoi les ouvriers n'auraient-ils pas un jour,
eux aussi, dans leur intérieur, un piano ? » Cet instrument, apanage des bourgeois, lui semblait l'horizon extrême des consommations possibles. Il ne se dou-
tait pas qu'après quatre générations, pas un ouvrier n'aurait un piano chez lui,
car bien d'autres besoins auraient été couverts, sans assurer et de loin la satisfaction.

ralisés les 18°, dans les contrats de chauffage et le corps s'y est
habitué. Aujourd'hui les 22° sont souvent dépassés et il ne
s'agit pas d'un simple agrément, mais d'un changement physiologique. Les oreilles, les pieds, les mains deviennent froids à
une température, jadis excessive. Pour la qualité de la nourriture, des changements analogues ont eu lieu.

Par quels moyens est-il possible de juger, de définir et de
concevoir une limitation des besoins, une limitation de la
consommation, en faisant abstraction, bien entendu, de toute
considération de morale classique ou de sagesse frugale ? Voici
diverses approches :
— *saturation des besoins par élévation du revenu ;*
— *équilibre possible entre le désir de consommer et le désir de
loisir ou de repos ;*
— *limitation de la possibilité de consommation, par manque de
temps.*

*La saturation*

Vers 1970, une enquête a été menée auprès d'une *École
supérieure de commerce de filles* à Paris ; il leur était demandé
de choisir, dans une liste d'objets et de services, lesquels leur
semblaient être superflus ou « de luxe ». Ont été classées ainsi
les dentelles, les broderies, l'argenterie, etc., bref tous les
besoins passés de mode ou négligés, du fait de la naissance
d'autres besoins ; n'ont, en effet, été classés comme luxe, ni la
seconde voiture du ménage, ni le bateau à voile, ni le damage
des pistes de skis par une chenillette, etc.

Mais voici une autre approche moins pittoresque, sans doute, mais plus éclairante :

Des enquêtes ont été menées, en divers pays, auprès des
ménages, sur leurs besoins ou plus exactement sur le complément de revenu qui leur serait nécessaire pour les satisfaire. La
proportion s'élève en moyenne à un tiers. Elle est un peu plus
faible pour les hauts revenus, sans laisser prévoir aucune saturation. Du reste, lorsque plus tard, la même enquête est faite,
une fois la consommation générale augmentée précisément
d'un tiers, on trouve à peu près les mêmes réponses et, de nouveau, l'horizon du tiers supplémentaire.

Il est souvent question, non sans mépris, de « civilisation du
gadget » et de besoins « artificiels », créés par la publicité. La
réalité est bien différente : si les hommes ont des voitures, c'est

parce qu'ils sont heureux de s'en servir ; s'ils acquièrent des bijoux, des tableaux, des vêtements, c'est parce que ces achats leur plaisent ; s'ils vont aux sports d'hiver, c'est parce que la pratique du ski et le séjour dans la neige présentent de grands attraits ; s'ils voyagent au loin, c'est qu'ils y trouvent l'attrait de la nouveauté. La publicité a pu les orienter, surtout dans le choix d'une marque ou d'un pays à visiter, mais pas plus. Si ces plaisirs n'existaient pas, le besoin ne s'en ferait pas toujours sentir, mais ils naissent en quelque sorte, sous les pieds des hommes, à mesure que ceux-ci marchent.

## L'égalisation vers le haut

Restant pour le moment, dans le domaine monétaire, sans nous préoccuper de la nature des consommations, proposons-nous de voir ce qui arriverait si les revenus étaient tous égaux.

Il est d'ailleurs souvent question de nivellement, total ou partiel, des revenus, mais, aussi bien à l'échelle nationale que dans le cadre mondial, c'est le plus souvent, de relèvement des faibles revenus qu'il est question. Même en ne raisonnant que par tranches assez larges, ce nivellement exigerait en France de multiplier par 2,5 la production nationale. Au taux actuel d'expansion de 2,5 % par an, inférieur à celui des vingt années exceptionnelles 1954 à 1973, mais supérieur à celui de l'ensemble du XIXe siècle, ce résultat ne serait atteint qu'en 37 ans. Et pendant cet intervalle, les besoins auraient augmenté.

Ne pourrait-il, cependant, y avoir saturation dans le haut de la pyramide ? Voyons ce cas.

## Les revenus très élevés

Nombreux sont les exemples dans le passé, de souverains disposant de très larges possibilités. Si extravagantes qu'aient été les munificences de Caligula, d'Aureng Zeb ou de Louis XIV, elles n'ont pas épuisé leurs besoins ; ce sont toujours les ressources, les moyens, qui leur ont manqué. À cette échelle, chacun parle certes de déraison, mais ce jugement est proprement subjectif.

Quittons le passé et voyons près de nous les personnes pourvues de ressources très importantes : elles ne sont jamais embarrassées pour leur trouver une utilisation. Même aux plus hauts degrés de l'échelle économique, jamais on n'a vu une personne envoyant au percepteur fiscal plus qu'il ne demande et justifiant cette action « déraisonnable » par l'excès absolu de ressources, sans utilisation possible. Avant même que soient satisfaits tous les besoins de consommation directe, vient *l'idée de puissance,* qui mène fort loin et devient, à son tour, un besoin.

De même, la satisfaction d'aider d'autres personnes ou de subventionner des œuvres d'intérêt général prend vite figure de besoin. Peut-être certains de ces besoins se réduiraient-ils si les revenus s'égalisaient vers le haut, mais la limite est lointaine.

### Les besoins publics

Ils sont de jour en jour plus importants notamment en enseignement, en recherche scientifique, en soins de santé, et dans la plupart des autres secteurs, du fait même des progrès de la science (météorologie, électronique, satellites, forêts, etc.). Les soins de santé sont loin d'être assurés à tous, dans les conditions permises par les thérapeutiques contemporaines : les efforts déployés pour prolonger la vie des grands de ce monde, qu'il s'agisse de Franco, de Boumediene ou de Tito, donnent une idée de la limite extrême du coût des soins qui pourraient être donnés à l'ensemble des hommes si l'on appliquait l'axiome « la vie humaine n'a pas de prix ».

En outre, les services de santé contemporains ne peuvent fonctionner sans un important soubassement économique ; ainsi, le besoin propre de santé, crée, par effet de multiplicateur, d'importants besoins de consommation.

### Le désir de loisir

Voyons maintenant la seconde possibilité de limitation des besoins : pour la très grande majorité des hommes, l'activité professionnelle est une contrainte. Une bien faible majorité prolonge par plaisir le temps du travail journalier, au-delà du règlement ; ainsi le loisir entre en concurrence avec le besoin de consommer. Seulement, par contrecoup, le loisir crée des besoins nouveaux, de sorte qu'un équilibre s'établit, du moins pour celui qui peut régler à son gré son temps de travail. L'expérience montre qu'en dépit des réductions de durée du travail, dans la période industrielle, la ligne de démarcation n'a guère changé. L'inactivité était importante, dans l'économie agricole. Les revendications des syndicats sont aujourd'hui loin de concorder avec les vues de la base, de sorte que des heures supplémentaires se greffent volontiers sur la durée normale, le pouvoir d'achat ou pouvoir de consommer s'avérant toujours insuffisant. Du reste, les syndicats eux-mêmes demandent toujours qu'une réduction du temps de travail n'entraîne aucune réduction du pouvoir de consommation. Lorsque les congés se sont généralisés, ils ont demandé l'instauration d'une prime de congé.

Au début du siècle, classique était le cas du Noir, appelé à travailler dans une usine ou un atelier, venant ponctuellement les trois premiers jours de la semaine, mais restant absent ensuite jusqu'au lundi suivant. Interrogé sur son absence, il répondait qu'il n'avait aucune raison de travailler davantage, puisqu'il avait de quoi manger pour la semaine. Cette satisfaction, a, peu à peu, cessé devant les besoins créés par l'existence de magasins [1]. Un absentéisme plus fort encore est constaté actuellement au Groenland.

Sans doute, voit-on aujourd'hui s'étendre dans les pays industriels, l'absentéisme et la demande de travail à temps partiel : l'absentéisme est souvent rémunéré, au moins partiellement. En outre, il est, comme le temps partiel, le résultat d'une forte pression sur le temps, résultant des complications sociales de l'existence contemporaine. Du reste, le loisir est, rappelons-le, créateur de besoins. La consommation est plus élevée pendant les congés que pendant la période de travail.

En mai 1968, les jeunes se sont révoltés contre la « société de consommation », mais, dans le même temps, sinon dans le même ton, ils suggéraient dans l'esprit surréaliste, une facilité extrême de consommation « Prenez vos désirs pour des réalités, puisque vos désirs sont des réalités ». Le résultat le plus concret a été les accords de Grenelle, en vue d'augmenter la consommation.

Diogène a moins de disciples que Tantale de successeurs.

---

1. Le frère du sidérurgiste Siemens avait ouvert une mine en Turquie, il y a environ un siècle et se désolait de voir les paysans refuser de descendre dans la mine. Consulté, un ami lui a conseillé d'ouvrir un magasin d'articles de ménage (casseroles, vêtements, etc.). Au bout de peu de temps, il a fallu refuser les demandeurs, souvent pressés par leurs femmes. Le besoin était né.

*Le manque de temps pour consommer ?*

C'est le troisième facteur susceptible de limiter la consommation. En effet, la pression sur le temps, mentionnée plus haut, s'accentue constamment. Au cours d'une enquête en France, en 1978, a été demandé, en question ouverte, à un échantillon de jeunes, ce qui leur manquait le plus : argent, amour, voyages, logement, etc. Réponse inattendue : le plus fort chiffre a concerné *le temps.*

Ce manque de temps ne pourrait-il pas, par contrecoup, réduire ou du moins limiter la consommation, aucune acquisition, aucune dépense n'étant instantanée ? Réponse négative. En dépit des apparences, différentes forces poussent à l'augmentation de la faculté d'acheter et de consommer.

a) *Le progrès technique permet non seulement de produire davantage en une heure, mais aussi de consommer davantage.* Prenons, par exemple, le transport :

Vers 1800-1810, le voyageur en malle-poste acquittait, en une heure de route, l'équivalent de 10 heures de travail de manœuvre. Aujourd'hui, le voyageur en Concorde acquitte en une heure de vol, environ 55 heures de travail de manœuvre. Avec un revenu plus élevé, les voyageurs iraient tous en première classe et consommeraient ainsi, en une heure de temps, moitié plus d'heures de travail. Le confort de la 1<sup>re</sup> classe lui-même est limité par le revenu, et si l'on envisageait de transporter commercialement des touristes dans la lune, ils devraient acquitter pour quelques jours de trajet, plusieurs mois ou années de travail.

b) *La consommation imparfaite, rapide, sans l'entretien nécessaire, réduit la durée de l'achat.* Un homme argenté peut acquérir, en quelques minutes, des livres d'art somptueux qu'il feuilletera ensuite de loin en loin ; tel autre est encombré par la masse de photos, de films, d'enregistrements, qu'il n'a pas le temps de classer, mais qui ne l'empêchent pas d'acheter de nouvelles bobines et de nouveaux appareils.

c) *la réduction de la durée du travail de diverses façons* (journée, semaine, année, vie active) accroît le temps de loisir, donc la faculté de consommer. En un mois de congé, un travailleur peut aisément dépenser trois ou quatre mois de salaire.

*Conclusion sur les besoins*

Le sage de la maxime se contente de peu, mais son exemple n'est guère suivi. Notre civilisation matérialiste n'est même pas, comme le disait Marc Twain, « une suite infinie de besoins, dont on n'a pas besoin », car la souffrance et la privation ne sont pas de vains mots. Si les tâches qui se présentent ne correspondent pas toujours à la hiérarchie des besoins, tels qu'ils sont exprimés, une meilleure coordination est, à tous moments, concevable. Mais les besoins sont illimités et augmentent au gré de la technique.

*Conclusion sur la limitation du nombre des emplois*

L'idée selon laquelle des hommes restent sans emploi, parce qu'il n'y a aucun travail possible ni aucun désir de consommer davantage ne résiste pas à l'examen. En tout pays, des tâches utiles productives se présentent en dehors même des services, ainsi que des besoins non satisfaits.

*La notion de plein emploi*

C'est pendant la guerre, semble-t-il, avec Beveridge, qu'est née cette expression, jugée préférable au rituel « lutte contre le chômage », trop défensif. Mais le contenu en reste imprécis. Le plus souvent, l'expression semble concerner une satisfaction parfaite des personnes à la recherche d'un emploi, ce qui laisse de côté la question d'adaptation aux emplois existants. Selon une autre optique, l'expression « pleine utilisation des ressources humaines » aurait au moins l'avantage de montrer la finalité productrice de l'emploi, souvent oubliée.

Le plein emploi pose, en fait, deux questions :
– *désir plus ou moins vif d'avoir un emploi,* dans les cas marginaux, d'où plusieurs définitions possibles du plein emploi ;
– *adaptation professionnelle* entre emplois existants et emplois désirés.

Supposons qu'il y ait, dans un magasin, 3 000 paires de chaussures et que 3 000 personnes y entrent pour trouver une paire qui leur convienne. Si les 3 000 paires de chaussures du magasin y ont été mises au hasard, la probabilité pour que chaque personne trouve « chaussure à son pied » sera extrêmement faible.

Laissons maintenant cette image : une économie comprend :
– *des hommes qui entendent exercer telle ou telle activité rémunérée ;*
– en face, si l'on peut dire, *des hommes (en grande partie les mêmes) qui entendent consommer certains produits, au moyen de leur revenu.* Comme il doit y avoir à la longue, et avec la seule marge permise par le commerce extérieur, identité pour chaque produit ou service, entre les quantités produites et les quantités consommées, un ajustement parfait est concevable : nous pouvons, par exemple, considérer deux cas extrêmes :
– *toutes les personnes actives exercent les activités qu'elles désirent,* de sorte que les consommateurs sont tenus de consommer les marchandises (ou services) qui sont produites ;
– *les consommateurs consomment (dans la limite de leur revenu) les produits qu'ils désirent,* de sorte que les personnes actives sont tenues d'exercer les activités correspondantes.

En régime d'absolue fluidité, l'ajustement se fait par le double jeu des prix sur la consommation et des salaires sur la production et cela beaucoup plus près du second cas envisagé ci-dessus que du premier. En régime d'économie planifiée, l'autorité peut agir sur les consommations, sur les productions ou sur les deux.

Dans le régime capitaliste actuel, chacun reste libre de consommer ce qu'il désire, dans la limite de son revenu, net d'impôts, et libre aussi de chercher l'activité qui lui convient [1]. Le plus souvent et de plus en plus, du fait des rigidités croissantes, l'ajustement est imparfait. Non seulement, en l'absence d'un régulateur, national ou autoritaire, il faudrait un hasard extraordinaire pour assurer une coïncidence générale, mais la recherche particulière de certaines activités, plus agréables à exercer ou mieux rémunérées crée une distorsion permanente, systématique.

Les marchandises étant bien plus soumises à un marché que les salaires, le résultat du non-ajustement s'exerce au détriment des personnes qui cherchent certaines activités.

---

1. La liberté de consommer s'entend dans le cadre des lois : des impôts indirects peuvent modifier les prix et par suite les consommations. D'autre part, diverses lois ou règlements existent pour certaines professions (diplôme, notamment). La liberté subsiste, mais les données étant changées, la position d'équilibre l'est également.

En tout état de cause, dès l'instant que le nombre des emplois possibles est supérieur au nombre de personnes désireuses d'exercer une activité, il existe une position d'ajustement parfait entre les demandes et les offres. Comme les emplois qui se proposent sont loin d'être équivalents en agrément et rémunération, la position d'équilibre comporte un chômage partiel. Contrairement à une opinion très répandue, c'est le plein emploi des hommes qui est une situation de déséquilibre ou d'équilibre exceptionnel et précaire.

XII

# Modèle simple

C'est une mauvaise querelle que celle des « robinsonnades ». Le propre d'un modèle est de supprimer des facteurs gênants, secondaires ; l'essentiel est de les retrouver dans la généralisation progressive et l'application pratique. Pour saisir le mécanisme de la multiplication des emplois, il est essentiel de commencer par un modèle squelettique, mettant en évidence les mouvements discrets. Il ne s'agit d'ailleurs pas ici d'un robinson, puisque l'ensemble des personnes susceptibles d'intervenir n'est pas limité et que les rapports sociaux sont bien en vue.

*Un morceau de terre*

Voici donc une terre suffisamment isolée, qui appartient à un propriétaire, Pierre ; elle peut avoir des relations avec d'autres terres, sous forme de migrations, tout au moins, mais, dans le début, il n'y a pas d'échanges avec l'extérieur et la propriété privée est bien affirmée.

Il est inutile, ici encore, de faire intervenir la femme et les enfants de chaque agent économique, puisqu'ils ne modifient pas les proportions. Il suffit de dire que les « rations » sont familiales et de prévoir un multiplicateur quelconque.

Au début, la seule ressource est la pêche et la seule richesse produite, le poisson. Nous pouvons donc nous passer, pour le moment, de cette cause importante d'erreurs et de confusion qu'est la monnaie.

Le minimum vital d'un homme est 5 poissons ; au-dessous, il ne peut pas produire normalement ; la ration normale, satisfaisante, va de 8 à 10 poissons.

Il s'agit de voir de quelle façon peut varier le nombre d'emplois sur cette terre, en fonction de la technique utilisée.

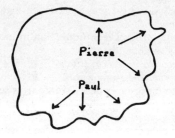

*Fig. 5 — État initial : deux emplois*

## État initial

Au début, la technique ne permet de poser des lignes de pêche qu'en quelques emplacements favorables :
– ces emplacements sont au nombre de six ;
– un homme parvient à utiliser et surveiller 3 lignes dans sa journée ;
– chaque emplacement permet de pêcher 2 poissons par jour. Il peut donc y avoir deux hommes au travail, Pierre, propriétaire et Paul employé par lui. A eux deux, ils pêchent 12 poissons.

Les deux hommes pourraient consommer 6 poissons chacun, mais comme Pierre est propriétaire, il s'adjuge 7 poissons, en n'en laissant que 5 à Paul.

Le tableau est le suivant :

| | |
|---|---|
| Nombre de lignes | 6 |
| Nombre de lignes exploitables par une personne | 3 |
| Poissons pêchés par ligne | 2 |
| Poissons pêchés par personne | 6 |
| Poissons pêchés au total | 12 |
| Nombre d'emplois | 2 |

– Pierre, propriétaire, a intérêt à embaucher Paul, puisque, grâce à son travail, il peut manger un poisson de plus (7) que s'il était seul (6).
– En revanche, il ne peut pas embaucher un second travailleur, car il n'y aurait pas assez de lignes, donc pas assez de poissons pour le nourrir.

– Il ne peut pas non plus prélever pour lui plus de 7 poissons, car la ration qui resterait pour Paul serait 4, inférieure au minimum vital.

Ainsi, l'équilibre est réalisé de façon logique et stable, avec deux emplois.

Survient un progrès technique. Son influence sur le nombre des emplois va dépendre :
– *de la nature du progrès réalisé ;*
– *de l'utilisation qui en sera faite.*

La nature du progrès peut être de trois sortes :
– un homme peut surveiller seul un plus grand nombre de lignes ;
– une ligne peut être aménagée de façon à donner plus de poissons ;
– des emplacements non utilisables peuvent le devenir.

### Progrès refouleur

Supposons que le progrès en question permette à un homme de surveiller 4 lignes, au lieu de 3. Pierre peut donc, à lui seul, pêcher 8 poissons et améliorer sa nourriture. Il n'a plus intérêt à employer Paul, car celui-ci n'aurait plus que 4 poissons, ration inférieure au minimum vital. Il disparaît donc, n'ayant plus de possibilité de vivre.

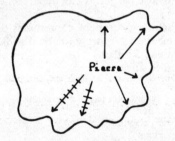

*Fig. 6 — Progrès refouleur : 1 emploi*

Dès lors, il n'y a plus qu'un seul emploi ; le progrès de la productivité a réduit le nombre des emplois. Ce cas représente, de façon assez simpliste, ce qu'on appelle économie de travail (labor saving). Le propriétaire Pierre a intérêt à utiliser cette forme de progrès, puisque son gain passe de 7 à 8. Il a, cependant, une autre solution, plus avantageuse : garder Paul et travailler moins lui-même. Paul produirait lui aussi 8 et ne recevrait toujours que 5. Pierre se contenterait de surveiller 2 lignes et de pêcher 4 poissons tout en en consommant 7. Le total des heures de travail est réduit au profit de Pierre et il y a un peu moins de deux emplois.

## Progrès neutre

Le progrès permet, cette fois, d'améliorer le rendement des lignes. Chacune d'elles rapporte 3 poissons au lieu de 2, mais il faut toujours un homme pour surveiller 3 lignes.

Le résultat sera le suivant :

| | |
|---|---|
| Nombre de lignes | 6 |
| Pêche par ligne | 3 |
| Pêche par personne | 9 |
| Nombre de poissons pêchés | 18 |

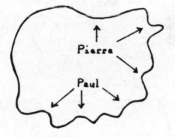

*Fig. 7 — Progrès « neutre » : deux emplois, plus productifs*

Pierre a intérêt à garder Paul à son service. Il peut, en effet, prélever un poisson (ou même deux) sur sa pêche, ce qui donne au moins :

| | |
|---|---|
| Ration de Pierre | 10 |
| Ration de Paul | 8 |

Mais Pierre n'a pas intérêt à embaucher un deuxième travailleur, car pour assurer à ses deux salariés le minimum vital, soit 10 poissons en tout, il serait obligé de prélever sur sa propre pêche (8 au lieu de 9) et de se priver.

Le progrès a, cette fois, simplement maintenu le nombre des emplois, tout en élévant le niveau de vie.

### Progrès multiplicateur

L'amélioration de la technique permet, cette fois, de tirer parti de nouveaux emplacements, jusque-là impropres, ce qui donne 9 sites exploitables, au lieu de 6. Il peut y avoir un travailleur supplémentaire, André. Comme le reste ne change pas, le résultat est :

| | |
|---|---:|
| Nombre de lignes | 9 |
| Pêche par personne | 6 |
| Pêche totale | 18 |
| Ration de Pierre | 8 |
| Ration de Paul | 5 |
| Ration d'André | 5 |

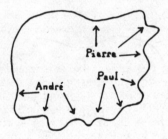

*Fig. 8 — Progrès multiplicateur : trois emplois*

Il y maintenant 3 emplois ; ce progrès est dans l'intérêt du propriétaire, puisque son gain passe de 7 à 8 poissons. Mais il ne peut y avoir 4 emplois, car la ration moyenne 4,5 serait sous-vitale.

Risquons une variante : André et Paul ne pourraient-ils pas s'entendre et faire pression sur Pierre, pour avoir une ration plus forte ? Ils sont en assez bonne position, car Pierre vivrait bien plus mal sans eux, mais dans une faible mesure seulement : s'ils passaient chacun de 5 poissons à 5,5, il ne resterait à Pierre que 7 comme dans le premier cas, et au-delà de 6 poissons, on retomberait à 2 emplois.

Ce progrès comporte une économie de capital (« capital saving ») ou plus exactement une extension du capital utilisé.

*Progrès intense : le déversement*

Nous touchons maintenant au point essentiel, en abordant le *déversement de la consommation* sur d'autres points que l'alimentation. Pour bien voir le rôle de ce transfert, reprenons le cas le plus défavorable, celui du progrès refouleur (fig. 6).

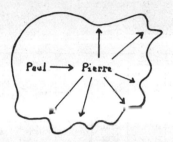

*Fig. 9 — Progrès refouleur avec déversement :*
*deux emplois retrouvés*

Supposons que Pierre, resté seul, accentue encore son progrès et cela dans le même sens, qui était défavorable, nous l'avons vu. Au lieu de relever 4 lignes dans sa journée, il parvient à exploiter les 6. Le voilà à la tête de 12 poissons, c'est-à-dire plus qu'il ne lui en faut. C'est alors le *déversement*. En gardant 7 poissons il peut prendre Paul à son service, pour faire sa cuisine, lui construire une maison, etc. Il y a de nouveau 2 emplois, bien que le progrès reste du type refouleur, et cela grâce à une production supplémentaire constituée par les services rendus ou les produits non alimentaires élaborés.

Et si ce progrès s'accompagne d'autres formes, le résultat sera meilleur encore. Si, par exemple, chaque emplacement donne 3 poissons (le même progrès neutre que précédemment), la pêche totale est 18 poissons obtenus par une seule personne. En se contentant de 8, Pierre peut prendre cette fois deux personnes à son service pour d'autres activités. Il y a 3 emplois à nouveau, sans avoir fait appel au progrès multiplicateur.

Dès lors qu'il y a déversement vers d'autres activités, le nombre d'emplois va augmenter, même si le progrès prend la forme « refouleuse » : dans le cas limite où un seul homme parviendrait à exploiter toute l'île nourricière, il y aurait encore plus d'emplois, car cette production, il ne pourrait pas la consommer. Le déversement permet, sous deux réserves, de donner autant d'emplois qu'il y a de rations alimentaires (voir p. 173).

Avant de voir ces réserves, récapitulons les résultats.

*Tableau d'ensemble*

| | 1<br>État initial | 2<br>Progrès refouleur | 3<br>Progrès neutre | 4<br>Progrès multiplicateur | 5<br>Progrès refouleur + accentué, avec déversement | 6<br>Progrès refouleur + progrès neutre, avec déversement |
|---|---|---|---|---|---|---|
| Emplacements de pêche | 6 | 6 | 6 | 9 | 6 | 6 |
| Emplacements utilisables par une personne | 3 | 4 | 3 | 3 | 6 | 6 |
| Poissons pêchés par ligne | 2 | 2 | 3 | 2 | 2 | 3 |
| Poissons pêchés par personne | 6 | 8 | 9 | 6 | 12 | 18 |
| Nombre total de poissons pêchés | 12 | 8 | 18 | 18 | 12 | 18 |
| Ration de Pierre | 7 | 8 | 10 | 8 | 7 | 8 |
| Ration de Paul | 5 | – | 8 | 5 | 5 | 5 |
| Ration d'André | – | – | – | 5 | – | 5 |
| Nombre d'emplois | 2 | 1 | 2 | 3 | 2 | 3 |

Voici maintenant le cas le plus général, le progrès s'étant étendu dans les divers sens :

| | |
|---|---|
| Emplacements de pêche | $n$ |
| Emplacements utilisés par personne | $l$ |
| Poissons pêchés par emplacement | $p$ |
| Poissons pêchés par personne | $pl$ |
| Nombre total de poissons pêchés | $pn$ |
| Ration alimentaire par personne | $r$ |
| Nombre de rations alimentaires | $\dfrac{np}{r}$ |
| Nombre de personnes utilisées à la pêche | $\dfrac{n}{l}$ |
| Nombre de personnes utilisées à des activités non alimentaires | $\dfrac{np}{r} - \dfrac{n}{l} = n\,\dfrac{pl-r}{lr}$ |
| Nombre total d'emplois | $\dfrac{np}{r}$ |

Tout ce modèle, établi en unités discontinues, pourrait être transposé sous la forme de fonctions continues.

### Innovations en matière de consommation

De quoi dépend l'importance du déversement, créateur d'emplois ? Du caractère du propriétaire évidemment, mais sa décision peut être influencée par des changements que nous pouvons bien appeler techniques : supposons par exemple, qu'un homme imagine une musique plaisante, des chants, une cuisine, etc., sans apport de matériel supplémentaire, cet agrément nouveau peut suffire à provoquer un déversement de consommation vers celui qui innove de cette façon. Ainsi, une autre forme de progrès technique, d'innovation, porte cette fois sur la *consommation* et peut compléter de façon opportune, la première.

### Intervention de la puissance publique

Restons toujours dans le modèle, tout en l'élargissant un peu. Pierre est propriétaire de la terre, mais non souverain, car elle fait partie d'un ensemble plus vaste. Ou bien encore, pour plus de commodité, disons que la terre s'est fortement peuplée, grâce au progrès et qu'un État s'est constitué.

Le déversement prend alors, en partie, une autre forme : la puissance publique prélève, sur le revenu de Pierre, et, au moyen de ce revenu, fait vivre des fonctionnaires : police, soldats, routes, etc., peu importe dans l'immédiat.

Nous pouvons toujours raisonner en unités *poissons*. Tout se passe comme pour le déversement privé, mais cette fois, il est public. Les emplois sont socialement plus utiles, mais leur nombre est le même, sous réserve que les rations restent les mêmes.

Il pourrait cependant ne pas en être ainsi. La puissance publique sera en effet, sans doute, moins féroce que le propriétaire. Si elle prélève sur lui l'équivalent de 30 poissons (la production a beaucoup augmenté), au lieu d'employer 6 personnes, payées de 5 poissons, elle peut estimer plus humain de donner à chaque travailleur 6 poissons. Seulement, elle ne peut alors en employer que 5. Dans ce cas, le déversement par l'État augmente bien le nombre des emplois, mais dans une moins grande proportion, du moins dans l'immédiat, que le déversement privé. Nous retrouverons, dans l'époque contemporaine, *cette opposition entre le nombre des emplois et leur rémunération*.

## Les limites possibles de l'emploi

Revenons aux deux réserves évoquées plus haut. Si étendu que soit le progrès technique, le nombre des emplois peut trouver deux limites :
– *les besoins*. Il peut se faire que Paul, propriétaire (ou même quelques travailleurs sous ses ordres) n'ait pas de besoins au-delà des besoins vitaux et de quelques suppléments, se contentant (c'est une image) de faire, comme Zénon d'Élée, de la philosophie, en traçant des figures sur le sable ;
– *les moyens*. Il peut se faire que, dans la terre en question, on ne trouve pas assez de bois pour faire la cuisine, pas assez de matériaux de construction pour faire des maisons, etc. L'insuffisance de ces ressources naturelles peut freiner le déversement, parce que les services purs [1] trouvent alors leurs limites

---

1. *Le service pur* donne une satisfaction à celui qui y fait appel, sans, pour autant, utiliser aucun capital, aucun objet.

humaines. Il est certes possible, dans le modèle, de tout permettre au progrès, mais nous concevons bien qu'il a lui-même ses limites (par exemple, il consomme de l'énergie, produit rare).

Ces deux objections ont été souvent présentées et le sont encore en diverses occasions. Nous les retrouverons.

## *Propriété privée ou collective*

Lequel de ces deux systèmes permet, à technique égale, d'avoir le plus d'emplois ? Il s'agit, bien entendu, d'emplois productifs, utilisant convenablement les techniques en cours.

Prenons d'abord les figures précédentes :

Dans la figure 6, progrès refouleur, Paul est éliminé, par le fait que Pierre, propriétaire, peut s'attribuer le produit de la pôche. Le collectivisme permettrait d'utiliser les 6 emplacements, de porter la production à 12 poissons et de maintenir les deux emplois antérieurs. Ils ne seront pas à plein temps ; le travail, insuffisant, devra être partagé. La solution collectiviste est meilleure, si la productivité ne s'en ressent pas.

Dans la figure 7 (progrès neutre), la production ne serait pas augmentée (toujours 18 poissons), mais elle serait mieux répartie, ainsi que le travail lui-même. Il pourrait y avoir 3 personnes, au lieu de 2, mais sous-alimentées et sous-employées ; éventualité peu probable.

Dans les autres cas examinés, le régime collectiviste est plus favorable à l'égalité ou à l'équité, mais pas nécessairement au nombre des emplois.

Prenons maintenant le cas le plus général, tout en restant dans l'économie de subsistance du modèle : dans le principe, il existe toujours une solution *collectiviste* susceptible de faire au moins aussi bien que la propriété privée et cela non seulement en termes d'égalité, mais en termes d'emplois. En effet, dès l'instant que la répartition est autoritaire, elle peut prendre la forme la plus appropriée au but choisi. Il reste à savoir si d'autres considérations que l'emploi ne peuvent pas prévaloir.

Le cas le plus intéressant est celui du déversement, le plus souple et le plus évolué. Le régime collectiviste peut, toujours en principe, adopter le déversement optimal, assurant le nombre d'emplois le plus élevé. Seulement dans la pratique, se présentent des difficultés. Elles ont déjà été soulevées (p. 191) à propos du prélèvement de la puissance publique. Il faut pousser plus loin ce qui nous amène à sortir un peu de l'économie pure.

## La rigueur féconde

Conservant encore un moment le modèle, prenons le cas où Pierre est à la tête de 40 poissons pêchés par 4 pêcheurs ; il peut, tout en en conservant 10 pour lui, faire vivre, avec les 30 autres, les 4 pêcheurs, plus 2 artisans ou serviteurs, tous limités à une ration de 5 poissons. Cela donne 6 emplois.

Mais, s'il se montre plus généreux, plus humain, où s'il cède à la sollicitation des 4 pêcheurs, en leur accordant à chacun 7 poissons au lieu de 5, le prélèvement est réduit à 12 et il ne pourra, tout au plus, utiliser qu'un artisan-serviteur ; le nombre d'emplois est réduit à 5.

Le collectivisme, libre de ces décisions, peut adopter des solutions différentes et même opposées :

– *suivre l'exemple précédent,* en accordant aux pêcheurs, évidemment prioritaires, puisqu'ils existent, une rémunération convenable, soit 7 poissons ou même 8, le nombre d'emplois de non-pêcheurs est réduit à 1 ou 0 et le nombre total des emplois à 5 ou 4 ;
– *accorder à l'emploi priorité absolue sur les rémunérations* et ne donner que 5 poissons à chacun, ce qui permet d'avoir 4 pêcheurs et 4 travailleurs non pêcheurs, soit 8 emplois.

Que dire de la probabilité de ces deux éventualités ? Les 4 pêcheurs, qui ont pris les 40 poissons, peuvent demander à se les partager ou résister à un prélèvement. Il faudrait, de leur part, un sentiment humanitaire, vraiment prononcé pour se priver jusqu'au minimum physiologique, en faisant appel à 4 auxiliaires, même compte tenu des services rendus par eux. *Primum vivere.* Pour assurer un rationnement aussi sévère, il faut une autorité. Peut-être le stade tribal est-il en état de le faire, mais dès que l'État constitué a une certaine dimension, il faut pousser plus loin. Nous retrouvons le cas du propriétaire (p. 158), dont la férocité permet de faire vivre plus de gens, parce que ses besoins s'étendent sur une zone plus large.

À un stade plus avancé encore, à partir du moment où les travailleurs sont largement rémunérés, ils peuvent pratiquer eux-mêmes un déversement et créer de nouveaux emplois. La complexité du problème nous ferait sortir du modèle ; nous la retrouverons.

## Les débuts de la machine

Au risque de devancer un peu notre programme, reprenons cependant un moment les cruels débuts de la machine et en particulier au début du XIX$^e$ siècle, si souvent mis en accusation. Lorsqu'un progrès technique survenait, c'était le plus souvent, sinon toujours, au profit de l'industriel. Il eût été plus humain de sa part, de répartir au moins une partie de son gain entre les mains de son personnel ; mais, par le jeu du déversement, il créait plus d'emplois (compensation des travailleurs éliminés par la machine) que s'il s'était montré plus généreux. Il ne consommait sans doute guère plus de nourriture qu'avant, mais employait des domestiques, des artisans, etc. Nous retrouvons, une fois de plus, le vieil argument immoral des partisans du luxe. Seulement, il faut en situer les limites.

Dans cette première moitié du XIX$^e$ siècle, le déversement a permis de faire face à l'émigration agricole vers l'industrie, mais n'a pas été suffisant (p. 109) pour assurer une progression notable des salaires par le jeu du marché. Dans la seconde moitié, le jeu de la concurrence a permis que revienne aux ouvriers une part de la production supplémentaire.

## En conclusion

Cet aperçu sur un modèle simple nous fait entrevoir divers phénomènes peu étudiés ou souvent négligés, en particulier :
— *les transferts de consommation (déversement) ;*
— *le circuit de travail ;*
— *les courts-circuits, générateurs de chômage* (antidéversement) ;
— *l'avantage des services purs.*

Nous retrouverons ces données essentielles, dans l'analyse, plus générale, des chapitres 13 et suivants.

XIII

# Les perturbations
# du progrès technique

Quelle que soit la situation initiale, elle est détruite par tout progrès technique, par tout changement de la façon de travailler. Dans la définition donnée dans la présentation, le progrès technique, a résulté, le plus souvent, jusqu'ici, de la décision d'un chef d'entreprise et cela dans un but financier. Or, tout changement décidé par une entreprise, dans le but d'améliorer sa rentabilité, provoque de proche en proche, des perturbations dans l'ensemble de l'économie, en particulier sur l'emploi.

*Perturbations réductrices d'emplois*

Citons-en quelques-unes :

1. *Économie de personnel,* la plus directe, la plus classique est la réduction du nombre de personnes nécessaire pour obtenir une production donnée. Elle peut être atteinte, avec le concours d'un matériel nouveau, mais aussi d'une meilleure organisation ou d'une amélioration du savoir-faire des hommes : jeunes générations plus instruites que les anciennes, accoutumance progressive à des techniques nouvelles (le *learning* des Anglo-Saxons), pression stimulante du chef d'entreprise ou des cadres, etc. Ces divers changements risquent d'entraîner des licenciements ou, tout au moins, une réduction du nombre des emplois.

2. *Économie d'autres facteurs de production,* outillage, matières premières ou demi-produits. Elle entraîne *surtout des perturbations en amont.* N'ayant plus le même *débouché,* les entreprises en question peuvent se trouver, elles aussi, dans la nécessité de licencier du personnel.

Si ces entreprises d'amont sont étrangères ou se fournissent elles-mêmes à l'étranger, le résultat est favorable dans l'immédiat. Inversement, des progrès techniques réalisés à l'étranger peuvent réduire directement des débouchés d'entreprises nationales, en dehors même de l'idée de concurrence.

3. *Les entreprises qui produisent les mêmes produits que les entreprises bénéficiant du progrès, sans être en mesure de bénéficier de ce progrès,* sont mises en difficulté et parfois dans l'obligation de supprimer des emplois. C'est souvent le cas des artisans ou des petites entreprises. Ce fut le cas du théâtre, lors des progrès du cinéma, après la première guerre et celui du cinéma, lors de la diffusion de la télévision, après la deuxième.

Il n'est pas nécessaire que le service rendu soit identique, ni même analogue : la diffusion de la voiture individuelle s'est faite en partie au détriment du logement, des vêtements, de la culture, etc.

4. Pour assurer, dans des activités, non (ou moins) touchées par le progrès technique, une augmentation de salaires analogue à celle qui est acordée ailleurs, des réductions de personnel, accompagnées de licenciements ou de non-recrutement sont parfois décidées, sans même faire appel à un matériel nouveau, particulièrement dans les services publics. Citons par exemple :

– *la réduction du personnel en contact avec le public dans les gares de chemin de fer ;*

— *le poinçonnage des tickets par le conducteur d'autobus ;*

– *la réduction, par la poste du nombre de levées ou de distributions.*

Le résultat est alors bien différent de celui qui résulte d'un progrès. Il se traduit, pour le consommateur, par une diminution du service rendu (donc du niveau de vie) et, pour le personnel, par une perte d'emplois, qui ne trouve pas les mêmes compensations que lors d'un progrès technique.

Dans les trois premiers cas, des emplois sont menacés directement. C'est le premier cas, le plus visible, qui est le plus souvent dénoncé, sinon combattu, parce que la relation entre la décision prise et le résultat est directe et bien en vue. Les pertes d'emplois, douloureusement ressenties, non seulement par les intéressés, mais par l'opinion, sont dénoncées d'autant plus vigoureusement que les méthodes actuelles de la comptabilité nationale ne fournissent aucune indication sur les perturbations secondaires, et les contreparties favorables qui peuvent en résulter en termes d'emplois.

*Les trois arguments classiques*

Dès l'apparition de la machine, nous l'avons vu, les économistes, et particulièrement les libéraux, ont contesté la formation d'un chômage définitif, au moyen de trois arguments que nous avons retrouvés à propos de l'informatique :
– *travail consacré à la production de la machine ;*
— *accroissement de la vente des produits bénéficiant du progrès,* grâce à la baisse de leur prix et la production de masse ;
– *apparition de consommations nouvelles ou augmentation de consommations anciennes.*

Le premier argument montre simplement que les pertes d'emplois sont moins élevées qu'il ne paraît en optique micro-économique, mais laisse le problème entier : si en effet, le nombre d'heures de travail consacrées à la construction de la machine équivalait aux nombres d'heures de travail économisées, il n'y aurait pas de progrès technique, du moins dans notre définition.

Nous allons nous attacher aux deux autres arguments et surtout au troisième, qui a été le plus négligé. Aucun des modèle macro-économiques actuels ne semble permettre de suivre le mécanisme, car ils sont exprimés trop étroitement en termes monétaires...

Du reste, nous cherchons, pour le moment, à décrire le mécanisme qui a permis, jusqu'ici, de récupérer le nombre des emplois, non la situation actuelle.


*Économie de personnel*

Plaçons-nous, pour simplifier, dans le cas où les autres facteurs de production ne changent pas, notamment l'outillage. C'est une meilleure organisation qui permet seule d'assurer la même production, avec un personnel réduit.

Dans quelles conditions le marché peut-il s'étendre, grâce à la baisse de prix ? Cette extension est-elle suffisante pour conserver le nombre des emplois de l'entreprise ou de la branche intéressée ? C'est l'application du second argument.

*L'extension du marché*

Simplifions encore, en supposant que les autres éléments du prix ne changent pas, à l'exception, évidemment, de l'achat des matières premières, ce qui suppose :
– *une concurrence suffisamment forte pour que le profit total n'augmente pas ;*
— *la réalisation du progrès sans matériel nouveau ;*
— *les impôts indépendants des quantités produites.*

Nous avons au départ :

$p$    prix d'achat de la matière première par unité produite
$E$    personnel employé
$S$    salaire moyen
$\Pi$    profit[1]
$A$    autres éléments du prix
$Q$    quantités produites et vendues
$P$    prix unitaire de vente

Le prix unitaire est :

$$P = \frac{pQ + SE + A + \Pi}{Q}$$

Grâce au progrès technique, la même quantité de produits $Q$ va pouvoir être fabriquée par un personnel $E'$ inférieur à $E$. Avec le même personnel $E$, on pourrait produire une quantité $Q'$ supérieure à $Q$. Le nouveau prix serait alors :

$$P' = \frac{pQ' + SE + A + \Pi}{Q'}$$

Pour qu'il n'y ait aucun licenciement, il faut que la consommation varie en sens inverse des effectifs :

$$\frac{Q'}{Q} = \frac{E}{E'}$$

D'où l'on tire la baisse de prix qui correspondrait au maintien des effectifs du personnel :

$$\frac{P - P'}{P} = \frac{(SE + A + \Pi)\,(Q' - Q)}{Q'(pQ + SE + A + \Pi)} = \frac{SE + A + \Pi}{pQ + SE + A + \Pi}\left(1 - \frac{E'}{E}\right)$$

1. Si le profit est maintenu par unité produite, il suffit de remplacer $\Pi$ par $\Pi Q$ et $\Pi Q'$.

Prenons un exemple, en faisant varier :

— *le salaire S*, donc la part de la masse salariale dans la valeur de la vente ;

— *l'intensité du progrès technique*, mesurée par $\dfrac{E}{E'}$, ou $\dfrac{Q'}{Q}$

Nous supposons :

$Q = 50 \quad p = 12 \quad E = 100 \quad A = 800 \quad \Pi = 200$.
$Q'$ varie de 55 à 62,5
$S$ varie de 4 à 13

Nous obtenons pour $\dfrac{P - P'}{P}$, c'est-à-dire pour la baisse de prix en %, le tableau suivant :

| $\dfrac{E'}{E}$ \ Salaire | 4 | 7 | 10 | 13 |
|---|---|---|---|---|
| 0,9 | 7,0 | 7,4 | 7,7 | 7,9 |
| 0,85 | 10,5 | 11,1 | 11,5 | 11,9 |
| 0,8 | 14,0 | 14,8 | 15,4 | 15,8 |
| 0,75 | 17,5 | 18,5 | 19,2 | 19,8 |

Ainsi, si l'économie de personnel est de 15 % ($\dfrac{E'}{E} = 0,85$) et le salaire égal à 10, c'est une baisse de prix de 11,5 % qui permettra le maintien des effectifs.

## La réponse du consommateur

La réduction de prix permise par le progrès étant connue, il s'agit de savoir si la consommation augmentera dans la proportion suffisante. Si *l'élasticité de la consommation, selon le prix, est très faible (cas classique du pain), la diminution des effectifs sera inévitable.*

Il faut donc savoir si la réduction du prix, calculée plus haut, correspondra à l'élasticité de la consommation. Le tableau ci-dessus, adopté pour fixer les idées, nous donne la réponse, en le lisant dans l'autre sens : si le salaire $S$ est égal à 10, une économie de 10 % sur les effectifs ($\dfrac{E'}{E} = 0,9$) permettrait une baisse de prix de 7,6 % ; à cette baisse devrait correspondre une augmentation de 11 % de la consommation.

Ainsi, il faut une élasticité de consommation assez importante pour que le progrès n'entraîne aucun licenciement. Le cas ne se présente *que pour des produits relativement nouveaux,* qui trouvent peu à peu une clientèle de plus en plus étendue (automobile, télévision, etc.).

En outre, l'hypothèse de maintien du profit est peu vraisemblable ; il est même possible que les *salaires soient, eux aussi, relevés.* La baisse de prix est inférieure à celle du cas précédent et la probabilité de maintien du nombre des emplois plus faible encore.

Si, cependant, le progrès est assez général et non limité à une seule branche, l'augmentation des revenus peut permettre des résultats plus favorables, mais il est bien difficile d'imaginer un maintien des effectifs de chaque branche ; une fois de plus, l'agriculture vient à l'esprit, car ses produits ne bénéficient que d'une faible élasticité de consommation.

Supposons maintenant que d'autres éléments du prix, par exemple les impôts, varient en fonction des quantités produites. Ce changement revient à augmenter $p$. Plus $p$ est élevé, plus la baisse du prix est faible.

Reprenons l'exemple précédent avec $S = 10$ et $p$ varient de 12 à 16, nous avons les baisses de prix suivants (en %) :

| $\dfrac{E'}{E}$ \ $p$ | 12 | 14 | 16 |
|---|---|---|---|
| 0,9 | 7,7 | 7,4 | 7,15 |
| 0,85 | 11,6 | 11,1 | 10,7 |
| 0,8 | 15,4 | 14,8 | 14,3 |
| 0,75 | 19,2 | 18,5 | 17,8 |

La baisse de prix relative diminue légèrement, lorsque le prix d'achat de l'unité augmente.

## Le déversement

Voyons maintenant le 3e argument classique, et vertu duquel les emplois perdus sont récupérés ailleurs : les professions ou consommations nouvelles donnent alors des emplois supplémentaires. Il ne s'agit pas seulement de branches nouvelles, ni de produits ou services nouveaux : des branches anciennes peuvent voir augmenter leurs ventes. C'est le phénomène essentiel du *déversement* ou transfert d'utilisation du revenu.

Quelles que soient les répercussions du progrès technique sur le marché, il y a toujours un bénéficiaire du progrès, c'est-à-dire une personne (ou plusieurs) dont le revenu augmente. Le plus souvent, c'est l'employeur lui-même, puisqu'il a pris sa décision dans ce but, mais il peut y avoir d'autres bénéficiaires :
– *les salariés* restés dans l'entreprise, soit que l'employeur tienne une promesse antérieure, soit qu'il veuille rendre son opération plus acceptable par le personnel ;
– *l'État*, si, en cette occasion, ou simplement vers la même époque, la fiscalité est augmentée. Pour une fraction, l'influence de l'impôt sur le revenu va toujours dans ce sens du fait de la progressivité ;
– *les consommateurs*, si l'employeur baisse ses prix, soit sous la pression de la concurrence, soit dans le désir d'étendre son marché et si les consommateurs ne maintiennent pas leur dépense dans cette branche.

*Quel que soit le bénéficiaire et quelles que soient les justifications ou les reproches qui peuvent être formulés, l'utilisation de ce ou de ces revenus supplémentaires crée des emplois ailleurs*, mais ces emplois ne sont identiques ni en nature, ni en nombre aux emplois perdus.
– *En nature*, en économie de marché, le coût de reclassement du travailleur (déplacement, formation nouvelle, parfois achat de matériel) est à sa charge, qu'il soit ou non salarié, de sorte qu'il n'intervient pas dans la comptabilité nationale, les frais étant considérés comme des dépenses des ménages (la plupart de consommation). Non seulement cette situation est contraire à l'équité, mais certains progrès techniques décidés par le chef d'entreprise ne l'auraient pas été, si la décision avait été prise dans le cadre national. Ainsi tout se passe, en somme, comme si certains investissements étaient financés en partie par des travailleurs non appelés à en cueillir les fruits.

Le chef d'entreprise qui voit son profit augmenter consomme en plus des produits de seconde nécessité ou bien recourt à des investissements ; les emplois ainsi créés ne correspondent pas aux emplois supprimés directement ou indirectement.
– *En nombre*, le nombre des emplois nouveaux nets résultant du déversement est-il inférieur ou supérieur au nombre des emplois supprimés ? L'expérience a jusqu'ici donné une réponse favorable, mais il s'agit de préciser le mécanisme. C'est le point le plus délicat.

Voyons d'abord l'importance du déversement en unités monétaires, puis son orientation et ses conséquences.

*Importance du déversement*

Nous précisons que le mot *déversement* s'entend par toute utilisation au-dehors de la branche progressiste, de revenus supplémentaires résultant de l'innovation.

Sans déversement, la consommation piétinerait sur des secteurs limités, ce qui entraînerait une limitation sévère du nombre des emplois. En poussant un peu, nous dirons que le chômage est alors la conséquence *d'un court-circuit entre producteurs à rendements décroissants*. Dans les conditions du modèle utilisé jusqu'ici, le déversement est toujours égal à la masse des salaires des salariés licenciés du fait de cette innovation.

Quelques cas simples vont éclairer la question.

*Le prix du produit bénéficiant de l'innovation ne change pas*

Comme les quantités produites et vendues ne changent pas non plus, le montant des salaires des travailleurs licenciés représente précisément le profit de l'employeur. Que celui-ci relève ou non les salaires des travailleurs restés en place ne modifie que la répartition du déversement, mais non son total. Du côté des consommateurs, rien n'est changé. Ainsi le déversement se compose :
– du profit supplémentaire ;
– de la majoration (éventuelle) de la masse des salaires payés aux travailleurs restés sur place.

En contrepartie, les travailleurs éliminés ne consomment plus.

*Baisse du prix du produit, mais élasticité de consommation négligeable*

Cette fois encore, les quantités produites et vendues ne changent pas ; le déversement total reste égal au montant des salaires des travailleurs licenciés, mais sa répartition est différente. Par rapport au cas précédent, il y a transfert partiel du revenu de l'entreprise vers les consommateurs. Le déversement total est alors réparti en trois fractions :
– profit supplémentaire ;
– majoration (éventuelle) de la masse des salaires payés aux travailleurs restés sur place ;

– économie réalisée par les consommateurs.

Toujours la même contrepartie des travailleurs éliminés.

### Maintien de tous les salariés en place

C'est le cas, examiné plus haut, d'extension suffisante du marché. L'élasticité de consommation du produit est suffisante pour que l'augmentation des quantités vendues permette de maintenir tout le personnel en place.

Cette fois la masse salariale des travailleurs ne diminue pas et le déversement total net est financièrement nul. Le profit supplémentaire de l'employeur est, en effet, compensé par un déversement négatif, en quelque sorte, une augmentation de la dépense des consommateurs, laquelle se traduit pour eux par la diminution d'autres consommations. Mais le déversement n'est pas neutre économiquement, car les produits achetés en plus par l'employeur ne sont pas les mêmes que ceux achetés en moins par les consommateurs.

En outre, le profit supplémentaire de l'employeur n'est pas égal à l'augmentation de la vente des produits, car le coût d'achat de la matière première (et éventuellement d'autres dépenses proportionnelles aux quantités vendues) est augmenté. Le déversement comprend alors :

– achats supplémentaires de matières premières ;

– profit supplémentaire de l'employeur.

De ce total se déduit la diminution de diverses consommations par les acquéreurs de produits.

### Cas général

Reprenant les notations antérieures :

$p$     prix d'achat de la matière première d'une unité produite
$Q$     quantités produites et vendues avant l'innovation
$Q'$     quantités produites et vendues après l'innovation
$\Pi$     profit de l'entreprise avant l'innovation
$\Pi'$     profit de l'entreprise après l'innovation
$E$     nombre de salariés avant l'innovation
$E'$     nombre de travailleurs après l'innovation
$s$     salaire moyen avant l'innovation
$s'$     salaire moyen après l'innovation
$P$     prix de vente d'une unité avant l'innovation
$P'$     prix de vente d'une unité après l'innovation

Le déversement est donné par la formule :

$$D = [p\ (Q' - Q)] + [\Pi' - \Pi] + [E'\ (s' - s)] + (QP - Q'P')$$

Le dernier terme $QP - Q'P'$ est, en somme, le déversement du consommateur.

Les quatre parties entre crochets correspondent aux quatre formes du déversement. Ce déversement total est, *dans tous les cas, égal au montant des salaires des travailleurs licenciés* $(E - E')\ s$ :

$$p\ (Q' - Q) + \Pi' - \Pi + E'\ (s' - s) + QP - Q'P' =$$
$$(E - E')\ s = D$$

ou autrement dit :

$$p\ (Q' - Q) + \Pi' - \Pi + QP - Q'P' = Es - E's'$$

$Es - E's'$, gain réalisé sur la masse salariale est, en effet réparti entre la dépense supplémentaire, le profit supplémentaire et l'économie eventuellement réalisée par les consommateurs. $Es - E's'$ *peut d'ailleurs être négatif*, lorsque l'élasticité de la consommation est suffisante pour que la dépense des consommateurs augmente.

### Pourquoi le nombre total des emplois a-t-il augmenté ?

Un examen global donnerait à conclure que le nombre des emplois est, après déversement, inférieur à ce qu'il était avant. En effet :
– les sommes transférées doivent donner le même nombre d'emplois qu'avant ;
– il reste les travailleurs licenciés. Ne sont-ils pas court-circuités ?

Deux raisons s'opposent à ce résultat négatif :
— *la demande totale est orientée différemment ;*
— *l'augmentation des quantités produites* n'a pas, dans notre modèle, été compensée par une *création monétaire.*

Ces deux aspects, bien différents, vont être successivement examinés.

### Orientation de la demande

La demande nouvelle, qui remplace la demande ancienne (celle des salariés licenciés) ne porte pas sur les mêmes produits et services. Or le résultat en termes d'emplois peut être très différent, comme deux cas particuliers vont le montrer.

## Deux cas particuliers

1. Le (les) bénéficiaire(s) du progrès ne décide aucune baisse de prix et utilise son supplément de revenu à acquérir *exactement les mêmes quantités des mêmes produits (ou services) que les travailleurs licenciés*. Cette identité est arithmétiquement possible, puisque ce supplément de déversement est égal aux salaires des travailleurs licenciés (nous laissons de côté ici la fiscalité ou quelques facteurs secondaires). La situation nouvelle est identique à l'ancienne, mais le gagnant prend la place des perdants. Même s'il y a plusieurs milliards d'équations, pour exprimer l'ensemble des actes économiques, dans une durée déterminée, elles resteront les mêmes, la substitution de personnes n'ayant aucune influence sur elles. L'élimination des travailleurs hors du circuit économique est alors totale, parce qu'*ils sont remplacés non seulement dans leur production, mais dans leur consommation*.

Mais la possibilité existe d'une création monétaire propre à provoquer leur remploi (voir page suivante).

2. *Le (les) bénéficiaire(s) du progrès prend à son service direct (service pur, sans intervention de matériel) les travailleurs éliminés ou un nombre égal de travailleurs sans emploi*, par exemple (mais pas nécessairement) sous forme domestique. Le salaire accordé est supposé le même qu'avant et les consommations aussi. Nous retrouvons la figure n° 9 du modèle simple (p. 184), où le propriétaire du domaine repend à son service le travailleur, dont il a pris la place.

Dans ce cas, le nombre d'emplois est aussi élevé qu'avant, mais il n'augmente pas. La situation n'est cependant pas identique au cas initial, car le service rendu vient en supplément : *le PIB est augmenté*.

## Cas général

La question de savoir si le nombre d'heures de travail résultant du déversement est égal ou supérieur à celui des heures de travail perdues ne peut donner lieu à une réponse même approximative, sans étude du circuit du travail (chapitre suivant). *A priori,* il semble négatif dans de nombreux cas (page précédente) mais il faut alors faire intervenir la possibilité de création monétaire.

*Création monétaire*

Le modèle utilisé jusqu'ici ne comporte pas de création monétaire et aboutit, dans de nombreux cas, à une baisse de prix. Cette baisse serait même la règle en régime concurrentiel. La baisse du prix des produits bénéficiant du progrès enrichit les consommateurs, en diminuant l'indice général des prix. On pourrait donc concevoir par un moyen ou l'autre, un prélèvement général sur ce gain, agissant selon le système du parapluie (redistribution) ; son produit permettrait de rémunérer des travailleurs à de nouvelles tâches. En fait, la fiscalité croissante a agi dans ce sens, bien que l'intention fût très différente.

Mais un autre facteur a joué : la création monétaire, soit par l'effet du crédit, presque seul au XIX^e siècle, soit, depuis la seconde guerre, par stimulation directe de la demande. Si cette stimulation reste dans les limites du progrès technique, elle devrait ne se traduire par aucune augmentation des prix.

Lorsque des travailleurs sont éliminés par un court-circuit de travail, les forces devenues disponibles permettent d'aller plus loin soit par le crédit, soit par la création monétaire. Il faut évidemment que des investissements suffisants soient créés en contrepartie. Les investissements réalisés ne peuvent pas de ce fait, être uniquement des investissements de productivité et ils ne l'ont d'ailleurs jamais été.

On admet de plus en plus que le mécanisme capitaliste ne peut fonctionner sans hausse des prix. Si celle-ci facilite certes bien des choses, surtout dans les temps contemporains, elle n'est cependant pas inévitable : de 1875 à 1895 environ, période recouvrant deux ou trois cycles classiques, *la baisse de prix a coïncidé avec la montée de la production.* Voici, pour les trois grands pays d'Europe, l'indice des prix de gros comparé à deux indices de l'activité économique générale à l'époque, la production de fonte et le portefeuille de la Banque Nationale :

|  |  | 1875 | 1895 Nombre | Indice |
|---|---|---|---|---|
| Prix de gros | France | 100 | – | 65,9 |
|  | Angleterre | 100 | – | 65,1 |
|  | Allemagne | 100 | – | 61,1 |
| Production de fonte en milliers T. | France | 1 448 | 2 004 | 138 |
|  | Angleterre | 6 467 | 7 827 | 121 |
|  | Allemagne | 1 759 | 4 770 | 271 |
| Portefeuille de la banque nationale en millions d'unités monétaires | France [1] | 6 535 | 13 382 | 205 |
|  | Angleterre | 19,2 | 22,1 | 115 |
|  | Allemagne | 403 | 574 | 142 |

Le régime capitaliste a perdu cette aptitude, par perte de fluidité, évolution qu'on peut rattacher à la concentration après la première guerre et aux changements de comportement des agents économiques. Ces rigidités sont examinées au chapitre 16. L'augmentation de la production va maintenant avec une hausse de prix.

L'extension de crédit rendue possible par l'existence de travailleurs sans emploi fournissait la contrepartie à leur offre de travail, parce que celle-ci était d'une grande mobilité. L'homme allait à l'argent plus que l'argent à l'homme.

### Dispersion selon les produits

Nous pouvons distinguer les produits bénéficiant du progrès et ceux dont la production nécessite toujours les mêmes quantités des divers facteurs de production. Dans chacune des deux catégories, il y a accroissement ou diminution de la vente, selon les cas.

Prenons d'abord les produits progressistes ; pour simplifier, nous pouvons supposer que les revenus restent les mêmes, les progrès se manifestent (également) sur les prix. Deux facteurs jouent, pour un produit, en sens inverse :
– la baisse de son prix est favorable à la vente ;
– la baisse de prix d'autres articles à plus forte élasticité de consommation peut détourner des acheteurs.

---

1. Nombre des effets escomptés (en milliers)

Exemple classique : bien que le progrès agricole, depuis la guerre, ait été plus élevé pour le blé que pour l'élevage, la consommation de pain a diminué au profit de la consommation de viande et de produits laitiers.

Pour les produits non progressistes, deux forces jouent également en sens contraire :
– l'augmentation relative de leur prix est défavorable à leur écoulement ;
– l'accroissement du pouvoir d'achat du consommateur peut les porter vers le produit jusque-là délaissé à cause de son prix.

Ce sont les élasticités de la consommation, selon le prix et selon le revenu, qui déterminent la position finale. Nous allons le voir sur des exemples.

### Coiffeur, relieur, restaurant

Le coiffeur pour hommes est un service tertiaire classique, qui tient une place notable à tous les stades du développement. Un progrès technique négligeable et la baisse relative d'autres produits ont nui à cette activité. La désaffection s'est manifestée après la première guerre, favorisée d'ailleurs par un autre progrès technique, le rasoir dit mécanique ou de sûreté, facilitant l'*autoservice*. Quant à la coupe de cheveux, elle est, elle aussi, devenue plus chère et son marché a plutôt diminué, en dépit de l'augmentation du niveau de vie.

Par contre, à la même époque, le coiffeur pour dames, luxe réservé longtemps à la haute bourgeoisie ou aux actrices, a bénéficié de l'amélioration générale du pouvoir d'achat et s'est démocratisé.

N'ayant guère bénéficié du progrès technique, la reliure est devenue plus coûteuse que d'autres satisfactions de seconde utilité : son débouché chez les ménages a diminué, en dépit de la hausse de leur pouvoir d'achat.

En sens inverse, le restaurant, activité elle aussi sans progrès technique appréciable, a vu sa clientèle augmenter, grâce à l'augmentation du pouvoir d'achat général.

### Changements de goûts

Ces préférences, qui agissent de façons diverses sur les élasticités de consommations, font intervenir des données subjectives non permanentes. Il peut arriver que les changements de goûts provoquent directement des perturbations, indépendamment de tout progrès technique. Par exemple, lorsque les hommes ont, en quelque sorte, décidé de ne plus porter de gants ou de chapeaux, les industries intéressées ont souffert, tandis que la consommation se reportait ailleurs.

Ces changements de consommation peuvent, à leur tour, agir comme stimulant du progrès technique.

## Une deuxième vague de perturbations

Quelle que soit leur origine, ces changements de revenus et de consommations se traduisent tour à tour, par de nouvelles perturbations en matière d'emploi. Par exemple, la baisse d'un produit *intermédiaire peut rendre rentable une production qui ne l'était pas.*

Même si l'ensemble des augmentations était égal à l'ensemble des pertes, la balance en termes d'emplois ne serait pas nulle, parce que les utilisations nouvelles ne sont pas identiques aux utilisations perdues. *Il n'y a donc pas de progrès neutre, comme l'ont pensé tant de théoriciens de la question.*

Toute perturbation, quelle qu'elle soit, exerce une influence sur le nombre des emplois.

Compte tenu de ces répercussions massives de proche en proche, il n'est guère de secteur qui ne soit atteint par un changement d'une certaine importance. Or, sans qu'on puisse parler de continuité, les changements fréquents en divers lieux et diverses branches provoquent un mouvement d'ensemble permanent, susceptible d'être suivi dans ses grandes lignes, par exemple la marche classique du secteur primaire vers le secondaire et le tertiaire ou encore la concentration urbaine.

Si nous voulons pénétrer plus avant dans l'intérieur du mécanisme, il nous faut voir d'abord quelques aspects du *circuit de travail,* en général.

# XIV

# Le circuit de travail

La comptabilité financière additionne des unités si dispara-
tes qu'elle ne fournit que des renseignements imparfaits et souvent trompeurs.

Lorsqu'une somme déterminée est accordée à un titre quelconque, à une personne, à une entreprise, à une collectivité, la
comptabilité nationale classique, et la théorie aussi, se conten-
tent, le plus souvent, de noter ce transfert d'espèces monétaires ; et cependant l'usage qui sera fait de cette somme influence l'économie nationale, non seulement dans sa production,
mais sur la quantité totale de travail fournie et, par suite, l'emploi. Pour apprécier le résultat, il faut tenir compte, non seulement de l'usage direct, en première vague, mais de l'orientation prise ensuite, en deuxième vague, puis par les suivantes.

Limitons-nous d'abord à la première vague pour approcher
le problème ; nous pouvons étudier deux orientations initiales
extrêmes du point de vue de l'emploi :

1. *Un voyage à l'étranger* ou un achat direct, sans intermédiaire, de produits étrangers ; il n'en résulte aucun emploi
national.

2. *Des services purs,* c'est-à-dire ne faisant appel à aucun
capital ou matériel périssable, non plus qu'à aucune perception
fiscale. Il en résulte des emplois supplémentaires.

Voyons les deux cas successivement :

*Dépense totale à l'étranger*

Dans ce cas, la dépense n'a, en contrepartie, aucun travail dans la nation. Selon certains monétaristes, l'équilibre de la balance des paiements se rétablit automatiquement, sans effort ni dommage, tôt ou tard, par une exportation équivalente. Sans étudier ce problème complexe et controversé, nous ne pouvons pas suivre cette vue, ne serait-ce que dans le cas où est réduite la réserve nationale d'or et de devises. À tout le moins, y a-t-il une perte initiale et la nécessité d'un effort pour la compenser. Le circuit est interrompu.

*Le service pur*

Voici le cas opposé :
Il peut s'agir, par exemple, d'un menu secrétariat, d'une expertise, d'une aide ménagère, etc. dans une limite inférieure au minimum imposable à l'impôt sur le revenu, dans un pays sans fiscalité propre sur de tels services. Le résultat, pour l'économie nationale est la fourniture d'un certain travail, l'augmentation du PIB et le transfert intégral de la somme à une autre personne.

Après cette première action, un travail a été fourni et nous sommes ramenés au cas initial. La somme donnée va prendre une certaine orientation (2$^e$ vague).

*Une chaîne de services*

Pour avoir une idée d'un circuit de travail par une chaîne de services (multiplicateur d'emplois) nous pouvons recourir à l'exemple d'une molécule chimique. Prenons par exemple les carbures hétérocycliques représentés par la figure 10.
Nous pouvons intercaler, tout au moins en théorie, autant de maillons $CH^2$ que nous voulons. L'image d'une farandole où s'intercalent des danseurs en nombre illimité se présente à

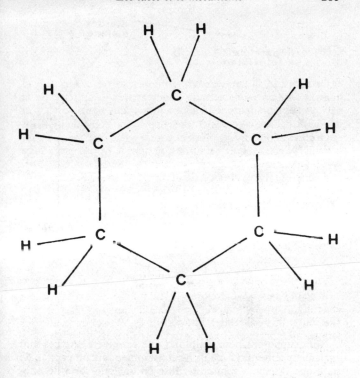

*Fig. 10 — Formule d'un cyclohexane*

l'esprit. Transposons cette image pour une chaîne de travail, en reprenant la somme qui va subir une nouvelle orientation en seconde vague.

Dans la meilleure hypothèse où la somme va être affectée, à chaque vague successive, à un service pur, nous nous trouvons devant un circuit indéfini pouvant assurer un nombre d'heures de travail illimité. Considérons, en effet, le circuit polygonal de la figure 11 :

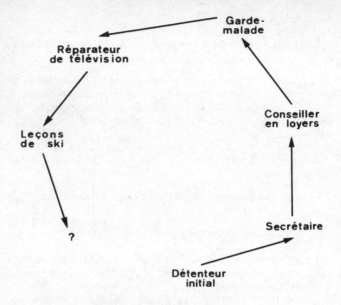

*Fig. 11 — Chaîne de services*

Nous supposons pour simplifier que ces divers services sont également rémunérés, qu'ils ne consomment aucun capital, de sorte que la même somme fertilise en quelque sorte l'économie, de proche en proche, sans qu'on puisse, a priori, assigner de limite au circuit multiplicateur de travail.

Nous pouvons, d'ailleurs, imaginer que le circuit se ferme par retour de la somme au détenteur initial.

Nous pouvons aussi remplacer la somme initiale lancée une fois pour toutes dans l'économie, par un flux, un débit régulier. Le revenu d'une personne ou bien un revenu supplémentaire permanent peut créer non plus un certain nombre d'heures de travail mais un nombre d'emplois, permanents eux aussi, qui dépend de la façon dont ce revenu est dépensé. Une question se pose alors : *le circuit idéal, optimal est-il illimité et, avec lui, le nombre d'emplois créé ?*

*Les limites du circuit*

La réponse est évidemment négative, car le circuit est limité de diverses façons :

1. *L'homme ne peut pas vivre uniquement de services purs ;* à tout le moins doit-il se nourrir et acquérir certains produits.
2. L'examen de ce circuit suggère une *idée excessive de facilité* de marche, en roue libre, qui suppose un chômage étendu.
3. Les services purs sont en *nombre limité* dans la société.
4. Sur chaque transaction peut se greffer une *perception fiscale ou sociale.*

Voyons successivement ces diverses causes de limitation.

*La consommation en services purs n'est que partielle*

Pour imaginer un circuit indéfini en services purs, il faudrait penser à quelque île d'Océanie où les fruits poussent naturellement et suffisent aux besoins de l'homme. Comme des difficultés se présenteraient encore, il faudrait en arriver au paradis terrestre.

Le circuit ne peut donc se concevoir que pour l'emploi partiel d'un revenu au-delà de la consommation matérielle en produits. Quelle que soit l'importance de la mise initiale (déversement) il peut y avoir déperdition à chaque transmission. Si, par exemple, à chaque transmission, la moitié de la somme reçue est consacrée à des services purs, le multiplicateur se limite à 2. Il est d'ailleurs plus vraisemblable que la *déperdition sera non pas proportionnelle à la somme reçue, mais constante en valeur absolue,* chaque personne prélevant, en priorité, de quoi satisfaire ses besoins en produits.

Voici un exemple : supposons qu'à la suite d'un progrès technique, le bénéficiaire (nous le supposons unique, pour la simplicité du calcul) consomme, de façon permanente et continue, une somme égale à 4 revenus normaux (qui pourraient être justement ceux des ouvriers éliminés par le progrès technique) ; à chaque personne de la chaîne, est retenue pour des dépenses nécessaires (alimentation, etc.), une somme égale à un revenu.

Nous avons la chaîne suivante, en prenant le revenu normal pour unité :

| Personne | Somme reçue | Dépense matérielle | Dépenses en services purs |
|----------|-------------|--------------------|---------------------------|
| 1 | 4 | 1 | 3 |
| 2 | 3 | 1 | 2 |
| 3 | 2 | 1 | 1 |
| 4 | 1 | 1 | 0 |
|   |   |   | 6 |

Il y a donc en services purs l'équivalent de 6 revenus normaux, soit un multiplicateur 1,5. En outre, les sommes versées pour les dépenses normales matérielles seront, en partie, source de travail. Le nombre d'emplois créés est donc supérieur à 1,5.

Il y a cependant une *possibilité de circuit total,* si chacune des personnes de la chaîne a déjà un revenu propre qui satisfait ses besoins en produits. Cette éventualité a une probabilité nulle en économie de subsistance, mais de *plus en plus élevée en économie très évoluée.*

### Facilité et obstacles

Dans le schéma de la figure 1, il est supposé implicitement qu'il y a, à chaque maillon, une personne disponible susceptible de répondre immédiatement à la demande de service. Même en période de chômage, il n'en est jamais tout à fait ainsi. L'exemple anecdotique de la bague et du chèque va éclairer ce point important.

### La bague et le chèque

Examinons donc la question d'*élasticité de l'offre de service,* en rappelant l'histoire qui, pendant la grande crise des années 30, avait déconcerté non seulement l'opinion américaine, mais plus d'un économiste.

Un jeune homme entre dans une bijouterie et achète une bague de 1 000 dollars qu'il paie avec un chèque ; le bijoutier, satisfait de cette recette, achète la voiture[1] qu'il désirait, depuis

---

1. Les chiffres correspondent à l'époque de l'histoire ; ils peuvent naturellement être multipliés en fonction des prix actuels.

quelque temps déjà et endosse, à cet effet, le chèque. Et le circuit se poursuit, jusqu'au 10ᵉ possesseur du chèque, qui n'acquiert rien, présente le chèque à la banque et apprend qu'il est sans provision.

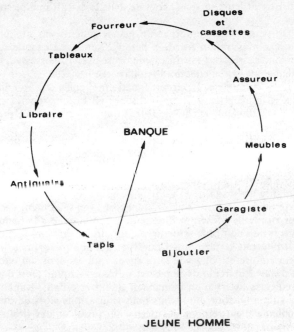

*Fig. 12 — L'apologue du chèque sans provision*

Les dix signataires se réunissent et décident de se partager en parties égales la perte de 1 000 dollars ; chacun doit donc perdre 100 dollars et se résigne. Le marchand de tableaux annonce, cependant, qu'il ne perdra pas 100 dollars, car il a gagné 200 dollars, dans sa vente. Il gagne net donc 100 dollars.

Chacun s'aperçoit alors qu'il est dans le même cas. Ainsi, les 10 personnes ont gagné chacune 100 dollars. En outre, le jeune homme a eu une bague pour rien.

Analysons quelque peu cette opération, qui semble atteinte de sortilège. Elle éclaire la question du circuit et même le sujet entier de l'ouvrage.

Il s'agissait partout de commerçants ; en outre, ils étaient *tous en sous-emploi*. Le circuit n'a, de ce fait, rencontré aucune résistance, il a fonctionné, en quelque sorte, en roue libre. Les commerçants auraient pu être remplacés par des personnes fournissant leurs services, comme dans le circuit indiqué page 214.

On peut même renforcer un peu le schéma, en supposant que l'administration fiscale a perçu 20 dollars à chaque transaction. Le résultat est du même ordre ; les 10 possesseurs du chèque ont gagné chacun 80 dollars et l'État 200.

Dans ce modèle, le circuit fonctionne, quels que soient les prix et le bénéfice unitaire réalisé. Si chaque marchand avait vendu 1 200 dollars, au lieu de 1 000, le résultat eût été le même en « dollars constants ».

Seulement, si, en un seul point de la chaîne, s'était produit un accroc, fût-ce même un retard, tout aurait été arrêté ou ralenti.

Supposons, par exemple, que le fourreur n'ait pas la marchandise en magasin et qu'il faille procéder à une opération matérielle, ne serait-ce qu'un transport. Non seulement l'acheteur risque de présenter directement son chèque à la banque, mais il ne s'agit plus seulement d'un circuit sans production.

Il pourrait se faire aussi que l'un des commerçants soit en plein emploi et obligé de faire appel à un vendeur, ou encore qu'il y ait 3 marchands de tableaux en sous-emploi, alors que le circuit des désirs n'en demandait qu'un et qu'en revanche il n'y ait aucun fourreur. Nous nous trouverions alors devant le problème d'ajustement des désirs de travail et des désirs de consommation, abordé plus loin.

L'apologue de la bague et du chèque n'est pas imaginaire. C'est à peu près l'histoire de Schacht et des traites de travail (p. 80).

Voyons maintenant le troisième obstacle.

## Les services purs sont en nombre limité

Il y a, dans la société contemporaine, un nombre croissant de services, mais, le plus souvent un certain matériel est nécessaire, ce qui réduit l'élasticité de l'offre. Éclairons, comme précédemment, ce point par une anecdote modèle, bien classique, d'un service réciproque entre deux personnes :

Deux voisins, un coiffeur et un cireur, vivent en bonne

entente. Le cireur de chaussures cire, tous les jours, celles du coiffeur, qui, en revanche, lui rase la barbe. Il y a, dans cette situation, deux emplois partiels.

Un jour, les deux hommes se brouillent et cessent ce service réciproque. Désormais, le cireur se rase lui-même, tandis que le coiffeur cire ses propres chaussures. L'activité fournie est aussi élevée qu'auparavant, mais, comme elles sont retirées du secteur marchand, elles n'ont plus d'existence économique ; plus exactement, elles échappent à tout compte, de sorte que le revenu national (ou le PIB) est diminué, ainsi que le nombre d'emplois [1].

Pourquoi les autoservices, même interfamiliaux, ne sont-ils pas inclus dans la comptabilité nationale ? Non seulement, ils ne sont pas marchands, mais leur définition est, même en théorie, impossible. Nous touchons là les limites de la science économique elle-même ; seulement la comparaison entre deux époques, pour un pays donné en évolution, ou bien entre deux pays de développement et de modes de vie différents, en est quelque peu faussée.

Nous retrouverons page 311 le cas des autoservices.

*Vues générales*

Lorsqu'une somme déterminée peut être accordée à un titre quelconque, à diverses personnes de conditions différentes, deux facteurs sont le plus souvent pris en considération :
– *l'équité,* notion subjective, mouvante, qui tend parfois à s'identifier avec la recherche de l'égalité. Ce souci conduit à accorder la somme en question aux personnes de plus bas revenu ;
– *le mérite de la personne,* lequel peut s'entendre de diverses façons.

Un troisième aspect, de grande importance, mais le plus souvent ignoré ou négligé, fait intervenir *l'usage qui risque d'être fait de la somme en question.* Selon l'orientation prise, la production et le nombre d'heures de travail correspondant peuvent varier de façon notable :

---

1. Dans la pratique, les deux services réciproques n'échappent à la comptabilité que par une dissimulation, légale ou non, de ces transactions non monétaires.

*Orientations favorables et défavorables*

Toute demande paraît favorable à l'emploi, mais, si elle rencontre quelque part dans l'économie, de façon directe ou indirecte, une certaine résistance, le résultat final peut être défavorable.

Nous avons déjà opposé le voyage à l'étranger (défavorable) et le service pur (généralement favorable), mais d'autres facteurs entrent en jeu. Le facteur essentiel est *l'élasticité de l'offre* du produit ou du service demandé. Sous cette expression, à peu près ignorée de l'opinion, et largement des économistes, il faut entendre *la facilité de la réponse en quantités, en prix et en délai.* L'offre est totalement élastique, lorsque la production répond :
– sans augmentation de prix ;
– rapidement, disons même instantanément ;
– sans appel à l'étranger ;
– sans créer nulle part quelque rareté, quelque goulet, même léger.

L'image de la roue libre peut être évoquée à nouveau. On peut faire intervenir la considération de rendement croissant (ou tout au moins constant) ou décroissant. Les apparences sont, une fois de plus, opposées à la réalité ; n'est pas nécessairement favorable à l'emploi une demande qui nécessite un grand nombre d'heures de travail, mais une *demande qui, directement ou indirectement, fait appel aux professions excédentaires,* sans créer de goulet, même léger. Si le prix de revient d'un produit diminue sous l'effet de la demande, il y a, en apparence, moins de temps de travail pour une unité produite, mais cette amélioration permet de *stimuler la demande, sans pression inflationniste.*

Une demande qui fait largement appel à une ressource naturelle est presque toujours de tendance inflationniste, donc défavorable à l'emploi, en valeur relative bien entendu. L'argument courant, selon lequel l'économie est si déprimée que toute demande supplémentaire peut être immédiatement satisfaite, n'est pas suffisant pour affirmer le caractère « favorable » de la demande, à moins que les *stocks ne soient largement excédentaires* et difficiles à exporter.

Citons, dans les économies occidentales contemporaines, quelques orientations (relativement) défavorables à l'emploi :
– viande, notamment si elle est de première qualité ;
– logements, en agglomération urbaine ;

– transports privés, en agglomération urbaine ;
– toute demande en période de pointe ;
– demande d'appareils de précision (en France, du moins, car ils viennent en grande partie de l'étranger) ;
– produits ou services, où entre une importante quantité d'énergie.

Voici, au contraire, des orientations « favorables », tout au moins à court terme :
– appel à des services de professions excédentaires ;
– toute demande *en période creuse* (hôtels, transports, spectacles) ;
– demande de produits de grande série, pour lesquels l'outillage est suffisant, livres, périodiques, etc. ;
– demande de produits pour *lesquels les stocks sont importants*.

## Goulets et ralentissements

Nous trouvons ici une nouvelle opposition, en régime capitaliste, entre les apparences et les réalités. L'opinion courante, les hommes politiques, les experts eux-mêmes, s'attachent spécialement aux secteurs déprimés, aux branches et régions en chômage. Voyant des hommes et des forces de travail inoccupés, *ils localisent*, en cet endroit, le mal, alors qu'il se trouve au contraire dans les secteurs engorgés, même très discrètement.

Chacun a, cependant, bien en vue le phénomène, quand il se trouve devant une canalisation d'eau ouverte ou fermée une rivière, un tuyau, etc. ; ce n'est pas le point où la section n'est que partiellement traversée par le courant qui doit attirer l'attention, mais à l'inverse, celui où cette section est pleinement remplie. Tout rétrécissement même léger d'un tuyau ralentit le courant. S'en prendre au point d'utilisation partielle, c'est prendre la cause pour l'effet (voir p. 272).

La notion de *goulet a été bien saisie pendant la guerre* et la pénurie, parce que le phénomène était très visible, mais a été perdue de vue, depuis le retour à l'économie de marché, alors qu'elle est toute aussi impérieuse, tout en ayant des effets moins visibles.

Nous touchons là un point essentiel de l'économie contemporaine et de toute la théorie de l'emploi.

*Les crises périodiques anciennes*

Avant la grande crise des années 30, se produisaient à des intervalles allant de 5 à 11 ans, des chutes, dites crises périodiques.

La littérature sur le sujet est d'une grande abondance, et fait, le plus souvent, intervenir des phénomènes de crédit. Le crédit, qui, dans la période ascendante, s'étendait peu à peu, en même temps qu'augmentait la production, s'effondrait, tout d'un coup en un point ; le craquement se répercutait ensuite dans le monde entier, sur tous les marchés. Telle est, sommairement l'explication courante.

C'est se borner au visible, voire au spectaculaire. C'est ainsi que la grande crise de 1929 est attribuée communément, au « vendredi noir » d'octobre 1929. En fait, les prix et les valeurs avaient commencé à baisser dès le mois de février, en plusieurs places, notamment aux États-Unis.

Quelques auteurs (André L.A. Vincent notamment) ont fait intervenir la possibilité d'une insuffisante réponse de la demande, que nous qualifierions aujourd'hui d'inflationniste. Cette non-réponse pouvait tenir à des questions d'emploi ou d'équipements, bien localisées. Le refus de suivre et de pousser était prononcé, si l'on peut dire, par le mécanisme de l'étalon or, despote inflexible, ce qui conduisait à un effondrement, plus ou moins accentué, de la pyramide de crédits.

Il ne s'agissait pas d'une saturation générale, nombreux étaient encore les marchés où l'offre était suffisamment élastique et le plein emploi n'était pas absolu ; il suffisait de quelques endroits discrets. Le moment du reflux n'était pas, lui non plus, déterminé avec précision ; dans toute l'économie mondiale, c'était une série de tâtonnements, mais la limitation des encaisses or et leur défense ne permettait pas une augmentation indéfinie de la production et surtout des prix.

S'il y a eu de nombreuses théories pour expliquer les crises, les reprises ont été moins étudiées. Celles-ci survenaient bien avant d'avoir atteint le fond possible d'équilibre stable sans crédit. Il suffisait que l'élasticité de l'offre fût devenue suffisante ; mais comme il ne pouvait pas y avoir précipitation spéculative, la remontée était moins brusque et plus lente que la descente.

*Experts et socio-politiques*

En régime de démocratie semi-libérale, l'opinion joue un rôle de plus en plus accentué dans l'économie. On aurait pu concevoir, que, comme en médecine, la science diffuse peu à peu et, tout au moins, impose ses vues ; cette voie s'est trouvée impraticable, non seulement parce que les idéologies les plus opposées l'ont emporté, en se parant de l'habit scientifique, à défaut de l'esprit, mais parce que l'observation raisonnée a été largement combattue, sous le nom réprouvé de technocratie. Le soldat, le combattant dans le rang affirme et croit être le mieux placé pour voir la marche de la bataille.

Dès lors, le chemin suivi par l'économie a été inverse de celui de la médecine. Soucieux des reproches qui sont formulés contre eux, les experts ont peu à peu cédé devant l'opinion de la majorité, particulièrement sur les points les plus délicats, comme le chômage. Les avis exprimés par l'O.C.D.E. à l'échelle internationale et même l'I.N.S.E.E. en France sont symptomatiques.

C'est en matière de chômage que cette soumission est la plus forte ; comme il arrive le plus souvent en pareil cas, c'est en pleine sincérité que se forment les déviations. L'attention portée aux secteurs qui souffrent, c'est-à-dire les secteurs en chômage et les chômeurs eux-mêmes, est aussi estimable que prometteuse d'échec. C'est sur le plan socio-politique, la cause fondamentale du cumul inflation-chômage, jugé longtemps impossible.

*Un exemple français*

En France, sur la centaine de statistiques régulièrement établies, sur l'évolution économique, une seule fait intervenir la notion de goulet ; encore a-t-elle été insérée à contrecœur dans le réseau et est-elle à peu près exclue de l'analyse courante, la demande retenant seule l'attention des analystes[1].

Pour cent entreprises, le nombre de celles qui ne peuvent pas produire davantage, faute de moyens (personnel ou équipements le plus souvent) s'est présenté ainsi :

---

1. Cependant, une certaine attention commence à être accordée à l'élasticité de l'offre (modèle DMS, M. Courbis, A. Barrère, etc.).

|      | Mars | Juin | Octobre ou Novembre |
|------|------|------|---------------------|
| 1974 | 38   | 39   | 22                  |
| 1975 | 13   | 11   | 15                  |
| 1976 | 17   | 22   | 20                  |
| 1977 | 19   | 23   | 17                  |
| 1978 | 19   | 18   | 19                  |
| 1979 | 23   | 24   | 27                  |

En juin 1974, la situation était fortement inflationniste ; mais, en juin 1975, au plus fort de la dépression, il y avait encore une entreprise sur dix ne pouvant pas produire davantage et freinant de ce fait, l'ensemble de l'économie.

Si, en effet, ces entreprises avaient « forcé un peu la vapeur », par exemple en allongeant la durée du travail, en faisant double équipe, en recrutant un personnel supplémentaire de moindre qualité, en employant des équipements moins au point, etc., elles auraient acheté davantage en amont, payé plus de salaires, réalisé plus de bénéfices, etc. Ces revenus supplémentaires auraient provoqué une demande dans d'autres branches moins favorisées et ainsi de proche en proche.

## Court terme et long terme

Le caractère, favorable ou non, d'une demande répond en partie à des conditions conjoncturelles. Il peut se faire que l'influence à long terme soit différente et même de sens contraire.

Prenons un exemple : les jeunes ont tendance en tout pays, et dans la mesure où une latitude suffisante leur est laissée, à rechercher les professions les mieux rémunérées et les plus agréables, lesquelles ne sont pas nécessairement les plus productives, déjà en situation d'équilibre, et sont franchement improductives dans la mesure où elles sont excédentaires. Une orientation de la demande en leur faveur, pour donner du travail, n'est efficace qu'à très court terme, car, en supprimant l'adaptation naturelle, elle rend le déséquilibre permanent et peut même l'accentuer. Les exemples sont nombreux.

De façon plus générale, la recherche du plus grand nombre d'emplois à moyen ou long terme et celle du plein emploi dans l'immédiat appellent des moyens différents et souvent opposés.

## Spontanéité ou incitation

Que certaines orientations du revenu soient favorables à l'emploi ne signifie pas qu'il faille les provoquer de façon plus ou moins autoritaire. Une privation de liberté peut en effet tout arranger mais au détriment de quelque chose ; les marchés ont souvent été faussés dans les pays socialistes, par des rationnements des produits rares, obligeant à reporter les consommations vers les produits excédentaires. Sans critiquer une telle politique, signalons que ce n'est pas notre problème.

Les pays occidentaux recourent souvent à des incitations, par voie fiscale. Certains produits de nécessité seconde (pour ne pas employer le mot luxe) et d'autres jugés nocifs (tabac, alcool) sont plus taxés que d'autres, mais l'objectif n'est jamais ici l'accroissement du nombre des emplois. Les objections viennent précisément de professions qui craignent de perdre ainsi des emplois.

Certaines mesures sont cependant inspirées par le souci de l'emploi. Par exemple, l'obligation de consacrer un certain pourcentage des dépenses publiques à des travaux de décoration a moins pour objet de favoriser les arts que de venir en aide à une profession en sous-emploi.

Une incitation inspirée par l'emploi peut compenser une distorsion accidentelle, mais si la distorsion est permanente, elle risque, répétons-le, de l'entretenir.

## Décisions a contrario

Il arrive aussi que d'importantes décisions publiques, ou même privées, lorsqu'il s'agit de grandes firmes, soient inspirées indirectement par la répartition de la population à la recherche d'un emploi.

Considérons, par exemple, la Sécurité sociale. En aucun pays, elle n'a été créée dans le but de créer des emplois, tant son objet propre est impérieux. Mais sa réalisation a été facilitée par l'abondance, sinon la pléthore, dans la population active, de tertiaires de culture moyenne, sans qualification propre ou de qualification juridique. Si l'application de la loi avait exigé un nombre important de spécialistes rares, il aurait fallu simplifier les dispositions ; par exemple le petit risque, si coûteux par les frais qu'il entraîne et les fraudes qu'il risque de suggérer, aurait été tenu hors de l'assurance. Divers services publics ont subi, de la même façon, une certaine incitation indirecte, par absence de résistance : courses de chevaux, loterie et loto, alors qu'à l'inverse, les forêts (entretien, reboisement) rencontrent plus de difficultés et voient de ce fait, une limitation de leurs crédits qui eût été moins rigoureuse, si de nombreux travailleurs avaient été disponibles dans cette branche. À la limite, *c'est l'organe qui crée la fonction*.

## Orientation selon le revenu

Le problème est le suivant : si une somme déterminée (ou un flux) peut être affectée à diverses personnes (ou classes) y a-t-il intérêt, du point de vue de l'emploi (donc en laissant de côté les questions d'équité, de mérite, etc.), à l'attribuer à une personne (une classe) aisée, moyenne ou modeste ? Le cas se pose par exemple, pour l'échelle des salaires, mais la question va bien plus loin.

Un revenu brut peut recevoir trois affectations :
– l'impôt ;
– l'épargne avec sa conséquence fréquente, l'investissement ;
– la consommation.

*L'impôt sur le revenu* est, en tout pays, soumis à une certaine progressivité. Il y a donc intérêt, du point de vue de la puissance publique, à ce que la somme en question (le flux) soit attribuée à une personne (une classe), titulaire d'un revenu élevé. Cet intérêt se retrouve, de façon générale, en termes d'emplois, par le phénomène du « parapluie » ou du déversement par voie publique.

Le rôle des impôts indirects est moins clair et bien des préjugés tenaces sont à dissiper à leur égard ; cependant une certaine progressivité des tarifs existe également pour eux.

Voyons maintenant *l'épargne*. Elle croît, elle aussi, plus vite que le revenu. Quel est son effet sur l'emploi ?

Si elle est affectée à *l'investissement*, son rôle est favorable à long terme par le jeu de l'expansion. À court terme, l'effet est plus difficile à juger et plus variable aussi ; c'est l'élasticité de l'offre qui est alors en question.

*Si elle sert à combler un déficit du budget de l'État ou des collectivités locales,* son rôle reste néanmoins favorable, parce que sans elle, la réduction des investissements aurait dû faire la contrepartie. Du reste, dans l'immédiat, son rôle est analogue à celui de l'impôt, aux écritures près. Il n'en est pas de même à terme, puisque le paiement des intérêts correspond à un déversement en sens inverse, mais l'inflation réduit de façon considérable cet inconvénient.

Il reste à voir le troisième poste, les dépenses de consommation des ménages.

### La consommation selon le revenu

Il est couramment admis, depuis Engels, que la part de l'alimentation dans les dépenses diminue, lorsque le revenu augmente. L'alimentation relève, le plus souvent, du secteur primaire, agriculture et pêche, dont la production est peu élastique.

En économie de subsistance, tout transfert de revenu du chef d'entreprise vers les ouvriers augmente la consommation alimentaire, nous l'avons vu et tend à confirmer l'élimination des travailleurs, parce qu'*ils sont remplacés non seulement en production, mais en consommation.*

La situation est aujourd'hui différente, car l'amélioration des conditions, au-dessus du minimum vital, a diversifié les consommations. La répartition d'un budget de ménage varie cependant largement, selon son importance. Diverses expériences et enquêtes permettent d'en juger.

### Les enquêtes de budgets de famille

Des enquêtes ont été faites, en divers pays, pour connaître les quantités consommées par diverses catégories de personnes ; le plus souvent, la variable exogène est le revenu ou le niveau culturel. Mais ces enquêtes sont laborieuses et délicates, les enquêtés ayant tendance à se faire moins riches et plus « vertueux » qu'ils ne le sont.

Voici les principaux résultats de l'enquête française de 1956 en % (en francs nouveaux) :

| | Caractère de la dépense [1] | Moins de 4 000 F par an | De 4 000 à 7 000 F par an | Plus de 7 000 F par an |
|---|---|---|---|---|
| Achat d'aliments | D | 41,8 | 23,4 | 18,1 |
| Habillement | I | 10,6 | 14,9 | 13,5 |
| Logement | D | 6,7 | 8,8 | 10,4 |
| Équipement du logement | I | 3,4 | 4,6 | 3,6 |
| Fournitures et énergie | D | 11,4 | 6,8 | 7,4 |
| Hygiène et sécurité | I | 7,2 | 6,3 | 5,6 |
| Transports, vacances | F | 3,4 | 8,6 | 11,3 |
| Culture, loisirs | F | 3,5 | 6,0 | 7,6 |
| Autres dépenses | F | 12,0 | 20,6 | 22,5 |
| Total | | 100,0 | 100,0 | 100,0 |

Nous avons séparé les « achats d'aliments », demande plutôt « défavorable » et « les autres dépenses d'alimentation » (restaurant surtout), qui font appel aux services.

De façon générale, dans les budgets modestes, la proportion de dépenses consommatrices de nature est plus élevée. Cette loi n'est cependant pas absolue, il est possible, par exemple, que le poste « transport vacances » contienne des dépenses à l'étranger. La ventilation n'a malheureusement pas été faite.

L'enquête de 1972 n'ayant pas donné de renseignements utilisables, nous la laissons de côté, pour citer l'enquête faite, la même année, aux États-Unis.

Voici comment se répartissent les dépenses des ménages américains (familles de deux personnes et plus) en 1972-1973 :

---

1. D signifie plutôt défavorable à l'emploi, I incertain, F plutôt favorable.

| | Caractère de la dépense [1] | Moins de 6 000 dollars par an (moyenne 4 706) | De 6 à 12 000 dollars par an (moyenne 7 216) | 15 000 dollars par an et plus (moyenne 12 689) |
|---|---|---|---|---|
| Nourriture | D | 26,5 | 22,7 | 20,4 |
| Alcool, tabac | I | 2,8 | 2,7 | 2,3 |
| Logement proprement dit | D | 18,6 | 16,0 | 14,6 |
| Fournitures du logement | I | 3,9 | 4,6 | 5,4 |
| Vêtement | I | 7,0 | 7,6 | 8,7 |
| Transports (sans énergie) | F | 11,3 | 15,7 | 16,4 |
| Énergie (transports, logement) | D | 11,0 | 10,6 | 9,0 |
| Téléphone, services domestiques | F | 4,1 | 4,6 | 3,5 |
| Santé et soins personnels | I | 8,2 | 8,0 | 6,8 |
| Divertissements | F | 4,6 | 6,2 | 9,3 |
| Enseignement | F | 0,5 | 0,7 | 1,9 |
| Lecture | F | 0,4 | 0,5 | 0,6 |
| Divers | I | 1,1 | 1,1 | 1,1 |
| Total | | 100,0 | 100,0 | 100,0 |

Groupons les trois catégories D, I et F [1] :

| | Moins de 6 000 dollars par an | De 6 000 à 12 000 dollars par an | 15 000 dollars par an |
|---|---|---|---|
| Plutôt défavorable | 56,1 | 49,3 | 44,0 |
| Incertain | 23,0 | 24,0 | 24,3 |
| Plutôt favorable | 20,9 | 26,7 | 31,7 |
| Total | 100,0 | 100,0 | 100,0 |

1. D plutôt défavorable à l'emploi, I incertain, F plutôt favorable. Les investissements, l'épargne et la fiscalité directe ne sont pas compris dans ces relevés ; ils accuseraient la même tendance.

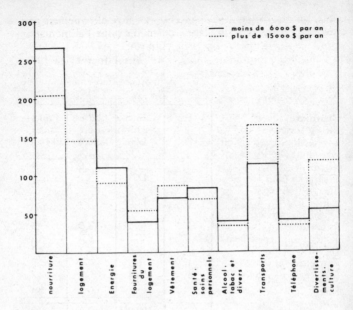

*Fig. 13 — Répartition des dépenses des ménages aux États-Unis, selon le revenu*

Le mouvement est général : la dépense du riche est plus favorable à l'emploi que celle du modeste.

## Qui travaille pour qui ?

Dans le remarquable ouvrage *Qui travaille pour qui ?* [1] nous trouvons une mine de renseignements d'un grand intérêt ; la question de l'emploi est enfin placée sur un terrain solide.

De 1951 à 1971, est-il écrit, la consommation des Français a été multipliée par 2 1/2, ce cœfficient étant à peu près le même pour les diverses catégories sociales. Le niveau de consommation du cadre supérieur en 1951 a été atteint en 1956 par les cadres moyens, en 1966 par les ouvriers qualifiés et en 1971 par les ouvriers spécialisés et les agriculteurs exploi-

---

1. Christian Baudelot, Roger Establet et Jacques Toiser, avec la collaboration de R.O. Flavigny, François Maspero, 1979. Réédition « Pluriel », 1981.

tants. La répartition des dépenses se retrouve elle-même à peu près avec les mêmes décalages, du moins pour l'alimentation et le logement (mais pas pour la culture).

Voici la répartition de 1 000 F de consommation en 1971, pour cinq catégories sociales [2] :

|  |  | Agricul-<br>teurs<br>exploi-<br>tants | Salariés<br>agricoles | O.S. et<br>manœu-<br>vres | Cadres<br>supé-<br>rieurs | Profes-<br>sions<br>libérales |
|---|---|---|---|---|---|---|
| Alimentation | D | 386 | 380 | 338 | 190 | 197 |
| Logement | D | 135 | 88 | 122 | 139 | 126 |
| Intérieur de<br>logement | F | 96 | 132 | 111 | 164 | 163 |
| Habillement | I | 106 | 104 | 125 | 131 | 108 |
| Santé | F | 55 | 52 | 58 | 38 | 42 |
| Transports | I | 106 | 92 | 100 | 129 | 130 |
| Sorties | F | 27 | 54 | 61 | 58 | 71 |
| Culture | F | 18 | 12 | 21 | 47 | 48 |
| Vacances | F | 7 | 12 | 18 | 50 | 57 |
| Divers | I | 64 | 74 | 46 | 54 | 58 |
| Ensemble |  | 1 000 | 1 000 | 1 000 | 1 000 | 1 000 |
| Dont | D | 521 | 468 | 460 | 329 | 323 |
|  | I | 276 | 270 | 271 | 314 | 296 |
|  | F | 203 | 262 | 269 | 357 | 381 |

La répartition entre dépenses « favorables à l'emploi » (F), « défavorables » (D) et « indéterminées » (I) a été faite par nous, sur une définition légèrement différente de celle du tableau précédent. Certaines rubriques sont d'ailleurs difficiles à classer, comme les transports.

Confirmation nette est donnée des observations précédentes : les catégories sociales les plus aisées dépensent de façon plus favorable à l'emploi. Il s'y ajoute, en outre, une épargne dont le montant n'est pas indiqué.

Dans cet ouvrage figurent un grand nombre d'autres renseignements, notamment sur la matrice de l'emploi, que nous voyons plus loin.

---

2. La source indiquée est *Données fournies par le Credoc et l'INSEE.* Il s'agit surtout de la publication Georges Bigata, *Les conditions de vie des ménages en 1971,* Collections de l'INSEE, série M, n° 2, février 1973.

*Les plus hauts revenus plus favorables à l'emploi*

Ainsi, qu'il s'agisse d'épargne, d'impôt ou de consommation, la réponse à la question posée (page 219), est d'autant plus nette que la somme en question agit marginalement : c'est l'affectation à une personne titulaire d'un revenu élevé qui est la plus favorable à l'emploi. Il s'agit bien entendu de la première vague. Le circuit a plus de chances de s'étendre, quand la somme en question est versée à une personne qui couvre déjà largement ses besoins vitaux, que dans le cas contraire. Il y a donc intérêt, du point de vue de l'emploi, à pourvoir le riche, plus que le pauvre. Ce choix, est souvent combattu – et le fait lui-même contesté – parce qu'il est déplaisant d'agir dans le sens contraire à l'équité. C'est une fois de plus le conflit entre la morale et l'efficacité que nous ne pouvons trancher ici qu'en faveur de l'efficacité, puisque notre objectif est le plus grand nombre possible d'emplois.

Dans les pays occidentaux, l'orientation plus favorable de la dépense du riche, aussi déplaisante que peu contestable, est cependant moins accentuée qu'elle ne l'était en économie de subsistance. L'effet de parapluie ne joue pas avec autant d'intensité. En particulier, la domesticité a en grande partie disparu. D'autre part, une augmentation d'un revenu très élevé peut se traduire par un voyage à l'étranger ou, dans certains cas, par une évasion de capitaux. Sans aller jusque-là, il peut s'agir de l'achat d'un produit de haute technique (voiture, équipement, audiovisuel spécial, etc.) venant de l'étranger. D'autre part, les classes moyennes et de nombreux ouvriers sont sortis du budget de subsistance et achètent des produits industriels à production plus élastique (voitures, disques, outils électro-ménagers, etc.). La progression de l'utilité nationale du déversement selon le revenu de l'intéressé est donc moins accusée qu'en économie de subsistance, et accuse une tendance à la diminution.

Dans l'économie française actuelle, qui est loin d'être une exception, une amélioration du revenu des ménages modestes, petits salariés, familles nombreuses se traduit encore par une demande supplémentaire de viande, de fruits, de légumes, produits « défavorables »[1], du moment que leur production ne répond pas *instantanément* et au même coût, à une demande supplémentaire.

---

1. En 1979 la consommation de toutes viandes a dépassé la production. En

## Élasticité de l'offre et « capacité de production »

Revenons sur cette notion fondamentale :

Depuis longtemps, mais surtout depuis la crise des années 30, les doctrines économiques et plus encore les politiques sont basées sur la stimulation de la demande, source de toute prospérité. Ceux qui raisonnent ainsi se placent quelque peu dans le cas de l'apologue de la bague et du chèque et supposent, sans le préciser, une élasticité totale, une réponse intégrale et rapide de l'économie. Lorsque, dans les années 50, aux États-Unis et un peu plus tard en Europe, la demande a cessé de trouver un terrain vraiment libre, alors que le plein emploi était cependant loin d'être atteint, a été créé le terme « *stagflation* », sans qu'une telle situation ait été étudiée avec suffisamment d'attention.

Les nombreuses analyses de la situation économique, établies dans les pays capitalistes développés, par les experts de haut mérite, font intervenir la *capacité de production* d'une économie, notion trompeuse, même lorsqu'il s'agit seulement d'une branche, voire d'une entreprise. La capacité de production d'une entreprise se juge le plus souvent d'après le matériel disponible ; les capacités non utilisées des diverses entreprises sont alors additionnées. Cette optique admet tantôt une solidité totale, tantôt une fluidité parfaite, alors que, partout, il s'agit de fonctions continues. Déjà, pour une entreprise, joue, en effet, la notion d'élasticité ; il ne s'agit pas seulement de savoir quelles quantités pourraient être produites, si la demande était surabondante, mais les conditions de la production et notamment de prix de revient.

La production optimale, du point de vue du chef d'entreprise, diffère notablement de la production maximale, qui exige par exemple, l'utilisation d'un matériel de moins bonne qualité, l'acquisition supplémentaire de matières premières, l'appel à un personnel de moindre aptitude ou diverses difficultés intérieures. A ces obstacles matériels s'ajoutent souvent des considérations psychologiques.

Aux États-Unis, plus avancés que l'Europe dans ce domaine

---

outre, des viandes de bonne qualité ont été importées et des viandes de moins bonne qualité exportées. Même dans la culture industrielle (blé, betteraves, vigne, etc.) subsistent des rendements décroissants. La demande supplémentaire de fruits ne peut être favorable à l'emploi que les années de récolte très abondante.

de la connaissance, on distingue couramment *capacité théorique* et *capacité pratique,* sans toutefois aller bien loin dans la thérapeutique.

## Intervention du facteur temps

Ce facteur toujours difficile à saisir, et de ce fait souvent négligé, joue dans le circuit de travail, un rôle important. Nous pouvons nous poser la question suivante : si résistance de l'offre il y a (goulet), pourquoi la demande (surtout si elle est stimulée) ne remplit-elle pas toutes les alvéoles de l'offre par des substitutions appropriées ?

Une telle substitution serait peut-être plus rapide, sinon immédiate et plus générale, si la résistance était totale, par impossibilité de trouver les produits désirés. Dans les républiques populaires socialistes, lorsqu'un article n'est pas disponible et risque de ne pas l'être avant longtemps, l'acheteur se rabat souvent immédiatement sur un autre article. Il en résulte, pour lui, une baisse de satisfaction (non comptabilisée), mais aucun trouble, ni retard dans le circuit de production.

En économie de marché, il n'en est pas ainsi :

– *ou bien le prix monte* (cas de la viande), ce qui peut entraîner des restrictions de crédit ou des importations supplémentaires ;

– *ou bien le prix reste stable, mais l'acheteur attend,* à tout le moins quelque temps. C'est le cas actuel de nombreux menus travaux de bâtiment.

Dans aucun des deux cas, il n'y a substitution instantanée vers les produits ou services excédentaires, même en régime pleinement libéral, l'équilibre entre offres et demandes ne se rétablit que lentement.

Dans le circuit de services purs de la page 214 (en supposant qu'il s'agit d'un flux), si un des artisans de la chaîne tarde un peu les fournisseurs en amont restent quelque temps sans débiter, en sous-emploi.

## Les dépenses de la collectivité

Les dépenses de la collectivité sont déterminées par les crédits accordés : santé, enseignement, armement, etc. La répartition entre ces divers postes n'obéit cependant pas à un concept d'optimation économique, bien difficile à définir. Laissons de

côté les déviations qui peuvent survenir pour des raisons exté-
rieures à l'intérêt général : la répartition se fait par décision
politique, non sans arbitraire évidemment, mais bien définie
juridiquement.

Quelles que soient les décisions prises, elles influent sur le
nombre des emplois. Un transfert de 1 milliard de francs de
l'armement, par exemple, vers la santé est financièrement neutre, mais non économiquement. La demande, dans l'un et l'autre des deux cas, peut être satisfaite plus ou moins facilement.
Dès lors une question se pose :

*La répartition des dépenses doit-elle être faite uniquement sur
le concept d'utilité finale de besoin, ou bien tenir compte de la
facilité qu'elle trouve à être satisfaite ?*

Dans l'optique financière traditionnelle, cette question était
d'autant moins posée que l'illusion régnait, comme aujourd'hui, d'une élasticité totale de l'offre. Cependant le souci
de l'emploi apparaissait parfois par un biais.

La réponse de l'offre peut cependant agir de diverses façons,
notamment par la difficulté que rencontre l'utilisation de certains crédits, la rétroaction à propos de la Sécurité sociale.


## *Les dépenses publiques et l'emploi*

Le gouvernement, le parlement, les pouvoirs publics, nationaux ou locaux doivent-ils aller plus loin et se préoccuper de la
répercussion d'une dépense donnée sur le nombre des emplois
et cela de façon objective, sans tenir compte de la pression de
l'opinion dans ce sens ?

La répartition décidée par les pouvoirs publics répond classi-
quement à un souci d'utilisation maximale des ressources
financières. Celle-ci est certes subjective et ne peut se mesurer
comme dans l'économie de marché, mais, une fois admise,
nous la jugeons optimale. Employer directement des chômeurs
est tentant, mais ce n'est pas nécessairement un gain net en
emplois. Les sommes employées à cet effet ont été prélevées
ailleurs par emprunt, impôt, etc., ce qui a réduit le nombre des
emplois. La balance des emplois est peut-être positive, mais
elle a un coût.

Voici deux services publics A et B entre lesquels une somme
S doit être répartie de façon jugée optimale en égalisant les
utilités marginales. Un transfert de dépenses de A vers B réduirait donc l'utilité totale.

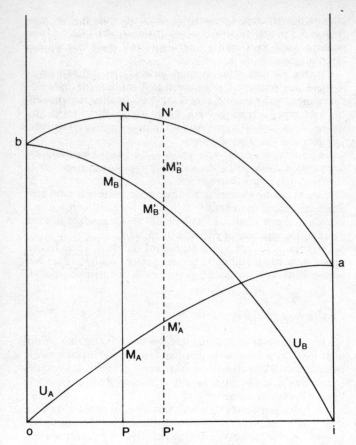

*Fig. 14 — Répartition optimale des dépenses,
compte tenu de l'emploi*

Sur la figure 14, nous voyons les diverses répartitions d'une somme disponible S à répartir entre les deux services A et B. Pour le service A, les abscisses vont normalement de gauche à droite, en partant de l'origine ; pour le service B, les abscisses vont de droite à gauche, en partant du point I d'abscisse S. La courbe $U_A + U_B$ donne l'utilité totale selon les diverses répartitions. La répartition optimale correspond au point M (rappel en P), où les utilités marginales sont égales.

Introduisons maintenant la question de l'emploi et, pour mieux voir son influence, prenons deux cas extrêmes :

– une dépense de A est totalement affectée à des emplois modestes, sans consommation de matériel ;

– une dépense de B (tout au moins marginale) doit être faite entièrement à l'étranger (aucun emploi n'en résulte).

Déplacer la somme s de A vers B permet de *récupérer la rémunération des chômeurs, laquelle est à peu près S/2*. Dès lors, déplacer le point P vers P' entraîne bien une perte d'utilité totale égale à la différence des ordonnées de N et N', mais permet de gagner l'utilité supplémentaire égale à la différence des ordonnées de M''B et M'B. L'optimum est déplacé [1].

*En conclusion*

Nous n'avons fait qu'une entrée modérée dans le domaine du circuit de travail, mais nous sommes maintenant mieux armés pour reprendre les conséquences du déversement.

---

1. Soit $UA = f(x)$ avec $f(o) = O$
$UB = \varphi(S - x)$ avec $\varphi(S) = O$
$$UA + UB = f(x) + \varphi(S - x)$$
qui est maximal lorsque
$$f'(x) + \varphi'(S - x) = O$$
Si, maintenant, l'on tient compte des emplois
$$UA + UB = f(x) + \varphi\left(S + \frac{S}{2} - x\right)$$
qui est maximal lorsque
$$f'(x) = \varphi'\left(\frac{3S}{2} - x\right)$$

# XV

# Le déversement

Après les vues du chapitre précédent sur le circuit de travail, nous pouvons reprendre les perturbations dues au progrès technique. En tout état de cause, il faut distinguer, nous l'avons vu :
– *la création de richesses supplémentaires,* génératrices d'emplois, permises par la création monétaire ;
– *un transfert de demande,* le plus souvent en faveur du chef d'entreprise, tout au moins dans la phase initiale, au détriment des travailleurs licenciés.

Plaçons-nous dans ce cas.

## Gain entièrement pour le chef d'entreprise, sans baisse de prix

Du gain brut, représenté par les salaires des ouvriers licenciés, il faut déduire la somme consacrée à l'achat du matériel qui a permis le progrès ; le reste est un bénéfice personnel, qui peut être affecté à une épargne-investissement ou à une consommation.

Soit $E$   le nombre de travailleurs initial
     $e$   le nombre de travailleurs licenciés
     $s$   leur salaire moyen
    $M$   l'achat de matériel nouveau (machines)

Le transfert de demande se présente donc ainsi :

| Demande perdue | Demande supplémentaire |
|---|---|
| $es$ | $M$ du fait de l'entreprise |
| | $es-M$ personnelle, du chef d'entreprise |

La question est de savoir :

1. si ce transfert est bénéficiaire en termes d'emplois ;

2. en cas de réponse positive, si le gain d'emplois est supérieur au nombre de travailleurs licenciés.

Sans être évidente, la réponse à la première question semble positive. En effet :

– *le revenu de l'employeur est supérieur à celui de chaque salarié*, donc orienté davantage vers des branches à offre élastique ;

– *il s'agit pour lui d'une dépense supplémentaire*, marginale, donc orientée plus encore vers de telles offres.

Cette demande supplémentaire a peu de chances de porter sur les secteurs de base et se déverse davantage vers de nouvelles consommations. Le marché est élargi.

L'effet exercé par la demande de matériel est moins clair et ne se place pas au même moment. La construction de machines est, sans doute, une branche nouvelle, qui bénéficie, en outre, de rendements croissants, mais elle utilise des matériaux (charbon, pétrole, acier, etc.) qui peuvent, à leur tour, rencontrer des rendements décroissants ; cependant, ne consommant pas directement de nourriture, de produits agricoles, elle ne crée pas de tension sur le marché ; la demande de produits agricoles ne viendra que des travailleurs embauchés dans cette branche.

Mais déjà, sans compter ces gains directs d'emplois, le bilan est, sans doute, positif.

Il reste à savoir si le nombre d'emplois créé par la nouvelle orientation de la demande sera, après diverses vagues, supérieur à celui des travailleurs licenciés. Rien ne permet de l'affirmer. La réponse positive fournie par l'expérience de deux siècles, doit être attribuée surtout à la concurrence qui ne permet pas de maintenir les prix et à la création monétaire faisant face à la création de richesses produites ou en puissance.

Su le plan théorique, une fois expliquée l'évolution passée, il restera à savoir si le mécanisme, multiplicateur d'emplois, dont l'efficacité a été prouvée dans le passé, fonctionne encore de la même façon. C'est le sujet de la 3e partie de l'ouvrage.

Voyons maintenant d'autres cas.

*Attribution partielle du bénéfice du progrès aux salariés non licenciés*

Cette attribution est rarement totale ; si c'est le salaire nouveau, le transfert de la demande se présente ainsi :

| Demande perdue | Demande supplémentaire |
|---|---|
| $es$ | $M$ du fait de l'entreprise |

$$es - M - (E - e) (S' - s)$$
du fait de l'employeur (personnellement)
$$(E - e) (s' - s)$$
de la part des salariés non licenciés

La demande supplémentaire des salariés s'oriente en général dans un sens un peu plus favorable que la demande perdue du fait des salariés licenciés. Sans doute comporte-t-elle encore une certaine quantité de nourriture, surtout dans la première phase du développement, mais le déversement est néanmoins partiel vers d'autres consommations.

Plaçons-nous toutefois dans le cas limite où tout le bénéfice de l'innovation est attribué aux salariés et spécialement dans le cas, fréquent dans la pratique, où deux ouvriers sont remplacés, dans une entreprise, par un employé.

*Deux ouvriers, un employé*

Nous supposons que l'employé nouveau, ou cadre, reçoit un salaire égal à l'ensemble des deux salaires des ouvriers congédiés. Le cas ne se présente guère de façon absolue, puisque l'employeur n'aurait pas intérêt à une telle transformation. Elle peut néanmoins lui être imposée par la lutte concurrentielle et, d'ailleurs, nous pouvons isoler ce changement de personnel, à l'intérieur d'un mouvement plus complexe.

Si l'employé de la nouvelle situation consommait exactement les mêmes produits et services que le faisaient les deux ouvriers avant leur licenciement, nous nous retrouverions dans le cas de court-circuit intégral (page 205) comportant une suppression d'emplois : perte, un emploi (sous réserve de création monétaire).

Comme le cas étudié fait toujours partie d'un ensemble, le remplacement intégral, en consommation comme en production, doit être très rare, même dans la phase initiale du développement. Même isolé, le doublement d'un revenu doit se traduire par un certain déversement vers de nouvelles dépenses rencontrant une offre moins rigide. Ce déversement serait plus important si le cadre nouvellement recruté gagnait l'équivalent de trois ouvriers licenciés. L'opération semble alors comporter la perte de deux emplois, mais l'effet réel doit être bien moins important. Dans le passé, il a pu se faire que le nouveau cadre embauche un domestique, ce qui réduit déjà de moitié la perte de deux emplois. En outre, il faut, ici encore, faire intervenir la question monétaire. L'augmentation du nombre de travailleurs disponibles, pour une production maintenue, donne à l'économie une certaine *latitude,* qui permet une extension de crédit ou une stimulation de la demande.

### Où va le déversement privé ?

Que le déversement privé (c'est-à-dire libre) soit le fait du chef d'entreprise, utilisant son profit supplémentaire, ou des salariés employant leur majoration de salaires ou encore de consommateurs bénéficiant d'une rente à l'achat, le nombre d'emplois créés (à somme égale) varie notablement selon l'orientation qui lui est donnée. Si nous laissons, pour le moment, de côté les investissements, les sommes disponibles peuvent prendre trois directions différentes :

1. *Augmenter la consommation* de produits ou de services déjà courants sur le marché.

2. *Susciter de nouvelles consommations, sans invention proprement technique.* Ce fut le cas, par exemple, de la collection de timbres-poste, de monnaies, de commerce de meubles anciens et d'objets d'art, des courses de chevaux, de la pratique de sports, etc.

3. *Être attirées par des innovations dues à des inventions techniques ou des découvertes scientifiques.* Le cas le plus classique est celui de la radio et de la télévision, mais on peut citer aussi l'aviation, la voiture individuelle, la photographie, les appareils électroniques de consommation, etc.

La distinction entre les trois catégories n'est pas toujours absolue, mais cela importe peu. D'ailleurs l'afflux de consommateurs dans une direction donnée, peut être, lui-même, source de progrès et d'innovations.

L'essentiel est de dissiper une erreur classique : nombreux sont les économistes et une partie de l'opinion à avoir mis au premier rang (sinon au seul) la troisième catégorie, qui fait intervenir l'invention et la découverte. Sans elles il n'y aurait pas de salut.

*C'est une vue superficielle et inexacte ;* du point de vue du nombre des emplois créés, la question essentielle, sinon la seule, est en effet, de savoir *quels facteurs de production seront utilisés par l'activité nouvelle ou supplémentaire et dans quelles proportions.* Si cette activité évolue « en roue libre », utilise des facteurs de production existant en abondance, le nombre d'emplois nouveaux est plus grand que si elle rencontre des résistances. Le caractère novateur n'a rien à faire en la circonstance. Prenons des exemples :

L'accroissement de consommations déjà courantes (première catégorie) est moins créatrice d'emplois, si elle porte sur l'alimentation animale, l'énergie, les voyages à l'étranger, le chauffage, etc., que si elle concerne des produits très élaborés ou des services.

La collection d'objets déjà existants, quels qu'ils soient, n'entraîne que peu de consommation de capitaux ou de produits rares ; elle fait, au contraire, largement appel à des services et donne du travail à des catégories sociales plutôt excédentaires (commerçants non manuels, sans qualification spéciale).

Voyons enfin la consommation nouvelle, due à une innovation et qui bénéficie d'un préjugé si favorable.

Son efficience, en termes d'emplois, dépend, comme toute autre activité, des facteurs de production qu'elle utilise. Par exemple, la radio et la télévision ont sans doute, à déversement égal, créé plus d'emplois que l'aviation, grosse consommatrice d'énergie et payant de hauts salaires. Le cas de la voiture est plus complexe, mais, sous réserve de calculs approfondis, elle doit être (toujours à déversement égal, bien entendu), moins créatrice d'emplois que les disques et appareils phoniques ou la photographie. Quant aux jeux intellectuels, tels que mots croisés, scrabble, bridge, etc., ils ne consomment guère qu'un peu de papier, étant largement créditeurs et créent des emplois (presse, ouvrages, leçons de bridge, etc.).

Prenons maintenant la pratique du ski et des sports de neige : c'est le fruit du progrès technique, non dans la manière d'utiliser le ski, conséquence plus que cause (il y a d'ailleurs, à Davos et autres stations, plus d'hivernants non skieurs que skieurs), mais du progrès technique en général, qui, en relevant les revenus, a permis un déversement, autrefois presque hors de portée de la presque totalité de la population. On peut estimer, semble-t-il, à 70 000 environ le nombre d'emplois complets correspondant, en France, directement ou indirectement, à cette consommation (fabrication de matériel, hôtels, moniteurs, remontées mécaniques, etc.). Au passif de l'opération, il faut placer la consommation supplémentaire d'énergie, la construction de bâtiments, les pointes saisonnières, mais le résultat d'ensemble est certainement positif.

Ainsi les inventions et découvertes scientifiques ne sont ni la condition nécessaire de la récupération des emplois perdus, ni nécessairement le meilleur moyen de les récupérer et au-delà... Cependant, s'agissant de champs nouveaux, on est en droit de penser que *toute dispersion a, en termes probabilistes, plus de chances d'être favorable* et de se trouver à l'opposé du court-circuit entre producteurs à rendement décroissant, source fondamentale de chômage ou, plus exactement, de diminution du nombre des emplois.

## Point de départ et point d'arrivée

L'efficacité du déversement, en termes d'emplois, dépend, nous l'avons vu, moins de son point de départ que de sa destination. Si le déversement est, de façon générale, plus efficient quand il vient d'une personne à revenu élevé (le chef d'entreprise, par exemple), c'est que sa destination a plus de chances de se trouver dans les secteurs favorables (nous retrouvons les résultats donnés page 232). Mais ce n'est pas une loi absolue, ni permanente.

Si maintenant, nous examinons le déversement dans le temps nous voyons une tendance de la consommation à abandonner certains services purs, devenus plus onéreux en valeur relative. Reprenons l'exemple de l'école supérieure de filles présenté page 176. Les objets considérés comme superflus (broderie, dentelles, etc.) contenaient, en général, beaucoup de travail alors que les dépenses nouvelles de seconde nécessité (damage des pistes de ski, etc.) contiennent en général, plus de capital.

Cependant la réduction de nombreux services purs s'est souvent faite par un mécanisme un peu différent, encore que parallèle. Accordons-lui donc une plus grande attention.

*Services purs*

Selon le schéma de la page 214, les services purs sont susceptibles de multiplier le nombre des emplois de façon à peu
près illimitée, dès l'instant que la subsistance des hommes est
assurée. Pourquoi le progrès technique, en apparence grand
destructeur d'emplois, a-t-il provoqué une baisse importante
du service domestique, système qui, pendant des siècles, avait
assuré un grand nombre d'emplois par le « système du parapluie » ? Il s'est agi en quelque sorte, d'un *déversement à
rebours*. Celui-ci a résulté précisément de la création d'autres
emplois par le progrès technique. Ainsi, non seulement les travailleurs licenciés et ceux des générations montantes, ont pu
trouver des emplois, mais tout un sous-prolétariat a pu recourir
à une évasion, certes relative, vers l'industrie et le commerce,
et se trouver devant des tâches, sinon plus lucratives, du moins
plus recherchées, parce que jugées plus compatibles avec la
dignité humaine. Plus d'une famille paysanne ou ouvrière a
été désormais en mesure de nourrir ses filles jusqu'à leur
mariage ou de leur donner un emploi dans l'industrie, sans
être obligée, comme auparavant, de les « placer » le plus tôt
possible.

C'est sur des bases nouvelles et parfois inattendues que la
société a dû poursuivre sa progression. Importante par exemple, encore que bien oubliée, est la date de mise en circulation
des voitures « à conduite intérieure », peu après la première
guerre. Elle consacrait la suppression du traditionnel cocher,
devenu chauffeur et permettait, avec l'aide de quelques améliorations mécaniques (démarrage électrique, etc.), de mettre la
voiture individuelle à la portée d'un bien plus grand nombre
de personnes, extension qui ouvrait, du même coup, la voie à
la production en grande série, donc à de nouveaux progrès
techniques.

Si de multiples services purs ont été supprimés, par contre
d'autres ont été créés, plus indépendants, mieux rémunérés,
moins « purs » cependant, car exigeant souvent un certain
matériel. Nous verrons au chapitre 17 pourquoi le mécanisme
ne fonctionne plus aujourd'hui aussi bien que par le passé.

Voyons maintenant l'action du déversement par voie publique.

## Le déversement par la puissance publique

Des sommes sont prélevées par divers moyens sur les revenus des ménages et sont consacrées à diverses fins d'utilité générale. Il s'agit de juger l'action de ce changement d'orientation, sur le nombre des emplois.

Comme pour le déversement privé, il faut examiner le point de départ (prélèvement) et le point d'arrivée (utilisation). Le prélèvement peut se faire par voie fiscale ou par emprunt.

Pour juger l'effet, nous allons observer l'évolution au cours du XIXᵉ siècle, période pendant laquelle le nombre des emplois a augmenté, contrairement aux prévisions des pessimistes. Nous essaierons ensuite d'en tirer des enseignements.

## L'intensité du déversement

De 1815 à 1913, le revenu national a augmenté au taux annuel moyen de 1,7 % et les recettes ordinaires de l'État au taux de 1,8 %. Cette progression est très lente et à peu près régulière, une fois éliminées les pointes de guerre 1815 et 1880 (conséquences du Traité de Versailles de 1871).

Pendant tout le XIXᵉ siècle, la progression des dépenses publiques semble donc avoir été modérée, ne dépassant guère celle du revenu national. Voici pour la France, les résultats de 10 en 10 ans (en millions de francs) :

|  | Recettes ordinaires de l'État | Revenu national | Rapport des recettes au revenu national (en %) |
|---|---|---|---|
| 1815 | 876 | 7 070 | 12,4 |
| 1820 | 939 | 7 862 | 11,9 |
| 1830 | 1 020 | 8 808 | 11,6 |
| 1840 | 1 234 | 10 000 | 12,3 |
| 1850 | 1 431 | 11 412 | 12,5 |
| 1860 | 1 962 | 15 200 | 12,9 |
| 1869 | 2 510 | 18 823 | 13,3 |
| 1880 | 3 530 | 22 400 | 15,7 |
| 1890 | 3 375 | 25 000 | 13,5 |
| 1900 | 3 514 | 26 300 | 13,3 |
| 1910 | 4 273 | 33 200 | 12,8 |
| 1913 | 5 091 | 36 000 | 13,9 |

Cependant, une image peu différente est fournie par la progression de la dette publique.

De 1815 à 1913, celle-ci est passée, non compris la dette viagère, de 1 293 à 32 976 millions ; elle a donc été multipliée par 25,5 en 98 ans, soit à un taux annuel de 3,6 %, plus élevé que celui du revenu national. Le rapport de la dette à ce revenu est lui-même passé de 18 % à 92 %, progressant d'environ 1,68 % par an. Le déversement par les finances publiques est, de ce fait, plus élevé que celui qui a été donné au tableau précédent. Il s'est élevé en moyenne à 1,6 % du revenu national (18 %, de 1815 à 1820, chiffre accru par les dettes de guerre, 15 % de 1910 à 1913).

Ainsi le transfert financier a été un peu supérieur à 15 %, chiffre non négligeable. Il reste à juger le nombre des emplois supprimés par le prélèvement et créés par le déversement.

Le prélèvement s'est fait par voie fiscale et par voie d'emprunt.

### Prélèvement fiscal

Ce prélèvement s'exerçait d'une façon ou une autre, sur les revenus. Plus précisément, les revenus des personnes de diverses classes ou catégories sociales auraient été plus élevés, si la fiscalité avait été moins forte.

Au cours de cette période, il n'y avait pas, en France, d'impôt sur le revenu. Les ressources venaient surtout de l'impôt foncier, des taxes assises sur l'habitation, des douanes et des impôts indirects. Selon une croyance très répandue, même parmi les économistes, l'impôt indirect est répercuté sur le consommateur et payé par lui. Bien que l'optique et la logique apparente guident ce jugement, il est loin d'être toujours justifié, surtout dans une période où la demande globale n'était pas systématiquement excédentaire, comme elle l'est aujourd'hui.

Selon les apparences, le prix d'un produit se forme en partant du producteur vers le consommateur. L'œil suit logiquement le cheminement du produit. La réalité est différente et même plutôt inverse :

Prenons, par exemple, la viande : le prix se fixe, au détail, par équilibre entre l'offre et la demande. C'est une sorte de ratification permanente par le consommateur, en fonction de ses ressources et de ses préférences. Ce prix, fixé ainsi, non par un marchandage classique, mais par la vitesse d'écoulement, remonte ensuite vers le producteur. La réaction de celui-ci au prix (préférence donnée à une autre culture) est beaucoup plus lente que celle du consommateur ; les prix à la production oscillent donc largement. Dans ces conditions, un impôt indirect, placé à l'intérieur de la chaîne, se répercute plus encore sur le producteur que sur le consommateur. Pendant les crises cycliques, qui ont jalonné le XIX<sup>e</sup> siècle, les prix baissaient au détail de 10 % ou même moins (en fonction de la diminution du pouvoir d'achat du consommateur), mais de 30 à 50 % à la ferme.

Reprenons, au vu de ces observations, le rôle de l'impôt indirect : au cours du XIX<sup>e</sup> siècle, le producteur a subi, au moins autant que le consommateur, l'influence de l'impôt indirect (en manque à gagner).

Faute de données suffisantes sur les multiples incidences, nous pouvons admettre que les diverses catégories ou classes sociales ont été à peu près également touchées, toujours en manque à gagner) ; la perte d'emplois a dû être, elle aussi, également répartie : plus tard, l'impôt sur le revenu et l'impôt sur les valeurs mobilières ont touché davantage les tranches supérieures de revenu, l'équité étant, une fois de plus, contraire à l'objectif de l'emploi.

## Déversement par voie d'emprunt

Cette fois, l'origine du déversement est venue surtout de personnes relativement aisées. À montant égal, ce déversement a donc été plus défavorable à l'emploi que celui qui a résulté de l'impôt. La réduction de la dépense a, en effet, porté davantage sur des produits de seconde nécessité, à offre plus élastique ou sur des services purs. D'autre part, le paiement des intérêts donne lieu à une sorte de prélèvement à rebours. Mais, en volume, l'effet de l'emprunt a été très inférieur à celui de l'impôt.

## L'orientation du déversement public

Ce transfert des ressources a servi :
- *à rémunérer des emplois publics ;*
- *à acquérir le matériel nécessaire* au fonctionnement des services ;

*– à verser des rentes ou des pensions* aux ayants droit.

Ce dernier poste est plutôt défavorable à l'emploi ; le montant accordé aurait, en effet, permis de rémunérer des travaux pour un montant équivalent ; par contre, le premier poste est d'autant plus favorable au nombre des emplois qu'un grand nombre de fonctions étaient modestement rémunérées.

Pour éclairer un peu le sujet, prenons, cette fois encore, quelques cas extrêmes :

1. Cent personnes pourvues d'un emploi (modeste) perdent (le plus souvent, en manque à gagner) un dixième de leur revenu, au profit de la création de dix emplois publics (également modestes). Bien que la demande marginale perdue ne soit pas identique à la demande nouvelle, il y aura augmentation du nombre des emplois ; sans doute sera-t-elle inférieure à 10, mais seulement de peu.

2. Une personne aisée voit son revenu amputé d'une somme au moyen de laquelle sera créé un emploi public modeste sans matériel important. Si cette personne supprime alors un domestique ou un service pur, peu rémunéré, il n'y a aucun gain d'emplois. Il pourrait même y avoir perte d'emploi si le fonctionnaire nouveau a un revenu supérieur à celui du domestique. Ce sont des cas limites, mais, le plus souvent il y a gain d'emplois, du moins à court terme.


### Bilan général des emplois

Sur le vu des données ci-dessus, il est difficile de juger du sens même vers lequel penche la balance d'ensemble. Mais le facteur essentiel est ailleurs : les dépenses publiques ont, pour une large part, contribué à l'expansion économique, à l'accroissement de la production, donc du nombre des emplois ; en particulier, les dépenses d'enseignement ont amélioré les qualités productives de l'individu, les travaux publics ont facilité les transports, etc.

Essayons maintenant de juger la question d'un point de vue plus général et en nous rapportant aux conditions de notre époque.


### Les conditions actuelles

Sans aborder encore les obstacles que rencontre aujourd'hui

la création d'emplois par déversement privé, disons quelques mots du déversement public. Il faut distinguer le long et le court terme :

– *l'action des transferts sur le taux d'expansion,* contribue, de façon régulière à l'accroissement du nombre des emplois ;

– *le bilan propre des emplois supprimés et des emplois créés* est plus difficile à juger.

Il est difficile de ventiler, d'une façon sûre, les dépenses publiques contribuant à l'accroissement de la production. Seules pourraient être exclues, de façon certaine, les dépenses d'armement, les intérêts de la dette publique et le service de la dette viagère, mais la suppression de ce dernier poste et même sans doute du second, créerait de tels dommages et de tels troubles, que la question ne peut être envisagée que marginalement.

L'ensemble des dépenses publiques concourt plus largement encore qu'au xixe siècle à l'accroissement de la production ; sans doute est-il même quelque peu responsable de l'accroissement du rythme d'expansion, après la seconde guerre.

Quant au bilan des emplois supprimés et des emplois créés à court terme (directement et indirectement), il pourrait, sans doute, être tenté au moyen de la matrice de l'emploi, étant donné les prélèvements, insuffisants, sans doute, du point de vue social, mais néanmoins assez importants, sur les revenus élevés ; il est fort possible que cette balance soit défavorable.

D'un autre côté, ces prélèvements risquent de réduire les dépenses d'investissement privé.

### Biens de production et biens de consommation

Selon J.M. Keynes, une augmentation de la demande est plus favorable au rétablissement du plein emploi quand elle porte sur les biens de production que sur les biens de consommation. Cette proposition se vérifie souvent à terme mais est loin d'être générale à court terme, objectif que visait Keynes.

– *Effet conjoncturel.* En 1935, donc vers la même époque, Léon Blum a annoncé à la Chambre que l'accroissement des salaires ferait baisser les prix, par suite de l'accroissement des quantités produites, pour des frais généraux maintenus. C'était oublier, comme le fit Keynes lui-même,

– le rôle important que jouait, à l'époque, l'alimentation dans la consommation ouvrière. Une partie importante de la hausse

est venue buter, en 1936, sur un marché agricole rigide et a fait monter les prix en même temps que le chômage ;
– que, dans toute branche industrielle et même dans toute entreprise, il y a une production maximale et une production optimale, au-delà de laquelle la baisse des frais généraux par unité produite est compensée par d'autres phénomènes.

Il importe de voir aussi où est la source de l'investissement.

L'investissement idéal, du point de vue de l'emploi conjoncturel, serait celui où des ménages réduiraient leur consommation la plus onéreuse nationalement (énergie, par exemple), pour épargner et investir. En pratique, l'épargne vient le plus souvent des classes aisées ou de l'entreprise elle-même. Du point de vue de l'emploi, dans l'immédiat, il vaudrait mieux, paradoxalement, qu'elle vînt des ménages moyens ou modestes (dans la mesure où elle laisserait intacte la consommation vraiment vitale).

Faute d'une telle éventualité, l'auto-investissement des entreprises, conséquence assez logique, est, en fait, pris en partie sur les salaires du personnel. Plus exactement, les accroissements de capital productif, obtenus par ce moyen, devraient appartenir au personnel. Mais ni les entreprises, ni les syndicats n'ont entendu faire un pas dans ce sens.

– *Effet à long terme.* Même quand il vise seulement à accroître la productivité, l'investissement est, à terme, favorable à l'emploi ; c'est l'objet même de cet ouvrage. Mais les résultats peuvent varier de façon notable, selon qu'est élargi ou non un goulet chronique ou permanent. À rentabilité financière égale, un investissement économiseur d'énergie est plus avantageux, nationalement, qu'un investissement diminuant les besoins en personnel de professions ou de régions chroniquement excédentaires. La question sera reprise à propos du choix des investissements.


*Régression technique*

Si, après diverses perturbations, le progrès technique accroît le nombre total des emplois dans une économie, on peut s'attendre à voir ce nombre diminuer, en cas de recul technique, ou de diminution de productivité. Et cependant, cette fois encore, l'illusion d'optique sociale suggère l'effet inverse : n'y a-t-il pas plus de tâches disponibles, puisqu'il faut plus de monde pour accomplir une tâche déterminée ?

La réponse dépend, une fois de plus, des rémunérations accordées : si 10 hommes réalisent la même production que faisaient 8 hommes auparavant, il y a bien augmentation de 2 emplois mais à condition que :
– leur rémunération soit réduite de 20 %
– les 10 travailleurs consomment les mêmes quantités des mêmes produits que les 8 précédemment (c'est à peu près le cas inverse de celui de la page 240).

Les exemples de régression technique sont trop rares pour que l'on puisse en tirer une loi générale. Nous avons examiné, au chapitre 7, le cas du rationnement des produits vitaux et le rôle de l'abondance monétaire. Un autre cas est plus actuel : la pénurie d'énergie.

## La pénurie d'énergie

L'augmentation du prix du pétrole en 1974, puis en 1979, a joué le rôle d'un recul technique, puisque pour acquérir une tonne de pétrole, il a fallu fournir à l'exporation une quantité de produits plus élevée, exigeant une quantité de travail plus importante. La production d'ensemble des pays industriels n'a pas baissé, mais elle a augmenté moins qu'elle ne le faisait auparavant. Si le chômage a augmenté, c'est parce que ce recul technique n'a pas été compensé par une réduction correspondante des rémunérations. Toutefois, trop d'éléments sont entrés en compte pour permettre de juger le phénomène à l'état pur.

Nous pouvons nous rapporter aussi au « scénario catastrophe » construit par M. H. Aujac et Mme J. de Rouville du BIPE [1] dans l'hypothèse suivante :

À la suite d'une révolution politique, l'Orient cesse, en juillet 1979, de livrer du pétrole aux Occidentaux. Sans discuter ici le bien-fondé de cette hypothèse, formulée d'ailleurs bien avant la révolution de l'Iran, limitons-nous à sa conséquence brutale immédiate : la France voit ses ressources en énergie réduites de 30 %.

---

1. H. Aujac et J. de Rouville, *La France sans pétrole*, Paris, Calmann-Lévy, 1979.

Sur ces bases, a été construite la comptabilité nationale de l'année 1980 selon le modèle classique ; retenons-en que le nombre des chômeurs s'est élevé à 3 400 000 et que le niveau de vie a baissé de 20 %.

La crise de l'énergie qui a suivi, en 1979, la révolution en Iran est considérée comme une anticipation, favorisée par la limitation des gisements fossiles. Elle est particulièrement nuisible à l'emploi, car les mesures d'adaptation sont trop douloureuses pour être politiquement proposées.

Une réduction de la consommation d'énergie est plus nuisible à l'emploi si elle porte sur l'industrie, qui donne une forte valeur ajoutée et emploie un personnel important pour une quantité déterminée. Les réductions les plus efficaces, du point de vue de l'emploi, portent sur le chauffage et sur le transport de marchandises sur route, car le même transport, par fer, consomme 4 ou 5 fois moins d'énergie.

S'agissant du transport routier des personnes, le jugement est plus délicat, en raison de l'impôt sur l'essence ; néanmoins, compte tenu des dépenses d'entretien des routes et de la moindre consommation d'énergie par le transport en commun, une économie dans ce domaine est avantageuse, en particulier si elle permet de favoriser les industries de pointe.

### Le progrès technique et la population

Sans examiner ici tous les rapports entre économie et population, examinons ceux où intervient le progrès technique. Deux questions peuvent, en particulier, être posées :
— *Les variations de la population* (nombre, densité, migrations, répartition par âge, augmentation du nombre) *sont-elles favorables ou non au progrès technique ?*
— *Quelle est l'influence d'un progrès technique donné sur la population,* c'est-à-dire sur le nombre des hommes et ses variations ?

Comme des arguments peuvent être fournis en sens contraires, les réponses, pour un cas déterminé, peuvent être très divergentes.

### Influence du nombre

C'est surtout dans le domaine industriel qu'est reconnue

l'influence favorable du nombre : un pays de forte population peut, plus facilement qu'un autre, se livrer aux fabrications en grande série, en particulier de nos jours, voitures, avions et tous produits exigeant un débouché important. Le nombre, la dimension, doivent donc être favorables au niveau de vie d'un pays industriel.

Et cependant, les pays de faible dimension : Pays-Bas, Belgique, Scandinavie ont participé aux progrès du XIXe siècle, dans une mesure à peu près égale à celle des grands pays voisins. C'est que d'autres facteurs (commerce extérieur plus actif, moindres distances, difficulté créatrice) ont permis de compenser l'infériorité de dimension. Plus près de nous, l'essor industriel est aussi accentué et a été plus précoce dans les petits pays d'Extrême-Orient (Singapour, Hong Kong, Formose) que dans les grands (Mexique, Brésil et à plus forte raison Inde, Iran, etc.). La facilité des communications, l'effet maritime ont largement compensé le handicap de la dimension.

Il s'agit, dans ce dernier cas, moins de découvertes techniques que de transfert de techniques, venant d'autres pays, plus avancés. L'importance de la recherche théorique et appliquée confère aujourd'hui un certain avantage à la dimension (États-Unis, vis-à-vis des pays occidentaux d'Europe, Union Soviétique, vis-à-vis des pays socialistes). Celui-ci est toutefois loin d'être décisif : le marché commun n'a guère favorisé la recherche, alors que de petits pays bénéficient de remarquables réalisations (Suisse, en machines de précision ou en spécialités pharmaceutiques, par exemple).

*Influence de la densité*

La densité ou la pression démographique exerce sur le progrès technique des effets en sens divers. Si elle n'est pas trop élevée, elle agit favorablement sur le nombre des emplois. En particulier, le progrès de deux domaines, enseignement et santé, ne peut être convenablement utilisé avec une densité trop basse. Une notion de *densité optimale* peut être proposée, d'autant plus délicate qu'un pays de faible densité peut grouper sa population dans des zones fortement peuplées (Australie, États-Unis).

*Vieillissement démographique*

Ce phénomène important est encore peu connu, parce que l'esprit le repousse instinctivement, en raison de son caractère déplaisant ; les populations âgées qui se trouvent devant une telle situation font, en quelque sorte, tous leurs efforts pour ne pas en prendre conscience.

Né dans des pays à population jeune (il ne devait guère y en avoir d'autres d'ailleurs), le progrès technique est aujourd'hui surtout le fait des populations largement touchées par le vieillissement. Ce serait un jugement bien léger que d'en conclure à l'importance favorable à ce secteur, tant le progrès technique vit largement sur sa lancée (science, industrie, niveau de vie, etc.). Plusieurs exemples historiques montrent d'ailleurs les effets défavorables du vieillissement.

Le plus ancien connu est la Grèce. À une période d'essor démographique (colonies en Méditerranée), accompagnée d'une forte prospérité, a succédé une baisse de natalité qui a dû prendre naissance au cours du siècle de Périclès. Signalée par divers auteurs (Strabon, Polybe, Ménandre, etc), elle a été la cause d'une décadence progressive et de la chute finale.

Pour Rome, processus analogue, la baisse de natalité était antérieure à l'Empire, puisque Auguste a créé une législation vigoureuse pour la combattre. Ni ses efforts, ni ceux des Antonins n'ont été suffisants. La dégradation s'est accentuée jusqu'à la chute. Du reste lorsque les Barbares se sont présentés aux frontières de l'Empire, il a été plus facile de trouver des territoires à leur offrir que des soldats à leur opposer.

Citons encore Venise : ainsi que l'a montré M. D. Beltrami [1], c'est le vieillissement de la population (10,1 % déjà de sexagénaires en 1631-1640 et 12,4 % en 1661-1670) qui a provoqué la décadence économique suivie de la chute politique.

Tous les exemples historiques vont dans le même sens, à l'encontre des arguments économiques (Grèce, Rome, Espagne au XVIIe siècle, Venise, France du XIXe siècle, Flandre, et Wallonie en Belgique, Irlande et Danemark, Gascogne et Bretagne, etc.).

Il est vain de proposer des innovations dans un village tou-

---

1. *Storia della popolazione di Venezia della fine del secolo XVI alla caduta della republica*, Padoue, Cedam, 1954.

ché par le vieillissement, car, dans une population âgée, les jeunes eux-mêmes sont touchés par cette inhibition.

*Accroissement du nombre*

La plupart des modèles économétriques (J.A. Coale et E.M. Hoover, R. Easterlin, S. Encke, G. Zaïdan, etc.) concourent pour dénoncer l'influence défavorable d'un rapide accroissement de population, voire de tout accroissement. La logique simple élémentaire va dans ce sens (moins d'épargne et d'investissements sont nécessaires). L'expérience apporte cependant à ces vues un démenti étendu.

Selon elles, en effet, la croissance de la population, depuis la guerre, dans les pays peu développés, aurait dû jouer au détriment de ceux où elle a été la plus rapide. Or, après plusieurs années d'observations suivies, aucune corrélation ne s'est manifestée. Pour l'ensemble de la période 1960-1976 et pour 79 pays peu développés, le cœfficient de corrélation est : 0,05, c'est-à-dire nul.

Dans les pays où la population a augmenté de plus de 2,6 % par an, le PIB par habitant a augmenté de 2,5 % par an et dans ceux où l'accroissement de la population a été inférieur à 2,6 % par an, il a été de 2,45 % par an.

Une contre-épreuve a été faite *pour la production agricole par habitant,* pour tous les pays peu développés où les données étaient disponibles. Bien que la production agricole soit particulièrement exposée aux rendements décroissants (terres plus pauvres, travaux d'irrigation nécessaires, etc.), le résultat est le même : aucune corrélation pour l'ensemble de la période 1960 à 1976 (cœfficient de corrélation – 0,02).

Ainsi, les pays à croissance démographique rapide ont jusqu'ici compensé leur handicap économique par des dispositions plus progressistes. Rappelons qu'à la suite de longues observations, Mme E. Boserup a montré que les populations pressées par le besoin recouraient à des techniques plus poussées. Ce sont au contraire, les populations clairsemées et sans accroissement qui livrent le plus souvent leurs terres à l'érosion. Ainsi, un facteur supplémentaire doit être ajouté aux modèles, *la réaction des hommes devant la difficulté,* toujours oubliée, parce que n'entrant pas facilement dans les modèles.

*Le nombre des emplois supérieurs*

Les jeunes d'une génération ont-ils plus de chance de parvenir à un emploi supérieur, dans une population croissante ou décroissante ?

*A priori*, la réponse paraît plus favorable pour la population décroissante, le nombre de jeunes y étant plus faible, eu égard à celui des personnes plus âgées. C'est une illusion d'optique : chaque jeune regarde au-dessus de lui (pyramides 1 et 2) ; il voit une population plus âgée moins nombreuse pour la pyramide 1. Mais ce qui doit l'intéresser c'est le volume de la pyramide 2 qui concerne l'époque où il aura l'âge des emplois supérieurs ; ceci sous réserve que la croissance de la population ne soit pas défavorable à l'expansion économique.

 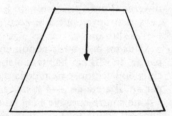

*Fig. 15. — Chances d'avancement des jeunes
selon la croissance de la population*

*Influence du progrès technique sur la population*

La population des diverses parties du monde n'aurait pas pu augmenter comme elle l'a fait, si elle en était restée au stade de la cueillette et de la chasse. De nos jours encore, seule l'introduction de techniques nouvelles, notamment dans l'agriculture a permis de faire face à l'accroissement rapide de la population après la guerre, qui a résulté de la diffusion de techniques anti-mortelles de masse. Bien utilisé, le progrès technique doit permettre un accroissement de population à niveau de vie égal ou supérieur.

*Conclusion de la 2ᵉ partie*

Nous nous sommes surtout préoccupés, dans cette partie, de montrer comment et pourquoi a été atteint jusqu'ici, en nombre d'emplois, un résultat si contraire aux apparences et jusqu'ici annoncé, par foi et conviction, plus que par un raisonnement convaincant. Tout en étant loin d'être satisfaisante, notamment par insuffisance de modélisation, cette analyse pénètre davantage le fond du problème, c'est-à-dire les hommes, en quittant le plus possible ce globalisme, qui, après une période brillante, a replongé les économies occidentales dans une situation plus préoccupante, peut-être, que celle des années 30, parce que l'arme en réserve, la stimulation de la demande a été déjà utilisée. Aucun modèle ne peut, du reste, démontrer de façon vraiment rigoureuse, pourquoi le mécanisme crée plus d'emplois qu'il n'en supprime. C'est une constatation expérimentale sur un siècle et demi.

Il s'agit maintenant de savoir :

— *pourquoi le mécanisme ne fonctionne plus de façon aussi satisfaisante*, ce qui nous conduira aux problèmes de l'emploi, dans leur aspect le plus général ;

— *quels moyens se présentent non pour revenir à un état de choses qui a en partie fait son temps, mais pour combattre le grand fléau contemporain*, l'élimination des hommes hors de l'économie nourricière.

Ce sera l'objet de la 3ᵉ partie.

*Troisième partie*

# OBSTACLES DIVERS
# ET
# POLITIQUE DE L'EMPLOI

# XVI

# Rigidités et non-emploi

Les libéraux tablaient sur la fluidité des échanges, surestimant souvent la rapidité des réflexes et la pleine connaissance, par les agents économiques, des données nécessaires à leurs décisions. Néanmoins, le degré de fluidité était suffisant pour avoir permis, pendant un siècle, des investissements industriels sans précédent, un courant important de migrations professionnelles et géographiques, une expression inédite de la vie économique, comme aussi du nombre d'emplois.

Ce régime « libéral » était *autoritaire*.

*Rigueur monétaire et rigueurs sur les hommes*

Les mouvements multiples, les changements continus, coïncidaient avec une stabilité, inédite elle aussi, de la monnaie. Du fait même de son arrimage international à l'or, c'était aux hommes qu'il incombait d'assurer les adaptations nécessitées par les changements techniques, démographiques, politiques et par les caprices des saisons. À *la* rigueur monétaire correspondaient donc *des* rigueurs sévères sur les hommes ; aucun moyen, pour eux, de se soustraire aux dures éventualités, aucun « bureau de réclamations ». Cette sélection des forts, érigée en principe, a d'ailleurs inspiré à Darwin sa théorie de l'évolution.

C'est du fait même de cette *servitude libérale,* que les crises économiques, dites périodiques ou cycliques, se résolvaient d'elles-mêmes, après une période de souffrances, délai néces-

saire à la liquidation des opérations incompatibles avec la fixité
monétaire.

## L'emploi en régime libéral

Selon la doctrine, il ne peut y avoir de chômage permanent,
ni même durable, puisque le marché rétablit l'équilibre entre
l'offre et la demande de travail. Le débat porte moins sur les
principes que sur le degré d'imperfection du système. En marge des travailleurs pourvus d'emploi de façon régulière, il y
avait, même en période de cycle ascendant, une population
flottante, dans une situation précaire. L'expérience des *Ateliers
nationaux* en 1848, a été saisissante : de partout sont arrivés des
travailleurs, débordant vite les moyens mis à leur disposition.

La situation des pays d'Europe, en ce temps, était quelque
peu comparable à celle des pays aujourd'hui agricoles ou en
voie d'industrialisation. En Algérie, il y avait en 1979, nous dit
M. Dahmani [1], 2 400 000 personnes sans emploi, ce qui correspondrait, pour la France à la même époque, à 7 millions. Ainsi, en régime libéral, même sans entraves officielles ou syndica-
les, le plein emploi ne peut pas être assuré : aux contraintes
familiales, géographiques, etc., s'ajoute un certain souci des
employeurs de recruter les meilleurs ou, plus exactement, de
laisser de côté une minorité trop peu productive. Si bas que
fussent les salaires, il restait toujours un certain jeu, ce que l'on
appelle parfois « le chômage nécessaire ». *Le plein emploi n'est
pas, répétons-le, un équilibre, mais une position aléatoire temporaire.*

Le marché des marchandises était soumis à des règles analogues. Dans tout marché au comptant, l'excédent de l'offre dans
un marché est permanent, en rapport avec la diversité des marchandises et des qualités.

Avant 1914, les syndicats ouvriers dénonçaient l'existence de
chômage et publiaient même des statistiques. Selon eux, le
pourcentage des ouvriers en chômage parmi leurs membres
atteignait en 1913 1,9 % en Allemagne, 4,7 % en Angleterre et
5,8 % en France [2]. Ici encore il faudrait bien connaître la définition adoptée.

---

1. Mohamed Dahmani, *L'Algérie, légitimité historique et continuité politique*, Le
Sycomore, Paris, 1979.

2. *Annuaire statistique de la France*, partie internationale.

Le très libéral C. Colson s'est exprimé ainsi[1] :

« Même dans les moments où l'activité atteint son maximum, où partout le manque de bras se fait sentir, il est bien rare que le nombre des ouvriers qui chôment, les uns involontairement, les autres par leur faute, ne représente pas 1 ou 2 % de la plupart des professions commerciales ou industrielles. Dans les périodes de marasme, la proportion monte à 8 ou 10 %, parfois davantage. »

En outre, aux chômeurs déclarés s'ajoutaient des inactifs, prêts à prendre un emploi, en conjoncture très favorable.

### *Révolte contre la servitude libérale*

C'est après la première guerre que l'opinion et même certains historiens ou économistes placent *ingénument* l'apparition du chômage. C'est prendre l'effet pour la cause et attribuer à l'évolution des choses des changements dus à l'évolution des hommes.

En dépit de quelques tentatives pour échapper aux rigueurs du marché, en dépit, aussi, de la concentration croissante, le système libéral a fonctionné jusqu'à la première guerre (les monnaies nationales ayant résisté même à la guerre de Sécession et à la guerre de 1870-1871). Les crises cycliques ont, en outre, fortement diminué en intensité. Cette amélioration peut être rattachée aux progrès de l'information et des communications ; comme les contraintes conservaient leur pression adaptatrice, les grandes distorsions étaient plus rares.

Après la première guerre, des efforts ont été déployés pour réduire ces contraintes de la liberté, d'où la multiplication de *rigidités*, cette fois voulues.

Par *rigidités*, nous entendons toutes les mesures ou dispositions prises par les hommes pour s'opposer aux mécanismes du marché et réduire sa fluidité. Celles-ci émanaient et émanent encore soit des pouvoirs publics, soit des particuliers ou entreprises, par associations, cartels, syndicats, etc. L'intervention était, du reste, nécessitée par les distorsions créées par cette première guerre : une baisse de prix et de salaires suffisante

---

1. *Cours d'économie politique*, professé à l'École polytechnique et à l'École nationale des ponts et chaussées, vol. II, p. 20.

pour revenir à l'équilibre des échanges internationaux, aurait exigé des sacrifices inacceptables et entraîné des craquements sévères. Ces interventions de l'État, jugées temporaires, n'excluaient pas le souci de retrouver la stabilité monétaire d'antan et les mécanismes du marché.

La diminution de la fluidité n'a pas été due en totalité aux changements d'attitude et de comportement des hommes, dans telle ou telle situation. La concentration industrielle, un peu atténuée plus tard par le marché commun, et l'extension du secteur public, ont agi dans la même direction.

Dans ces désordres, l'attention s'est vite portée sur *l'emploi*.


### *Ententes professionnelles*

Sans qu'il y ait eu toujours contrat juridique, ni même convention explicite, de véritables réflexes ont résulté du faible nombre de producteurs et vendeurs et d'un souci de sécurité.

Ni les consommateurs, ni même les auteurs de ces actes, ne se rendaient toujours bien compte des effets exercés sur la demande par la fixation des prix, toujours un peu supérieurs aux cours du marché. Parfois d'ailleurs, c'est la production elle-même qui a été directement limitée par voie d'entente. La permanence d'une telle limitation équivalait souvent à une régression technique, défavorable à l'emploi.

Quant à la fixation de salaires tarifés, elle n'a suivi qu'avec un certain retard, nous le verrons.


### *Chômage et allocation*

Pendant longtemps, le travailleur privé d'emploi, pour une raison ou une autre, n'avait, en dehors de sa famille, d'autre ressource légale que le bureau de bienfaisance ou la mendicité. Ceux qui ne tombaient pas dans cet état de misère étaient contraints de chercher et d'accepter divers sacrifices, en termes de profession, lieu de travail, salaire.

Au lendemain de la première guerre, a été généralisée en Angleterre, l'institution du *dole* ou allocation de chômage. Les débats se poursuivent depuis, sur le rôle de cette allocation dans la formation ou, tout au moins, dans le maintien du chômage.

Non seulement la liaison entre chômage et allocation n'est pas contestable, mais elle est heureuse : dès l'instant qu'il reçoit un moyen de subsister, le travailleur n'est plus obligé d'accepter rapidement n'importe quelle tâche pour pouvoir nourrir sa famille. Le débat persiste néanmoins sur le montant optimal de cette allocation. Craignant de voir ce montant réduit, si son influence sur le chômage est reconnue, les défenseurs de cette allocation, ou plutôt de l'augmentation de son montant, en viennent à contester cette influence. Le débat ne peut porter que sur l'intensité et l'élasticité du mouvement. Dire que le *dole* a largement contribué à l'augmentation du nombre de chômeurs en Angleterre, ne serait-ce que par freinage de l'émigration [1] ne signifie pas qu'il faille le supprimer, ni même le diminuer.

En France, l'allocation de chômage a été, longtemps, plus faible et plus restrictive qu'en Angleterre ou en Allemagne. C'est seulement depuis les années 60 qu'elle est accordée assez largement.

Quoi qu'il en soit, du jour où une allocation a été accordée aux travailleurs sans emploi, le chômage a, en quelque sorte, été *reconnu*, disons même *officialisé*, puisque des statistiques ont pu être dressées. Ce fut un progrès social, sous une apparence de régression économique.

*Quelques rigidités*

L'allocation de chômage a été loin d'être la seule rigidité introduite dans le marché du travail. Citons, en dehors des rémunérations, examinées au chapitre suivant :
– les *entraves au licenciement de personnel*. Ici encore, le social est en opposition avec l'économique ;
– les *résistances aux changements*. Le plein emploi permanent exigerait, de façon constante, des changements de profession (reconversions) ou des migrations intérieures, souvent onéreux ou pénibles ; les intéressés cherchent donc à les éviter :
– la *formation non conforme aux besoins*. La formation d'un jeune ne correspond pas nécessairement aux besoins de la nation

---

1. Avant la première guerre, 400 000 Britanniques émigraient tous les ans outre-mer, bien souvent par manque de travail. Après la guerre, en dépit de l'intensité du chômage des mineurs en Angleterre et au Pays de Galles et de la pénurie aiguë en France, aucun d'eux n'a franchi le Pas-de-Calais.

ou, plus exactement à la demande de produits et services (voir le chapitre sur l'équivalent travail d'une production). Il en résulte une distorsion structurelle, qui n'est pas le seul fait du hasard, et qui présente une grande rigidité, par peur de la dérogeance. Expliquons-nous :
– les *difficultés du transfert fiscal*. Une partie plus importante du déversement se fait par voie de finances publiques.


## La dérogeance

Dans tous les pays et à toutes les époques, la crainte de déchéance sociale a inspiré d'extrêmes résistances, la peur de perte financière, de niveau de vie, étant moins vive que le souci de dignité sociale. Ce sentiment extrêmement vivace et encore renforcé par les protections qui l'entourent, s'exerce surtout à deux degrés :

– du travail non manuel vers le manuel ;
– du travail manuel vers le service personnel.

La forte aversion à l'égard du retour au travail de la terre, qui a longtemps prévalu [1], a quelque peu diminué, depuis que le machinisme agricole facilite les tâches et confère à l'homme une certaine dignité, mais le rôle des femmes est resté important.

Après la deuxième guerre, la généralisation de l'enseignement du second degré aurait contribué, par cette relative fusion des classes, à atténuer la peur de déroger, si cet enseignement avait été convenablement adapté. Mais c'est, au contraire, l'enseignement classique, de tradition bourgeoise, qui a été généralisé, de sorte que la structure des emplois demandés s'est profondément séparée de celle des emplois offerts. En outre, comme cette constatation déplaisante semble une défense de l'ordre antérieur, cette cause importante de chômage n'est pas volontiers reconnue ou est minimisée.

Chaque fois que le sentiment de dérogeance s'efface devant les nécessités, le nombre d'emplois augmente rapidement. Les

---

1. Pendant l'occupation allemande en France de 1940 à 1944, tout commandait à ceux qui le pouvaient, un repli temporaire vers l'agriculture : manque de nourriture, manque de travailleurs agricoles, bombardements des villes, souci d'échapper à l'occupant. Le nombre des repliés a néanmoins été infime.

prétendus « miracles » nationaux (allemand [1], autrichien, etc.), après la deuxième guerre, l'ont abondamment montré. Voici encore deux exemples récents :

– En 1962, 400 000 Français actifs ont été rapatriés d'Algérie. A la *Commission des comptes de la Nation*, le pronostic était sévère : faisant remarquer que le nombre des offres d'emplois ne s'élevait qu'à 35 000, un membre de la commission en a conclu que le nombre de chômeurs s'accroîtrait de la différence, soit 365 000. Quelques mois après, les 400 000 actifs étaient à peu près réintégrés, par suite d'un vif désir d'adaptation, comprenant d'inévitables dérogeances.

– En 1977, 20 000 Vietnamiens sont entrés en France comme réfugiés. Consultée au sujet de leur emploi, l'*Agence Nationale de l'Emploi* a estimé cette recherche illusoire, puisqu'il y avait déjà 1 million de chômeurs et que ces nouveaux venus supportaient en outre le handicap de la langue. Quelques mois après, sans bruit, tous avaient trouvé un emploi, parfois au prix de sévères dérogeances.

Chaque fois que sautent les rigidités, le nombre des emplois s'accroît.


## *L'allongement de la vie et la baisse de la natalité*

L'évolution démographique a encore accentué les effets graves de la peur de la déchéance sociale.

Comparons à diverses époques, la pyramide des âges de la population adulte française [2] :

---

1. De 1949 à 1957, la population pourvue d'emplois en R.F.A. a, contre toutes prévisions et théories, augmenté de plus de 7 millions. Les rigidités avaient sauté.

2. Perspectives calculées par M. A. Lefebvre, en admettant que les taux de fécondité et de mortalité à chaque âge restent aux niveaux de l'année 1976. L'année 2010 a été choisie ici, pour éviter l'effet accidentel de la reprise de la natalité après la guerre.

|            | 1850  | 1910  | 2010  |
|------------|-------|-------|-------|
| 50 à 59 ans | 18,8  | 19,3  | 24,9  |
| 40 à 49 »   | 23,0  | 23,8  | 26,7  |
| 30 à 39 »   | 27,1  | 27,5  | 24,6  |
| 20 à 29 »   | 31,1  | 29,4  | 23,8  |
| Total      | 100,0 | 100,0 | 100,0 |

La proportion des travailleurs âgés augmente de 19 à 25 %, alors que celle des jeunes a (ou plus exactement aura), baissé de près d'un quart. En 2010, il y aura, pour la première fois, plus de travailleurs âgés que de jeunes. Or, c'est dans les âges élevés que se trouve la plus grande partie des emplois supérieurs. Joint au fort désir de promotion et d'élévation sociale, ce mouvement dépasse largement en ampleur le changement de la pyramide des emplois, par accroissement de la proportion de cadres, si excessive que soit l'hypertrophie du secteur tertiaire. Contrairement à l'apparence, une population croissante (page 256) offre aux jeunes plus de chances d'accès aux emplois supérieurs.

*Fixation d'éléments mobiles*

L'expansion ou la croissance, peu importe ici le terme, n'est qu'une destruction continue de situations, devenues périmées. Le souci de sécurité, de maintien se manifeste contre la perte d'un certain confort, d'habitudes et parfois d'emploi. La pression s'exerce, dès lors, sur les Pouvoirs publics, en faveur du maintien des situations anciennes. L'intervention se manifeste souvent par un blocage, plus facile à réaliser, pour un gouvernement, qu'une action motrice. Tel fut notamment le cas des loyers, à partir de 1914. Même les dictateurs les plus attachés à la propriété privée ont été conduits à cette mesure commode.

La cristallisation du logement dans les villes a résulté du blocage des loyers, suivi de l'extension de la propriété du logement. Cette rigidité a causé des dommages considérables. Du fait des changements qui surviennent au cours de la vie d'un ménage : nombre d'enfants ou de personnes à charge, lieux de travail, revenu, âge des enfants, etc., les dommages sont élevés, si élevés qu'aucune comptabilité nationale n'ose en tenir compte.

Cette rigidité a contraint à une mobilité journalière, onéreuse. Le coût de cette mobilité journalière a été encore accru par la généralisation de la carte à la semaine : du fait de ce bienfait social apparent, les travailleurs ont été, en tous pays, amenés, tous les jours, vers les entreprises, lesquelles ont pu se concentrer de façon antiéconomique. Finalement, au lieu de payer moins pour le même trajet, comme c'était l'intention initiale, le travailleur paie, en moyenne, autant pour un trajet plus long. Cette rigidité s'exerce contre l'emploi.

### Résistance à la baisse des prix

Le marché exige des mouvements de prix, dans les deux sens. Déjà, en régime libéral, la mobilité des prix n'a jamais été aussi forte à la baisse qu'à la hausse et c'est, d'ailleurs, une explication assez classique des crises, dites cycliques. Mais la rigidité à la baisse s'est considérablement accrue, au point que seuls y échappent en dehors des Bourses et des marchés à terme, certains produits agricoles, fruits et légumes notamment. La résistance à la baisse n'est pas nécessairement l'effet d'une entente. Pour l'individu, maître de son prix, elle revêt, surtout en temps d'inflation, un aspect psychologique, car baisser un prix semble une sorte de capitulation. L'aspect psychologique est fondamental, puisque la baisse est souvent admise à monnaie constante (maintien, pendant quelque temps, d'un prix nominal, malgré la hausse générale).

Des marchands n'acceptent souvent de baisser leur prix que de façon, en quelque sorte clandestine, en donnant à leur marchandise une autre orientation.

Les rabais, les pratiques de « discounts », les soldes, ne sont pas des baisses fondamentales, mais des artifices publicitaires ou des commodités classiques.

### Abandon ou refus de certaines professions

Revenons à la dérogeance et au refus d'adaptation professionnelle, point délicat, où il est difficile d'éviter un jugement moral, le plus souvent de réprobation, soit contre ceux qui

refusent des tâches disponibles, soit contre ceux qui leur repro-
chent ce refus.

Nous jugerons mieux sur des cas d'espèce.


## La domesticité

Déjà en léger déclin au début du siècle, en raison des progrès de l'industrie, l'abandon de la domesticité s'est précipité
après la première guerre. Le mouvement n'a été jugé sévèrement que par une bourgeoisie privée de services précieux.

Pourquoi le jeu du marché n'a-t-il pas permis de réguler
parfaitement le mouvement ? D'une part, les employeurs n'ont
pas poussé leur demande tout à fait selon leur désir, d'autre
part les personnes traditionnellement vouées à cette condition
s'en sont détournées, pour des raisons qui n'étaient pas purement financières (dignité personnelle, réputation). Finalement, le marché a presque disparu pour le sexe masculin et n'a
guère subsisté, pour le sexe féminin, que pour les travaux
intermittents (la femme de ménage traditionnelle), avec une
demande de travail plutôt inférieure à l'offre.

Cette évolution a résulté :
– *d'une diminution de l'esprit mercantile,* au sens propre du
mot, dans la population, diminution qui se décèle partout,
même dans les pièces de théâtre, les revues, l'humour, etc. ;
– *d'une certaine approbation morale de ce mouvement libérateur,*
par l'opinion.


## Les professions refusées

Un peu plus tard, le mouvement s'est étendu à un certain
nombre de métiers ou de tâches, abandonnés ou refusés par les
jeunes générations ; il s'agit, soit de tâches dures dans les entreprises, soit de conditions artisanales, surtout pour la réparation.
Pas plus que pour la domesticité, le marché n'a pu rétablir
l'équilibre :
– *dans les professions salariées,* les salaires n'ont pas monté au
niveau suffisant pour provoquer un recrutement suffisant. En
plusieurs pays, l'immigration a été nécessaire ;
– *dans l'artisanat,* les tarifs syndicaux n'ont pas été portés partout à un niveau suffisant pour inciter de nouvelles vocations

et freiner la demande. Il est partout difficile de faire réparer un instrument, un vêtement, etc.

Il est assez vain de reprocher cet abandon de profession aux jeunes ; leur attitude résulte des conditions où ils se trouvent. Ce mouvement joue sévèrement contre l'emploi. Le chômage frappe, en effet, non seulement les professions encombrées, mais, par un choc en retour, certaines professions déficitaires. L'existence de goulets inflationnistes oblige notamment à une politique de crédit plus restrictive.

## Débauche, embauche

Dans le régime libéral, l'entreprise licencie du personnel, en fonction de la conjoncture générale, professionnelle ou propre à l'entreprise. Longtemps presque sans limite, ce pouvoir est de plus en plus contesté, par la loi ou son application, ou du fait de la résistance syndicale ou même encore d'un sentiment humanitaire émanant de certains employeurs.

Quel que soit le bien-fondé de cette contestation, elle provoque, comme toute disposition sociale, une réaction, mais avec plus d'intensité que d'autres. L'employeur, placé devant un carnet de commandes important, hésite à embaucher, de peur de rencontrer des difficultés à se séparer de ce nouveau personnel, en cas de baisse des commandes, ou bien si des travailleurs engagés ne donnent pas satisfaction. L'opposition entre l'économique et le social s'avère ici si cruelle que le phénomène, sensible aussi en Yougoslavie, s'accentue partout.

En particulier, des entreprises semi-artisanales du bâtiment, largement pourvues de commandes, sont en état permanent de sous-activité, alors que des ouvriers de ces professions restent en chômage, secourus ou non.

Cette cause de chômage est sous-estimée, par une sorte de pudeur.

Plus généralement et plus sévèrement, se manifeste une rigidité croissante à l'endroit des travailleurs, qui, sans être des handicapés, présentent des qualités un peu inférieures à la moyenne. Il n'est que trop tentant de les choisir en cas de licenciement et de les laisser de côté, lors de l'embauche. Personne n'est apparemment responsable de cette exclusion progressive et semi-automatique.

*Les pointes*

La concentration de consommations ou d'activités périodiques à des moments déterminés, qu'il s'agisse de la journée, de la semaine, du mois ou de l'année, est une rigidité, plus souvent dénoncée que combattue. Comme ces inégalités et pulsations répondent en général à une commodité, ou du moins, une habitude, les résistances à l'étalement augmentent en liaison avec le niveau de vie (voir p. 309).

Toute mesure propre à émousser des pointes onéreuses comporte des contraintes réglementaires ou des incitations financières ; les premières sont mal appliquées et suggèrent des fraudes diverses, tandis que les secondes rencontrent des oppositions, avant même d'être décidées, même s'il s'agit de primes positives. Quelques résultats ont cependant été obtenus par voie de tarification (air, chemin de fer, électricité).

Les pointes créent ou accentuent des goulets, obstacle important, sur lesquels il nous faut revenir.

*Les goulets*[1]

Cette question fondamentale, déjà abordée (page 221), souvent oubliée, est toujours sous-estimée, en particulier dans les études conjoncturelles des meilleurs spécialistes.

En économie planifiée ou en économie de pénurie, le phénomène est si visible, qu'il est assez bien combattu. L'application du plan est, en somme, une recherche perpétuelle de localisation des goulets et des moyens de les élargir. Il suffit, dans une fabrication très en amont, que manque un métal en quantité infime, comme une hormone dans un organisme, ou une vitamine dans un régime alimentaire, pour entraîner des dommages importants[2]. Tout élargissement du goulet principal en met d'autres en évidence.

Tout goulet durable résulte d'une rigidité. Selon M. Ch. Kindleberger « un goulet d'étranglement, peut, semble-t-il, être défini comme une pénurie à laquelle le système

---

1. Voir Paul-Yves Houffroy, *Essais sur la notion de goulet d'étranglement dans l'analyse économique* (thèse Montpellier, 1967). A. Sauvy, « Les secteurs clefs », *Revue d'Économie politique*, 1950.

2. En 1943-1944, les Alliés ont essayé, quelque temps, de concentrer tous leurs bombardements sur les usines allemandes de roulements à billes, pour freiner les mouvements des armées ennemies.

des prix ne saurait remédier[1] ». Il ne s'agit pas seulement de
pénurie, du moins de pénurie de produit. Nous avons bien
l'idée de la circulation routière et des « bouchons », comme
aussi de toute conduite d'eau, qu'elle soit ouverte ou fermée
(p. 221) ; un engorgement même léger en un seul point, quelques roseaux en travers, suffisent à ralentir le débit tout le long
du trajet. Un paysan, même illettré, comprend qu'il faut agir
sur ce point précis et non aux endroits où la conduite n'est que
partiellement utilisée.

En économie, *l'optique est opposée et l'erreur à peu près générale.* Ce sont les secteurs insuffisamment occupés qui retien-
nent l'attention et notamment les hommes en chômage. Le
souci si légitime de leur venir en aide entraîne un contresens
perpétuel, rituel, dans le jugement et l'action.

Voici comment a évolué en France pour 100 entreprises, le
nombre de celles qui ont déclaré ne pas pouvoir physiquement
produire davantage :

| | | | |
|---|---|---|---|
| Juin 1974 | 39 | Novembre 1977 | 19 |
| Novembre 1975 | 15 | Octobre 1978 | 19 |
| Novembre 1976 | 20 | Octobre 1979 | 27 |

Même au plus fort de la dépression en 1975, 15 entreprises
sur 100 étaient bloquées par des conditions physiques. C'est
l'obstacle essentiel à un progrès de la production contre lequel
vient buter une stimulation de la demande *globale.*

La persistance d'un goulet prouve l'absence ou l'insuffisance
des réactions spontanées propres à le faire cesser. Du même
coup, est suggérée l'idée d'une intervention propre à rétablir la
situation que le marché naturel n'a pas su assurer. Nous
entrons alors dans un domaine immense, qui sera examiné au
chapitre 18 *Correctifs et régulateurs.*

### Les rigidités et le progrès technique

Dans quelle mesure les rigidités ont-elles pu freiner soit le
progrès lui-même, soit les adaptations rendues nécessaires par
une perturbation technique ? Nous laissons, cette fois encore,
de côté les rémunérations, étudiées dans le chapitre suivant.

---

1. « A bottleneck can perhaps be defined as a shortage which the price system
is not remedying » dans *Economic development*, M. Graw Hill C°.

Qu'il s'agisse d'investissements ou de meilleure utilisation du personnel, un projet de progrès technique peut être abandonné par l'employeur, dans la crainte de ne pas pouvoir licencier le personnel ou de devoir accorder des concessions trop importantes. Cette rétention joue lorsque l'extension attendue du marché n'est pas suffisante pour maintenir le personnel en place. A tout le moins, un ralentissement de l'innovation peut-il être décidé, pour rester dans la limite fixée par les départs en retraite.

Quant aux trois moyens de récupérer les emplois perdus du fait du progrès technique, ils sont très inégalement affectés par les rigidités :
– *la construction de matériel nouveau* n'est guère touchée qu'en fonction de l'investissement lui-même et de la crainte citée ci-dessus. Si la décision positive est prise, le réemploi se fait au dehors, avant même le licenciement ;
– *l'extension du marché* ne souffre guère davantage de diverses résistances, car les changements ne sont pas douloureux ; rien ne s'oppose à ce que le consommateur modifie sa consommation, en profitant de la baisse de prix. Toutefois, il est possible que des ententes professionnelles freinent celle-ci ;
– c'est surtout sur le *déversement* et ses conséquences que peuvent agir les rigidités. Il s'agit d'ailleurs moins du déversement lui-même que du reclassement des travailleurs : les emplois nouveaux qui correspondraient à la solution optimale pour l'économie exigent une reconversion, parfois franchement indésirable et, de ce fait, refusée, notamment en cas de changement de domicile, souvent difficile, et rarement vraiment avantageuse. Cette résistance peut conduire le travailleur soit à des activités d'attente, peu productives, soit à l'inscription au chômage.

En outre, le déversement se fait plus souvent par voie de finances publiques ; le mécanisme reste le même, mais le prélèvement fiscal rencontre diverses résistances.

### Rigidités et mouvement

Toute rigidité est conservatrice et s'oppose au mouvement. Par souci de sécurité, certains éléments sont fixés, sinon bloqués par résistance. Mais toute rigidité, tout blocage se répercute ailleurs dans l'économie et engendre une variation plus ample et souvent plus douloureuse. La moins douloureuse, apparemment, est la dégradation monétaire, mais la plus fatale est celle de l'emploi.

## Rendement croissant et décroissant

Pendant longtemps, le déversement s'est fait de l'agriculture, secteur à rendement souvent décroissant, vers l'industrie, domaine où le rendement croît, pendant quelque temps, avec les quantités : abandon de terres pauvres d'un côté, et gain en productivité de l'autre. Le *déversement actuel du secteur secondaire vers les services* est loin de présenter les mêmes avantages. Cet obstacle essentiel, de plus en plus dommageable à l'emploi, va être étudié dans le prochain chapitre.

Quant au déversement par voie publique, de plus en plus important et de plus en plus nécessaire, il présente, en soi, une difficulté croissante.

XVII

# Influence des rémunérations

Le mécanisme de récupération, et au-delà, des emplois perdus du fait du progrès technique, est-il contrarié ou facilité par un niveau plus élevé des rémunérations ? Plus généralement, voyons les relations entre les salaires et l'emploi ou plutôt entre les rémunérations et l'emploi.

## Précautions initiales

Il est difficile, sur ce sujet, de se débarrasser de tout préjugé, de toute inclination, par sympathie ou crainte.

Les défenseurs du régime capitaliste ont, dit-on, tendance à juger son fonctionnement satisfaisant et inversement. Il en est bien souvent autrement. Par exemple, les socialistes, placés dans l'opposition politique, font souvent valoir qu'une majoration des salaires stimulera la consommation et contribuera ainsi à l'augmentation de la production et même des investissements. Ce régime, discutable, se voit alors décerner un brevet d'harmonie par ses adversaires, alors qu'en repoussant l'argument, ses défenseurs dénoncent, sinon une malfaçon, du moins une distorsion qui pourrait passer pour une condamnation.

Ce paradoxe apparent s'explique aisément par la position des uns et des autres à *court terme*.

– Bien obligés de jouer le jeu, pour le moment, dans le cadre du régime, les syndicats et les socialistes lui décernent, à contrecœur, ce brevet. Si, en effet, ils annonçaient ouvertement qu'en raison de l'incapacité du régime à obtenir une situation d'équité, toute revendication serait inutile et que seu-

le l'action révolutionnaire pourrait donner des résultats, les syndicats ne seraient pas suivis de la base ; l'intérêt immédiat prime les principes.
– Inversement, les employeurs, ou leurs défenseurs, ont beau jeu à faire valoir qu'ils seraient tout prêts à faire un geste en faveur d'une majoration des salaires, mais que cette mesure risque de provoquer des troubles nationaux (inflation, chômage, réduction des investissements et par là, de la croissance de l'économie et des salaires). En annonçant que l'expansion est directement liée à leurs profits, ils formulent, contre le régime qu'ils défendent, un reproche fondamental.

Cherchons toujours à démonter et décrire les mécanismes, sans porter sur eux un jugement de valeur, mais, en soulignant l'opposition entre les divers objectifs que l'on peut se proposer.

Il s'agit de voir successivement :

— *l'influence des salaires et rémunérations sur l'adaptation au progrès technique et la récupération des emplois perdus ;*
— *les relations générales entre l'emploi et les salaires ou rémunérations.*

## L'adaptation au progrès technique

Que le progrès technique ait été jusqu'à nos jours, dans l'ensemble favorable au nombre des emplois et par là au niveau des salaires ou rémunérations n'est plus en question (chapitre v). La question est de connaître l'influence des salaires et rémunérations, sur les trois mécanismes de récupération des emplois perdus :

— *production d'équipements favorables à la productivité ;*
— *extension du marché de la branche progressiste ;*
— *déversement vers d'autres consommations.*

## Production d'équipements

Le recours à un matériel nouveau susceptible de diminuer le prix de revient devient plus avantageux :
– si les salaires de la branche qui les produit diminuent ;
– lorsque les salaires de la branche progressiste augmentent.

Il s'agit donc de variations relatives ; ce ne sont pas les salaires eux-mêmes qu'il faut comparer, mais leurs évolutions, en partant d'une situation initiale jugée en équilibre.

Qu'une hausse de salaires, dans une branche déterminée, favorise sa mécanisation est un événement classique, dans l'évolution contemporaine ; moins visible et moins direct est le freinage exercé par la hausse des salaires dans la branche qui produit les équipements. C'est d'après le prix du matériel que l'investisseur prend, en effet, sa décision.

Les quatre variables en cause sont donc :
— *salaires dans la branche qui produit les équipements ;*
— *pourcentage des salaires,* dans les prix de vente de cette même branche ;
— *salaires dans la branche progressiste ;*
— *pourcentage des salaires* dans le prix de revient de cette même branche.

Le nombre des emplois nouveaux pour la production de matériel est presque toujours inférieur au nombre des emplois devenus inutiles, à production maintenue.


## L'extension du marché

Selon les observations formulées pages 199 à 201, plus la part des salaires directs dans le prix du produit est faible, plus il y a de chances de récupérer les emplois perdus, par une simple extension du marché.

Reprenons le tableau et ses commentaires de la page 201, qui donne la baisse relative des prix, selon l'intensité du progrès technique et la part des salaires directs dans le prix du produit :

| $\dfrac{E'}{E}$ | Salaire S |  |  |  |
|---|---|---|---|---|
|  | 4 | 7 | 10 | 13 |
| 0,9 | 7,0 | 7,4 | 7,6 | 7,9 |
| 0,85 | 10,5 | 11,1 | 11,5 | 11,9 |
| 0,8 | 14,0 | 14,8 | 15,4 | 15,8 |
| 0,75 | 17,5 | 18,5 | 19,2 | 19,8 |

Plus les salaires sont élevés, plus est nécessaire une forte élasticité de la consommation du produit, même si l'innovation technique ne se traduit pas par une augmentation des salaires du personnel conservé dans l'entreprise.

Le nombre d'emplois récupéré est une fonction croissante de

$$\frac{P - P'}{P}$$

Si S est infini $\frac{P - P'}{P} = 1$ et $P' = 0$

Le prix du produit devrait tomber à zéro pour permettre qu'il n'y ait aucun licenciement.

À l'occasion du progrès technique réalisé, les salaires du personnel non licencié sont souvent relevés ; pour juger les limites du phénomène, prenons deux cas extrêmes :

1. *Tout le bénéfice du progrès va aux salariés et à l'employeur.*

Le prix de vente ne peut pas baisser et il n'y a aucune extension du marché (en négligeant l'achat supplémentaire du produit par le personnel lui-même [1]). Le licenciement est intégral.

2. *Baisse du prix de revient entièrement reportée sur le prix de vente.*

Ce cas a été examiné au chapitre XII. La récupération des emplois sur place est aussi élevée que possible, mais peut n'être que partielle, si l'élasticité de la consommation n'est pas en rapport.

En tout état de cause, toute augmentation du profit et des salaires du personnel non licencié nuit à la récupération des emplois sur place.

## Nouveaux emplois par déversement

Voici le point le plus important du chapitre et, peut-être, de tout l'ouvrage :

Quels que soient l'origine du déversement et la personne bénéficiaire, le nombre d'emplois nouveaux, qui résulte de ce déversement, dépend largement des rémunérations et, plus

---

1. S'il est augmenté de 10 % et qu'il consacre 5 % de son supplément de salaire au produit, cela ne donne que 0,5 %, pour l'extension du marché et de l'emploi.

précisément, des salaires (charges sociales comprises), dans les secteurs d'accueil.

Si ces rémunérations deviennent plus importantes :
— *une même somme déversée assure moins d'emplois ;*
— *la somme déversée vers ces professions est moins élevée.*

Ainsi, de fortes rémunérations, dans les secteurs d'accueil, freinent le déversement vers elles, ainsi que la récupération du nombre des emplois.

La première perte apparaît simplement proportionnelle aux rémunérations, soit :

$S$    la somme déversée

$r$    la rémunération initiale d'une unité de travail (journée par exemple)

$rp$   la rémunération nouvelle ($p > 1$)

Le travail nouveau assuré par la somme $S$ passe de

$$\frac{S}{r} \text{ à } \frac{S}{rp}$$

La seconde perte dépend de l'*élasticité de la demande,* elle peut être inférieure ou supérieure à la première, mais peut atteindre des niveaux très élevés, si la trop forte rémunération demandée entraîne un refus. Au lieu de se déverser vers une consommation nouvelle, le gain supplémentaire réalisé par le progrès technique retourne à une consommation antérieure, sans doute moins favorable à l'emploi. *C'est le court-circuit éliminateur.*

Si le déversement se fait par voie de finances publiques (fiscalité, suivie d'une dépense supplémentaire), la première perte joue, comme précédemment, de façon proportionnelle. Avec le même crédit, en négligeant les dépenses de matériel, on peut rémunérer 100 agents gagnant 110 ou 110 agents gagnant 100.

Sans doute les 110 agents ne gagnant que 100 ne consomment pas les mêmes produits et services que les 100 agents gagnant 110 ; la perte sera donc un peu inférieure à 10 emplois.

Quant à la seconde perte, elle doit être plus basse que dans le cas d'une consommation privée, car les Pouvoirs publics ne modifient pas autant qu'un particulier leur dépense, en fonction du prix.

*Les consommations nouvelles au stade industriel et aujourd'hui*

Tout au long du XIX<sup>e</sup> siècle, et jusqu'en 1929, la population active a augmenté dans l'industrie. Le déversement des revenus des personnes bénéficiaires du progrès s'est donc fait largement dans l'industrie, dans des secteurs où les salaires n'étaient pas beaucoup plus élevés qu'au point de départ. En outre, l'accroissement des quantités consommées diminuait souvent leur prix de revient. *Il n'en est plus de même aujourd'hui.*

Le nombre de personnes actives dans l'industrie n'augmente plus dans les pays industriels, tout au moins en proportion. C'est dans le secteur tertiaire, des services que se produit largement le déversement. Même lorsqu'il a lieu dans le secteur industriel, il est complété par un changement de structure à l'intérieur des entreprises, de sorte que *l'ensemble équivaut à un déversement vers des services.*

Ceux-ci présentent généralement deux caractères, tous deux défavorables à l'emploi :
– *les salaires ou rémunérations y sont plus élevés ;*
– *la croissance du rendement, selon les quantités consommées est moins fréquente.*

Par contre, ces services comportent, le plus souvent, moins de matériel, de capital, que l'activité industrielle.


*Quelques exemples*

Voici, dans le secteur privé, en dehors des secteurs classiques (avocats, experts, etc.), quelques professions où le déversement s'exerce ou peut s'exercer :
– Enseignement privé, leçons de tous genres, sciences, lettres, musique, danse, gymnastique, sport, personnel privé de santé, infirmières, garde-malade, etc., secrétariat, comptabilité, écritures, dactylographie, traduction de textes, conseillers divers, juridiques, immobiliers, fiscaux, financiers, etc., agences de voyages, tourisme, hôtels, restaurants, spectacles, sports, décoration d'intérieurs, métiers d'art, animation, organisation.

La plupart de ces professions sont des services assez purs, employant peu de capital et de matériel. Dans tous ces cas, les besoins privés et publics sont loin d'être assurés et la demande très élastique.

Mais le déversement est compromis par *l'élévation de ces rémunérations.*

*Dignité sociale et pouvoir d'achat*

Pourquoi ces professions semi-libérales assurent-elles des rémunérations élevées ? Non seulement le marché ne joue pas, mais l'attitude des intéressés ne s'y prête pas. Chacun vise moins le pouvoir d'achat que la dignité sociale.

Il faut, avant tout, éviter la *dérogeance et le déclassement*. Les syndicats de ces professions fixent le plus souvent des tarifs sensiblement supérieurs à ceux que donnerait le marché, ce qui entraîne un sous-emploi. Déjà classique dans certains métiers comme celui d'acteur (plutôt se passer de cachet et se priver fortement que de consentir une réduction, avec tout le discrédit que porte le mot *rabais*), cette attitude s'étend et s'accentue pour deux raisons :
– *les professions en question deviennent plus nombreuses* ;
– *l'élévation générale du niveau de vie* permet à chacun d'attendre et atténue la pression du besoin : salaire du conjoint, indemnité de chômage, prélèvement sur l'épargne ou sur des ressources, etc. permettent de ne pas céder à des soucis immédiats [1].

Dans de nombreux domaines, se produit un *resserrement de l'emploi*. Soucieux de limiter le coût du « plateau », les directeurs de théâtre, et même parfois les producteurs de cinéma, cherchent des pièces ou des sujets où le nombre d'acteurs et de figurants ne soit pas trop élevé. Il faut garder la ou les vedettes, pour maintenir l'affiche, mais les rôles secondaires sont évités.

Pourquoi cette contraction, cette rigidité au point d'arrivée, qui devrait être d'une grande souplesse ou mobilité, n'a-t-elle

---

1. Voici des tarifs demandés en France pour quelques professions en 1979 :

| | |
|---|---|
| garde-malade | 40 F l'heure |
| dame de compagnie | 200 F la journée |
| traduction | de 80 à 300 F la page |
| dactylographie | 30 F les 100 lignes |
| moniteur de ski | 70 F la leçon individuelle (1 heure) et 26 F la leçon collective de 2 heures |
| modèle | 30 F l'heure |
| dessin industriel | 65 à 80 F l'heure |
| leçon de musique | 85 F l'heure de leçon individuelle |
| leçon de natation | 50 F l'heure de leçon individuelle |
| figuration de théâtre, cinéma et télévision } | de 150 F à 350 F la journée |

guère retenu l'attention ? C'est que tous ceux qui écrivent, ou se manifestent à ce sujet, appartiennent précisément à ce monde des cols blancs, soucieux de maintenir des situations élevées. Selon une croyance assez générale, cette poussée des rémunérations vers le haut est favorable à l'expansion, au niveau de vie général. Optique trompeuse.

Pour voir l'étendue des illusions à ce sujet, poussons la situation jusqu'à l'outrance, nous mettant dans une économie où le secteur matériel devenant négligeable, *tout serait service pur.* Il n'est pas possible que chaque heure de travail permette de se procurer des consommations, exigeant une heure et demie de travail. Toute prétention dans ce domaine se fait aujourd'hui au détriment des salaires manuels et, s'ils résistent, de l'emploi.

### Justifications particulières

À l'appui de ces attitudes professionnelles et de ces rémunérations, sont données des justifications propres : longueur des études, pénibilité et aléa du travail, rémunérations pratiquées à l'étranger, etc. Bonnes en soi, ces raisons ne contredisent pas l'influence défavorable exercée sur l'emploi.

Le déversement suit la loi des vases communicants : si le niveau s'élève trop dans le vase récepteur, le courant s'arrête. Une large dispersion existe autour de l'attitude moyenne, mais, en tout état de cause, cette rétention réduit le circuit et s'avère défavorable à l'emploi.

### Mythes et réalités sur le « tertiaire »

Depuis que Fisher, Colin Clark et J. Fourastié ont montré la marche de la population active, partie de l'agriculture vers l'industrie, puis le « tertiaire », la connaissance a fait moins de progrès que la mythologie. Les expressions telles que « société postindustrielle » n'ont fait qu'accentuer la confusion.

L'absence de définitions ou plutôt la multiplicité des définitions sont quelque peu responsables des malentendus qui se multiplient à ce sujet.

Une distinction importante, et souvent oubliée, porte sur l'*activité collective* et la *profession individuelle*. C'est surtout celle-ci qui intervient dans les questions d'emploi, car elle dicte le choix de l'individu ; mais les statistiques et les théories portent plus fréquemment sur l'activité collective.

Depuis l'extension du chômage, un large espoir de l'opinion porte sur le domaine tertiaire, source de nouveaux emplois. Cette vue repose sur deux considérations, l'une objective, l'autre affective :

– *la marche classique de la population active* du primaire et surtout de l'agriculture vers le secondaire (industrie), puis le tertiaire, nous l'avons vu, largement vulgarisée ;

– *l'attrait des professions non manuelles.*

Ainsi, le nécessaire et l'agréable seraient, pour une fois, confondus. Une pression s'exerce donc en vue de multiplier les emplois non manuels et particulièrement les emplois supérieurs au-delà des besoins techniques. Comme la « production » d'un non-manuel se mesure bien moins facilement que celle d'un manuel, cette pression conduit à des situations éloignées de l'optimum économique, comme aussi de la solution la plus favorable au nombre des emplois.

Entre les divers pays, cette pression a eu des résultats inégaux, qui se répercutent sur l'économie générale et finalement l'étendue du chômage.

Voici, par exemple, dans le personnel d'entreprises allemandes et françaises, la part des fonctions d'encadrement [1] :

|  | Entreprises françaises (%) | Entreprises allemandes (%) |
|---|---|---|
| Machine-outil | 10,9 | 8,0 |
| Sidérurgie | 13,3 | 7,6 |
| Papier carton | 12,2 | 9,6 |
| Tannerie | 15,7 | 3,3 |

Comme, en outre, les rémunérations des cadres français sont quelque peu supérieures à celles des cadres allemands, la différence de coûts joue un rôle important.

---

1. C.E.R.C. (3ᵉ trimestre 1974), *Structure des salaires et des emplois dans les entreprises françaises et allemandes.* Pour chaque branche et chaque pays, nous avons pris la moyenne arithmétique entre les deux lots d'entreprises observées.

*Les conditions d'un plein déversement*

Pour que le déversement fournisse un nombre d'emplois aussi élevé que possible, il importe que les prix ou tarifs des activités « favorables » à l'emploi ne soient pas trop élevés, en regard des activités « défavorables ». Les salaires respectifs dans ces deux groupes d'activité agissent dans le même sens.

Des salaires élevés dans des branches utilisant une forte proportion de produits importés agissent comme des droits protecteurs, sans représailles de la part de l'étranger. Ils peuvent donc améliorer l'emploi, s'il s'agit de produits de consommation, en détournant les achats vers d'autres branches, plus chargées d'emplois.

Tout dépend cependant des *élasticités*. Par exemple, les hauts salaires dans les raffineries de pétrole ne provoquent aucun déversement vers des consommations plus nationales, parce que l'élasticité de la demande, selon le prix, est très faible, pour l'essence.

Le libéralisme assurait en principe, plus ou moins bien, ces équilibres optimaux, mais les mouvements spontanés vont chacun dans une direction donnée et l'aléa est maître.

*Relations générales entre les salaires et l'emploi*

Les trois objectifs classiques : élever les salaires, assurer le plein emploi et maximer la production, ne s'identifient pas. En particulier le premier ne conduit pas aux mêmes solutions que les deux autres.

Et, par ailleurs, il faut distinguer le *court terme* et le *long terme*.

*L'effet à court terme ou conjoncturel*

Les arguments employés se groupent autour de deux thèses classiques, opposées :
– *des salaires trop élevés réduisent la rentabilité,* éliminent les marginaux et freinent l'activité, l'emploi et les investissements ;
– *un relèvement des salaires accroît le pouvoir d'achat des salariés et stimule ainsi la consommation.* À son tour, l'accroissement de

la production réduit le coût de revient et rétablit ainsi la rentabilité un instant compromise. Du reste, l'augmentation des
salaires encourage directement la recherche de progrès et de
rentabilité.

Même en ajoutant à la première thèse l'argument sur le circuit de travail (plus favorable à l'emploi, pour les revenus élevés), il n'y a pas de loi générale ; tout dépend des circonstances
et des données de fait. Il y a, dans chaque cas, une solution
optimale, de chaque côté de laquelle l'emporte l'une ou l'autre
thèse. Il suffit pour s'en convaincre d'envisager des solutions
extrêmes.

La recherche d'une loi fondamentale n'a donc guère de
sens. À tout moment, dans chaque pays, se posent des questions pratiques, bien définies, par exemple : quel sera l'effet sur
l'emploi et sur la production nationale d'une majoration de
n % sur tels salaires ? Comme la réponse exige des recherches
laborieuses et pas toujours concluantes, il est plus confortable
de rester dans le débat général et dans l'idéologie.

De l'examen continu de la conjoncture, pendant de longues
années et surtout pendant les dernières, semble se dégager la
conclusion suivante :

Des salaires un peu moins élevés et surtout *plus souples,*
c'est-à-dire plus assortis aux conditions locales et à la conjoncture du moment auraient, à inflation égale, amélioré l'emploi
et réduit le nombre des chômeurs, ne serait-ce que celui des
marginaux.

Inversement, l'indemnité de chômage a eu pour effet, sinon
pour but, d'empêcher une détérioration des salaires, sous la
pression des demandeurs, ce qui confirme dans certaines limites la relation inverse entre les salaires et l'emploi.


*Dans la fonction publique*


La relation inverse entre le nombre des emplois et leur
rémunération est une simple constatation arithmétique, même
si par le jeu des consommations, le rapport n'est pas inversement proportionnel. Dès l'instant, que, dans la plupart des
domaines (santé, enseignement, culture, aménagement du territoire, environnement, etc.), les besoins sont loin d'être couverts, la possibilité existe, pour tout gouvernement, d'augmenter le nombre des emplois au détriment de leur rémunération.
Aller dans ce sens heurte à tel point les idées reçues et les

tendances fondamentales que non seulement la politique ne peut pas facilement s'engager dans cette voie, mais que les constats les plus élémentaires sont refusés par l'opinion.

## Salaires minimaux et pression syndicale

La fixation d'un salaire minimal risque d'écarter des travailleurs marginaux à productivité réduite, si aucune mesure spéciale n'est prise en leur faveur, Mais ils permettent d'éviter des abus et de jouer favorablement à long terme.

De façon générale, la pression syndicale a toujours cherché à soustraire les salaires aux lois du marché et à obtenir des rémunérations supérieures à ce qu'il donnerait. Ici encore opposition entre le court et le long terme.

L'examen de deux variantes outrancières suffit à montrer l'existence d'une position optimale. Si l'effort demandé aux employeurs, dans un délai bref, est trop important, l'effet de stimulation peut devenir découragement, rappelant le cas du sauteur en hauteur passant franchement sous la barre, si celle-ci est un peu trop haute. C'est ce qui est arrivé quand le Front Populaire en France, en juillet 1936, a accru la charge salariale de telle façon que les industriels ont relevé leurs prix, en renonçant à tout effort d'adaptation.

Par contre, dans l'ensemble et surtout à partir de 1850, l'action syndicale et la pression revendicatrice ont, tout comme l'action fiscale plus tard, exercé un rôle de stimulant. Ce fut notamment le cas, lors de l'instauration de la Sécurité sociale après la seconde guerre.

## La promotion sociale

Du fait de l'évolution de la population active (la partie supérieure et moyenne augmentant plus que la partie inférieure) le revenu moyen s'élève plus que la moyenne des revenus, calculés par catégorie sociale.

C'est ainsi que, de 1906 à 1975 [1] la moyenne des indices de

---

1. Pour les années 1906 à 1954, voir A. Sauvy et Françoise Léridon « Du calcul des revenus dans une population à la frustration sociale », *Population*, 1961, n° 4, pages 605 à 624. Pour les années 1954 à 1975, calculs de M. Alain Lefebvre (non publiés).

salaires en France (non compris la Sécurité sociale) est passée
de 100 à 307, alors que le salaire moyen a monté de 100 à 436.
Ainsi le phénomène de promotion a accru le salaire de 42 %.
La rémunération moyenne d'un salarié s'est accrue de 2,2 %
par an, alors que les salaires n'ont augmenté apparemment que
de 1,6 %.

De 1954 à 1975, la promotion a joué un rôle relatif moins
important que de 1906 à 1954, mais du fait de l'entrée de 2
millions de travailleurs étrangers après 1954, les salaires des
Français ont bénéficié d'une promotion supplémentaire.

*La souplesse*

Du point de vue de l'emploi, la souplesse est plus importante
que le niveau général. C'est la rigidité des salaires et des rémunérations qui s'oppose à l'adaptation aux événements. Les
règlements ou conventions collectives, en matière de salaires,
ont toujours pour objet d'atténuer la rigueur du mécanisme
libéral, en fait autoritaire, mais l'intervention se borne le plus
souvent à contrarier, non à construire un ensemble cohérent.
Le fait que les employeurs vivent sur des différences, mal
connues d'eux-mêmes, mais en général largement supérieures
au revenu d'un salarié, ne facilite pas le jugement, car, dans
une optique égalitaire, il faut toujours pousser sur les salaires.

L'élévation de certains salaires et le défaut de souplesse nui-
sent à l'emploi, plus encore par les obstacles apportés au déversement que par l'évolution normale.

# Correctifs et régulateurs

Le progrès technique suscite non seulement une série de perturbations et d'adaptations mais des actions ou réactions volontaires pour en conjurer les effets défavorables ou pour en utiliser les avantages. Il s'agit en général :
– de combattre le chômage et le sous-emploi ;
– de mieux répartir les revenus.

Les moyens le plus souvent employés sont la réduction du temps de travail, les travaux publics ou autres, les échanges extérieurs, la stimulation de la demande, etc.

*La réduction du temps de travail*

Elle semble le correctif, quasi arithmétique, des progrès de la productivité. Si la productivité par unité du temps augmente de n % sans intervention d'un matériel nouveau (ou compte tenu du temps consacré à ce matériel), il suffit de multiplier le temps de travail par $\dfrac{100}{100 + n}$.

La réduction du temps de travail professionnel peut porter sur la journée (moins d'heures par jour), la semaine, l'année (congés), la vie (formation et retraite).

La répartition, selon les jours de la semaine, d'une durée hebdomadaire déterminée est secondaire, du point de vue qui nous intéresse.

### L'année de travail

Elle se présente sous forme de *congés annuels*, exprimés en majeure partie, en semaines. Son influence sur la production, l'emploi et l'ensemble de l'économie varie largement selon la façon dont les congés sont répartis.

– Dans le cas extrême où la date de ces congés, fractionnée au besoin, serait décidée, en toute autorité, par l'employeur et placée au moment le plus creux de l'activité (période de gel pour le bâtiment, morte saison pour le tourisme, etc.), la perte pour la production pourrait être négligeable.

– Par contre, les départs simultanés (France, Italie) sont onéreux. Les pointes de trafic, ou de consommation, coûtent et la récupération du temps perdu ne peut être que partielle.

Une fois de plus, la rigidité est dommageable.

Une application rigide, par départs massifs, simultanés, ne réduit pas le chômage, par meilleure répartition du travail disponible. Par exemple, un progrès technique qui multiplie l'ensemble de la production par 48/47 = 1,021 ne serait pas compensé par une réduction de l'année de travail de 48 à 47 semaines (5e semaine de congé) ; la compensation parfaite exigerait de nombreux ajustements.

Mais une différence importante apparaît, *psychologiquement*, entre le congé annuel et le nombre d'heures par semaine. Par exemple, la réduction proposée de 40 à 35 heures pour la semaine de travail serait arithmétiquement équivalente à l'octroi de 6 semaines de congé supplémentaire[1].

Les syndicats sont, en général, plus attachés à la réduction de la semaine de travail qu'aux congés, pour deux raisons :

– *les apparences,* qui viennent d'être soulignées : l'opinion extérieure aux syndicats voit plus favorablement 5 heures par semaine que 6 semaines de congé ;

– *la réduction du chômage leur semble plus sûre par la réduction de la durée du travail,* car l'idée de partage est plus directe.

Quant à l'influence des congés brefs (jours fériés) sur la production et sur l'emploi, c'est une question délicate, où intervient, une fois de plus, la souplesse. Si le congé est récupéré très vite sous une forme ou une autre, dans les entreprises gou-

---

1. 35 heures pendant 48 semaines de travail donnent 1 680 heures dans l'année, équivalent à 40 heures sur 42 semaines.

let, en plein emploi, la production générale peut être maintenue. Tout dépend de l'élasticité des productions et des mesures prises.

## La vie de travail

L'influence de la vie de travail sur l'emploi est rarement étudiée d'une façon scientifique. Le calcul continu de l'évolution d'une population stable (c'est-à-dire progressant à un rythme constant) bénéficiant d'un progrès technique constant lui aussi et assurant un certain rythme de promotion sociale, n'a guère été tenté.

C'est toujours sur des cas concrets que la question de l'emploi et de la vie de travail est abordée. Il faut distinguer l'entrée dans la vie active et la sortie :

L'âge d'entrée dans la vie professionnelle s'est constamment élevé, depuis les débuts de la machine et du progrès technique. Mais les enfants sont aujourd'hui plus *actifs* économiquement parlant, qu'au temps où ils « travaillaient », car ils sont tous en apprentissage ; c'est une question de définition statistique (voir page 98).

Y a-t-il intérêt, en dehors des avantages de la formation plus poussée, à retarder pour des raisons d'emploi l'entrée des jeunes dans la vie active ? Le calcul arithmétique se trouve, cette fois encore, pris en défaut. Le plein emploi, dans un pays industriel, n'est généralement pas une question de nombre, nous l'avons vu, mais il exige un *parfait ajustement* entre offres de produits et services et offres de travail. Le nombre important des diplômés chômeurs ou excédentaires conduit à réviser ces conceptions malthusiennes de l'emploi, toujours décevantes. Mais si, effectivement, un nombre important de jeunes se rencontre dans des professions excédentaires, le retardement de leur arrivée dans la population active modifie, de façon apparemment avantageuse, la statistique.

Question plus trouble encore : la fin de la vie active, souvent jugée de façon affective et superficielle. Il est difficile d'échapper ici à l'idée qu'un retraité de plus, c'est un chômeur de moins.

Dans certains cas, c'est une simple question de définition. Un retraité prématuré est économiquement et socialement à peu près identique à un chômeur à vie, surtout si interdiction lui est faite de reprendre un travail professionnel. Mais l'impression ressentie par l'opinion est tout autre : le retraité prématuré est jugé plus favorablement que le chômeur. Pour montrer le simplisme d'un tel raisonnement, il suffit d'aller à l'outrance. Il arrive un moment où l'emporte la crainte de la charge pesant sur l'économie productive, tout en la réduisant encore.

Les seuls à avoir étudié avec suffisamment d'attention la question sont les Scandinaves, lesquels ont fixé, dans l'ensemble, à 67 ans l'âge de la retraite. Le montant de celle-ci est alors, toutes choses égales d'ailleurs, plus élevé ; consommant davantage, le retraité pourvoit plus d'emplois.

La détermination de la position optimale, du point de vue de l'emploi, est difficile, car d'un homme âgé à un autre, les écarts sont plus importants encore que pour les adultes. Pour certains hommes de 55 ans, le départ est avantageux à l'économie, surtout dans les professions tertiaires.


*Durée hebdomadaire du travail*

C'est la question la plus controversée. Si la production par heure de travail augmente de n %, sans intervention d'un matériel nouveau, il suffit, nous l'avons vu, de multiplier le nombre d'heures travaillées par $\dfrac{100}{100 + n}$ pour assurer arithmétiquement l'équilibre. Si les travailleurs, ainsi allégés, ne s'adonnent à aucune activité professionnelle de remplacement et si leur salaire hebdomadaire est maintenu, tout revient du point de vue des travailleurs à l'état initial, en dehors du repos supplémentaire acquis. Mais une telle coïncidence est exceptionnelle.

Supposons un progrès technique résultant de l'acquisition d'un matériel nouveau, en changements continus. La diminution du nombre d'heures de travail dans les entreprises est alors en partie compensée par les heures de travail exécutées hors de ces entreprises, par des travailleurs de professions différentes et pouvant avoir des salaires différents. Bien d'autres répercussions peuvent se propager dans l'économie, mais, comme elles sont peu visibles, l'opinion est incitée à demander une réduction de la durée du travail en compensation.

Dans l'économie agricole, c'est-à-dire précisément dans le secteur où le progrès a été le plus refouleur, cette compensation pouvait d'autant moins se poser que la notion de durée du travail était assez imprécise. Dans les débuts de l'industrie, la réduction des très longues journées n'avait guère d'effet sur la production, le travailleur ne pouvant, en tout état de cause, fournir plus que les quelque 2 200 calories alimentaires qu'il absorbait, diminuées de son métabolisme basal (voir page 96).

Et c'est ainsi que la durée du travail a été réduite sans inconvénient, à 10 heures et même à 9 heures.

## La journée de 8 heures

Réclamée longtemps avant la première guerre (les 3 × 8), accordée dans quelques entreprises de pointe, cette durée a été généralisée au lendemain de la guerre, en même temps qu'était créé le B.I.T. à Genève. En dépit de circonstances apparemment peu favorables chez les belligérants (pertes d'hommes, besoins de la reconstruction et du renouvellement des outillages, quelque peu sacrifié pendant les hostilités) ; l'opération a réussi du point de vue du repos accordé : la loi a été dans l'ensemble respectée. Mais, du point de vue du gain du travailleur, la réussite n'a été que partielle : en France, par exemple, le gain initial a été ensuite compensé par la hausse des prix, de sorte qu'en dépit de progrès techniques notables [1], le pouvoir d'achat de l'ouvrier n'était, en 1928, supérieur que de 5 % à celui de 1914, résultat final d'autant plus faible, pour une période de 14 ans, que le sacrifice des rentiers et titulaires de revenus fixes (pour la plupart, des personnes âgées), a joué en faveur des salariés.

Enfin, du point de vue du chômage, résultat contestable : la question ne se posait guère en France, mais en Angleterre, en Allemagne, aux États-Unis, le nombre de chômeurs a été élevé pendant les années 20, avant même la grande crise. Comme l'adoption des 8 heures par jour a été générale, il n'y a pas de pays témoin permettant de juger ce qui serait arrivé avec une législation différente.

## La semaine de 40 heures

Dès le début de la crise des années 30, et même un peu

---

1. Pour des renseignements complémentaires, voir *Histoire économique de la France entre les deux guerres*, Fayard, vol. II, pages 208-210.

avant, des voix s'étaient élevées pour ramener de 48 à 40 heures la durée de la semaine de travail.

Roosevelt est le premier passé à l'application. Mais l'opinion
courante, selon laquelle le New Deal a eu raison de la crise
économique, et notamment du chômage, ne résiste pas à l'examen (voir p. 79) : en mars-avril 1933, la dévaluation du dollar,
amarré à une parité d'or trop élevée, a provoqué, comme dans
tous les pays à cette époque, une reprise rapide de l'activité.
Cette reprise a été arrêtée par le New Deal, en juillet de la
même année et la production industrielle est retombée (fig.
16).

Mais les historiens et économistes, qui ont traité la question,
se sont bornés, soit à suivre la légende, soit à examiner les indices *annuels*, ce qui leur a suggéré un contresens. En outre, en
dépit du grand avantage que présentait, à cette époque, la
dévaluation, le nombre des chômeurs aux États-Unis dépassait
encore 10 millions en 1938, contre 12 en 1932. Le Canada,
pays témoin (même dévaluation, mais sans New Deal), l'Angleterre et les autres pays libéraux ont obtenu de bien meilleurs résultats. Mais la leçon des États-Unis n'a pas porté.

L'expérience tentée en 1936, en France, présente une importance exceptionnelle, non seulement par les enseignements
qu'elle donne sur cette question, mais sur l'emploi en général.
Elle met, en outre, en évidence la faible connaissance du sujet,
non seulement dans l'opinion, mais chez de nombreux économistes. Le rapporteur de la loi à la Chambre des Députés,
André Philip, était, d'ailleurs, professeur d'économie à l'université de Paris.

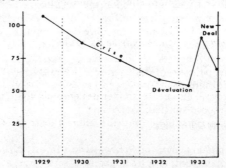

*Fig. 16 — Production industrielle (indice FRB)*
*aux États-Unis de 1929 à 1933*

Une comparaison est possible, cette fois avec des pays témoins : les Pays-Bas et la Suisse, qui ont dévalué leur monnaie – événement décisif à l'époque – en même temps que le franc français (fin septembre 1936), mais qui n'ont pas réduit la durée du travail. De septembre 1936 à septembre 1938, pour éliminer les variations saisonnières, la baisse du nombre de chômeurs a été de 43 % en Suisse, de 23 % aux Pays-Bas et de 17 % en France. En outre, le nombre de chômeurs partiels dépassait en France 20 %.

En Belgique, où la dévaluation du franc a eu lieu en mars 1935, le nombre de chômeurs a diminué de 45 %, au bout de cette même durée de deux ans.

*Pour l'ensemble des pays capitalistes libéraux, c'est aux États-Unis et en France que la baisse du chômage a été la plus faible, c'est-à-dire dans les deux pays où a été introduite la semaine de 40 heures.*

En novembre 1938, les conditions d'application de la loi ont été assouplies en France. Sans stimulation nouvelle de la demande (l'armement a été compensé par des mesures fiscales), le résultat a été décisif : forte reprise de la production, allongement de la durée du travail et diminution du chômage. Le nombre de chômeurs complets est tombé à 303 000 en août 1939, chiffre le plus bas depuis la grande poussée de 1934. En même temps, le nombre de chômeurs partiels a diminué de plus de moitié (de 18,4 % en octobre 1938 à 6,9 % en juillet 1939) ; toujours l'effet de la souplesse. Ces résultats n'ont cependant pas été répandus et l'expérience n'a guère servi. C'est qu'elle allait contre un mouvement séculaire, appuyé, avec une force exceptionnelle, par l'opinion.

## Situation actuelle et la demande de 35 heures

À partir de 1975, le progrès et la persistance du chômage en Europe ont donné consistance à des projets de réduction de la durée du travail, en vue de donner des emplois aux chômeurs. Cette idée repose sur deux postulats :
— *le travail existant étant limité, il convient de le répartir entre tous* ;
— *les travailleurs sont interchangeables.* Il est difficile d'y échapper totalement, tant les apparences sont fortes et l'inégalité irritante.

*Pour maintenir le pouvoir d'achat hebdomadaire*, donc le

niveau de vie des travailleurs, il faut relever le salaire horaire en proportion, ce qui nécessite de l'employeur, privé ou public, un débours supplémentaire. Les sommes nécessaires doivent être prises ailleurs, ce qui se traduit soit par des réductions de dépenses (investissements, ou dépenses privées des employeurs, dépenses publiques), soit par des prélèvements supplémentaires (prix, fiscalité). Ces opérations suppriment des emplois de façon invisible.

Si la réduction de la durée du travail peut se justifier dans l'industrie, tant par la pénibilité du travail que par la possibilité d'une meilleure productivité, toute extension à l'ensemble de l'économie serait fortement dommageable, par une nouvelle dégradation des services publics (poste, police, santé, etc.).

*Rigidités et adaptation*

Le nivellement de la durée du travail rencontre diverses difficultés :
— *la répartition professionnelle des chômeurs* diffère de celle des travailleurs ayant un emploi ; *l'élimination est plus forte dans les professions encombrées.*
— *la qualité d'un chômeur moyen* est inférieure à celle d'un travailleur moyen. Une sélection progressive s'est opérée à travers les embauches et les licenciements ;
— *la répartition géographique* des chômeurs diffère de celle des travailleurs ;
– il faut, dans divers cas, tenir compte de *l'âge et du sexe.*

Cet énoncé des rigidités ne doit pas être, lui-même, trop rigide. Il est rare qu'une réduction de la durée du travail ne soit pas suivie d'un certain progrès de la productivité. Longtemps dû à la réduction de la fatigue, il peut résulter aujourd'hui de la correction de divers défauts (personnel imparfaitement utilisé), efforts nouveaux et, du moins au début, d'un désir des syndicats de voir réussir l'opération.

Pour le personnel non manuel, les situations sont très diverses. Dans certains cas, du fait même qu'il n'y a ni cadences, ni primes de rendement, la récupération est assez facile. Mais elle est bien plus problématique dans diverses professions publiques : police, hôpitaux, enseignement, recherche, etc.

Dans l'industrie, le progrès de la productivité après une réduction de la durée du travail est, en partie, une anticipation et en partie le résultat d'améliorations antérieures, non encore bien exprimées. Mais plus ce progrès est notable, moins l'argument de la résorption du chômage a de force, directement [1].

L'augmentation de la masse salariale, pour une même production, a pour contrepartie une diminution des bénéfices des employeurs. Il en résulte une perte d'emplois correspondant aux investissements ou à leurs dépenses personnelles. Ce simple transfert arithmétique est souvent contesté ou ignoré : si l'argument de l'investissement est, à la rigueur, admis [2] par l'opinion, il n'en est pas de même pour les dépenses personnelles des employeurs.

Sur une ligne continue, les fruits du progrès technique se divisent en profits, constamment remis en question, et constamment récupérés, en pouvoir d'achat des travailleurs et en loisir ou repos.

### Les travaux publics ou autres

Dès les premières évictions d'ouvriers par la machine, des propositions ont été formulées en vue d'organiser des travaux d'utilité publique. La motivation n'était pas toujours sociale : du moment qu'ils sont inactifs, disait la bourgeoisie, il faut utiliser leur force de travail. Le procédé a été employé, sur une large échelle, après la révolution française de 1848, sous la forme des *Ateliers nationaux*. En Angleterre, les *working houses* ont été conçues dans un esprit analogue. Quelles que soient les motivations, les erreurs commises sur le plan économique ont résulté, une fois de plus, de la prise en considération du seul visible.

Dans certains pays agricoles, surpeuplés (les deltas d'Extrême-Orient), le travail peut manquer dans l'absolu (voir p. 162). Dans une économie industrielle, il n'en est jamais ainsi ; ce qui manque, ce sont les moyens de le rémunérer.

N'étant pas rentables du point de vue capitaliste, au moins dans l'immédiat, les travaux doivent être financés par l'État ou une collectivité locale. Les données nécessaires peuvent être obtenues : par des économies budgétaires sur d'autres postes,

---

1. D'une façon générale (c'est l'objet de ce livre), l'accroissement de la productivité augmente le nombre des emplois.

2. En 1936-1937, au moment de l'introduction de la semaine de 40 heures, Robert Mossé, professeur d'économie politique, contestait curieusement cet argument : « Que font-ils de ces bénéfices ? Ils thésaurisent, ils investissent ».

par des emprunts dans le public ou par création de moyens
monétaires.

Dans le premier cas, les emplois créés ont pour compensation les emplois perdus du fait des réductions de dépenses ;
dans le second, la contrepartie réside dans les emplois perdus,
du fait de la réduction de consommation ou d'investissements
des prêteurs. Enfin, dans le troisième, la question est de savoir
quels sont le degré de sous-emploi et l'élasticité de la production. Si ces deux données sont étendues, la stimulation de la
demande est préférable à des travaux uniformes.

Il a été parfois proposé, même pendant les années 30, de
faire exécuter ceux-ci sans machines, avec des pelles et des
brouettes, pour occuper plus d'hommes. C'est prendre le
moyen pour la fin.

Le procédé est de plus en plus abandonné, en raison de la
division du travail et du souci d'employer les chômeurs dans
leur propre profession ou une autre, jugée plus noble. D'où
l'idée de stimuler la demande, de favoriser la création de nouvelles industries ou encore de protéger la main-d'œuvre nationale.

## Stimulation de la demande

La création de nouveaux emplois par émission de moyens
monétaires remonte aussi haut que le crédit. La thèse la plus
parfaite et la plus poussée est due à Charles Dutot, collabora-
teur de Law. Non seulement toute la population serait ainsi
employée, dit-il, mais les étrangers afflueraient, ce qui accroîtrait encore la production et les revenus du roi ou de la nation.
L'illusion sur l'étendue indéfinie des moyens de production
(en l'espèce, les terres, car il s'agissait d'économie agricole)
s'est perpétuée à travers les siècles sous diverses formes, en
dépit de la stagflation.

## Le travail intérimaire

Dans le secteur public, la lutte est ouverte depuis longtemps
entre le gouvernement qui, désirant une certaine souplesse
dans les effectifs, crée des catégories nouvelles de non-titulai-
res (auxiliaires, contractuels, etc.) et les syndicats qui, au fur et
à mesure, cherchent à faire titulariser ces agents sans statut, ce

qui conduit à avoir, en divers points, ou à divers moments, des effectifs supérieurs aux besoins ou aux moyens financiers.

Dans le secteur privé, l'extension du travail intérimaire, après la seconde guerre, a été la conséquence logique des rigidités légales ou coutumières, introduites sur le marché du travail. Il a paru surprenant que les employeurs acceptent de payer des salaires deux fois supérieurs et même davantage, pour une tâche donnée. Certains en ont conclu que les salaires normaux étaient très inférieurs aux seuils que permettrait la rentabilité ; il n'en est rien, nous allons le voir. Cette pratique, inconnue dans les pays socialistes, trouve des explications :

1. *Si un camion se trouve en panne dans un désert,* par suite de la rupture d'une pièce très modeste, mais essentielle (un boulon, par exemple) le conducteur serait prêt, pour se tirer d'affaire, à payer cette pièce (s'il la trouvait) à un prix très supérieur à sa valeur marchande (« Mon royaume pour un che val ! »). Nous retrouvons le goulet d'étranglement pur. De même si, dans un atelier, un bureau, il manque provisoirement (brève maladie, deuil, etc.) une personne faisant partie d'une chaîne continue (dactylo, dessinateur, spécialiste, etc.), la rentabilité commande son remplacement rapide, « coûte que coûte », remplacement que permet seule l'organisation du travail intérimaire.

2. *L'application de certaines lois sociales* (rigidités) ne concerne pas les travailleurs intérimaires. Si les gratifications, libéralités, etc., prévues par les conventions collectives, pour les travailleurs titulaires, ou devenues usuelles sont importantes, la rentabilité peut être maintenue.

3. *La possibilité de licenciement rapide* peut conduire l'employeur à garder quelque temps un travailleur intérimaire. La sélection redevient possible, ainsi que le changement.

Bref, le travail intérimaire est (comme le travail noir, mais de façon plus recommandable) une soupape, un demi-retour à la souplesse du libéralisme, souplesse qui, l'expérience le confirme, se paie à un prix élevé.

# XIX

# Quelques exemples

Nous donnons, dans ce chapitre, quelques exemples très divers, pris dans la vie courante, trop souvent examinés sous le seul point de vue financier ou dans l'optique superficielle et trompeuse de « créer des emplois ».

*Effort fiscal de valeur sociale*

Voici un pays industriel où le Parlement envisage de relever de, disons, 10 milliards, le revenu des ménages les plus modestes (par l'impôt négatif, par exemple) et de prélever cette même somme sur les revenus les plus élevés. Une telle transformation est :
– *du point de vue social,* équitable et souhaitable ;
– *du point de vue financier,* neutre ;
– *du point de vue économique,* agissante.

Le plus souvent, l'opinion et même le gouvernement ne se préoccupent que des deux premiers aspects. Or le transfert de cette somme modifie son utilisation et cela dans un sens défavorable à l'emploi : la famille modeste va consommer plus de produits à rendement décroissant, plus de logements urbains, alors que la réduction des revenus élevés se portera davantage sur les investissements et sur des consommations de seconde nécessité, au détriment de l'emploi.

L'opération peut cependant rester recommandable, même du point de vue économique : l'amélioration sociale peut, en effet, favoriser à son tour des progrès économiques, par une meilleure santé, physique et culturelle, par un meilleur équilibre national, une diminution de la criminalité, etc. Mais ces modifications sont à plus long terme et plus difficiles à mesurer que les précédentes.

Cet exemple a cependant une leçon : si on laisse de côté l'aspect, déplaisant en soi, d'une forte inégalité des revenus nominaux, en se proposant pour but essentiel d'améliorer la condition des plus modestes, un effort préalable ou simultané doit s'exercer sur la production des produits à faible élasticité de production.

## Énergie et pétrole

Depuis l'augmentation du prix du pétrole, en 1973, il a été beaucoup débattu sur ses conséquences et sur la conduite à suivre. La question de l'emploi a souvent été évoquée, mais toujours de façon superficielle, sans chercher une nouvelle position d'équilibre et en se limitant presque toujours à la première vague ou même à un seul plateau de la balance.

Un bilan d'ensemble embrassant toute l'économie est si complexe que nous devons nous borner ici à un aspect plus restreint, mais significatif :

Les divers gouvernements occidentaux ont maintenu le prix de l'essence au-dessous du niveau qui eût entraîné une baisse de la consommation ; pour justifier cette attitude, ils ont invoqué les pertes d'emplois qu'entraînerait une diminution de la circulation routière. C'est ignorer les transferts de consommation qui se produiraient. Voici comment peut se présenter le bilan, dans l'hypothèse où le prix serait établi, par voie fiscale, au niveau permettant une réduction suffisante de la consommation et un accroissement du montant des impôts perçus. Du fait de la faible élasticité de la consommation selon le prix, ce niveau existe[1] :

---

1. Soit $I$ les impôts perçus sur un litre d'essence
   $A$ les autres frais sur un litre d'essence
   $P = I + A$ le prix à la pompe
Si les impôts sont multipliés par $p$, le prix devient : $P' = Ip + A$.
Du fait de cette augmentation, la consommation est multipliée par $r$ $(r<1)$ et le rendement de l'impôt devient $I p r$.
Admettons que $I = 60$ et $A = 40$, pour 100 F d'essence (ce qui est assez voisin du cas français). Un accroissement de 16,7 % donne un impôt 70 et un prix total 110. Même si la consommation baisse de 10 % (élasticité 1), le rendement de l'impôt est 63, en augmentation de 5 %.

En laissant de côté quelques incidences secondaires, le bilan, en termes d'emplois, s'établit ainsi :

| *Pertes* | *Gains* |
|---|---|
| 1. Réduction des activités liées à la production de l'essence (raffineries, etc.) et à sa consommation (réparation, garage, construction, etc.). | 1. Affectation à d'autres consommations (ou à des investissements), des économies faites par les usagers. |
| | 2. Affectation, à diverses dépenses, des plus-values fiscales. |
| 2. Réduction des activités d'entretien du réseau routier, du fait de la diminution de la circulation. | 3. Affectation, à diverses dépenses, du gain financier réalisé par la puissance publique sur l'entretien des routes. |

En termes financiers, il y a évidemment équivalence, le poste 1 de gauche correspondant aux postes 1 et 2 de droite et le poste 2 de gauche au poste 3 de droite (il en serait de même pour les péages). Mais il n'y a pas nécessairement équivalence en termes d'emplois.

Un bilan analogue peut être établi pour les transports de marchandises : le transfert sera plus localisé (en grande partie vers d'autres moyens de transport). Il n'est pas possible, à première vue, de juger si tel ou tel transfert augmente ou diminue le nombre des emplois, mais il y a cependant des gains bien apparents :

1. *A court terme,* le gain se présente ainsi :

– l'industrie consomme, à montant financier égal, moins d'énergie que la circulation routière. C'est notamment le cas du transport ferroviaire (consommation 4 à 5 fois moins forte que le transport routier). Le gain réalisé par les chemins de fer se traduirait, lui aussi, en termes d'emplois : investissements supplémentaires ou bien réduction du déficit, ce qui transfère le gain aux Pouvoirs publics ;

– la tension extérieure étant diminuée, il est moins nécessaire de freiner l'activité générale par la limitation de la demande, au-dessous du niveau possible (à inflation égale). On estime en effet que 1 % d'accroissement de la production entraîne de 6 à 10 milliards d'importations supplémentaires.

2. *A long terme.* Le gain financier réalisé par la puissance publique peut être affecté à des investissements productifs, en

particulier à favoriser les industries de pointe, à forte valeur ajoutée et forte utilisation d'emplois, susceptibles d'améliorer la balance commerciale.

### La vente des réfrigérateurs

En 1946, lors de la nationalisation de l'électricité en France, le ministre responsable a précisé que l'organisme nouveau *Électricité de France* ne pourrait pas vendre aux ménages d'appareils électriques, comme le faisaient auparavant les compagnies privées.

Sans cette mesure, les réfrigérateurs auraient pu être normalisés, commandés en grande série par E.D.F. et vendus avec une faible marge ; elle a été prise sous la pression du petit commerce, soucieux de conserver ses emplois ou d'en créer, car la production de réfrigérateurs était, à cette époque, nulle.

Si cette mesure était annulée aujourd'hui, ce qui équivaudrait à un progrès technique, quelles seraient les conséquences, en termes d'emplois ?

| Passif | Actif |
|---|---|
| Pertes d'emploi des commerçants à concurrence de la somme vendue | Emplois supplémentaires à E.D.F. pour cette vente |
| En seconde vague, perte des emplois correspondant aux achats de ces commerçants | Emplois créés par les achats supplémentaires des ménages, en raison de l'économie réalisée |

La question des emplois qui seraient perdus, en seconde vague, sur les achats des commerçants éliminés, prête cependant à débat. Une question délicate de vitesse est en jeu. Du fait que la diffusion des réfrigérateurs est déjà presque totale et en raison des difficultés de reclassement des petits commerçants, le court-circuit réalisé à leur détriment risquerait d'être, à court terme, défavorable à l'emploi. Une stimulation de la demande serait rendue possible, mais elle exigerait un reclassement. La mesure ne serait efficace, en termes d'emplois, qu'à long terme.

*Multipropriété*

Divers promoteurs tiennent à des souscripteurs éventuels, le plus souvent pour les vacances d'hiver, le langage suivant :

Si vous achetez un appartement (une maison), non seulement vous payez une somme importante, mais vous supportez ensuite, pour deux semaines de séjour seulement, la totalité des frais d'entretien des charges et impôts. Nous vous proposons de nous acheter la même jouissance, bien délimitée dans le temps, pour un prix bien plus bas et des charges à proportion. Nous vous vendons, en somme, la pleine propriété de deux semaines.

Que représente cette opération progressiste, en termes d'emplois ?

Laissons de côté les menus détails (nettoyage, gérance, etc.), ainsi que les inconvénients pour l'acheteur (impossiblité de laisser des objets personnels, date de séjour imposée), car ils n'interviennent guère dans l'emploi. Supposons qu'au lieu de 30 unités-logement, 5 suffisent désormais pour assurer les séjours souhaités.

Voici le bilan :

| *Au passif* | *A l'actif* |
|---|---|
| Emplois directs et indirects pour la construction de 25 logements | Emplois du promoteur et de l'organisation |
| | Emplois créés par l'utilisation des économies réalisées par les acheteurs |

La balance des emplois dépend de l'utilisation qui sera faite des économies réalisées.

En qualité, les emplois perdus concernent la construction, secteur résistant assez inflationniste. Les emplois du promoteur correspondent mieux à l'offre de travail (tertiaire). Quant à l'utilisation des économies, elle sera sans doute consacrée, en large partie, à une autre épargne. Le bilan doit être positif, surtout à long terme.

## *Les accidents de voiture ou incendies*

Lorsque survient un accident de voiture (ou un incendie), l'opinion estime que du travail supplémentaire est ainsi fourni. C'est, une fois de plus, l'attrait du seul visible. Restons sur le terrain des emplois :

A un accident supplémentaire correspond effectivement du travail donné au personnel médical, aux réparateurs ou bien à la construction automobile, si le véhicule est hors d'usage.

La contrepartie est fournie par les sommes versées par la (ou les) compagnie d'assurances et éventuellement par l'accidenté, s'il est insuffisamment assuré. Elles se retrouvent en comptabilité financière, dans les bénéfices, les impôts et les dividendes et en comptabilité d'emplois (en moins), par l'utilisation qui eût été faite de ces sommes. Cette fois, les emplois perdus du fait de l'accident sont, sans doute, de meilleure qualité que les emplois gagnés, surtout si les médecins, mécaniciens, etc., sont en plein emploi. L'accident est donc défavorable, même en emplois.

Si maintenant, au lieu de raisonner marginalement, nous prenons l'ensemble des accidents de voiture survenus en une année, la contrepartie des emplois gagnés se trouve dans les primes d'assurances payées par les intéressés. Leur pouvoir d'achat est amputé d'autant. Les emplois ainsi supprimés sont, sans doute, d'une assez bonne qualité.

## *Les assurances*

Rendue obligatoire, l'assurance contre les accidents de voiture, que nous prenons pour exemple, a connu une importante extension, dans une concurrence limitée. Mais ce serait une erreur de croire qu'il y a eu des emplois supplémentaires, car le paiement de la prime réduit d'autant les disponibilités de l'assuré.

Plus encore que dans l'assurance maladie, la couverture du petit risque (par exemple, moins de 800 F en 1980) est onéreuse, en termes financiers, parce que les frais de contrôle et d'administration par unité monétaire sont plus élevés, que la fraude est plus facile et la négligence plus tentante. En dépit de ce coût, les polices prévoyant une franchise sont peu nombreuses.

L'obligation de franchise réduirait, en effet, de façon plus que proportionnelle, le nombre des emplois et particulièrement celui des emplois moyens et supérieurs (avocats, experts, etc.). Il s'agit donc, pour ces menus risques, d'un travail sans contrepartie productive. Si les primes étaient réduites, le pouvoir d'achat libéré se porterait sur d'autres articles ; en tout état de cause, le niveau de vie serait plus élevé. Pour le nombre des emplois, la réponse dépend évidemment du choix de la dépense de remplacement, mais, compte tenu du fait que la suppression porterait assez largement sur des emplois à forte rémunération, le résultat serait positif.

*Les ventes immobilières*

Les immeubles à vendre (appartements dans une grande ville, villas ou pavillons dans une banlieue ou une région de tourisme, etc.) sont confiés à un grand nombre d'agences ou vendus directement par le propriétaire, au moyen d'annonces.

Ce procédé dispendieux entraîne pour l'acheteur une perte de temps considérable et, pour le vendeur, une commission élevée, mais un travail important. En outre, faute de pouvoir se rendre dans toutes les agences intéressées, l'acheteur acquiert un bien qui ne correspond généralement pas totalement à son désir initial.

Il a été proposé de constituer, pour tous les biens d'une certaine catégorie, un *fichier central*. S'il s'agit, par exemple, de logements dans une ville, la carte indiquerait :
– *par les perforations ou signes magnétiques,* une douzaine de caractères : quartier, étage, année de construction, superficie, nombre de pièces, confort, exposition, charges, prix demandé ;
– *par les inscriptions,* quelques indications précises : adresse, mode de paiement, détails divers, valeur d'expertise.

L'acquéreur indiquerait les caractères qu'il désire et la machine lui livrerait dans la minute, les 5 ou 6 logements (par exemple), qui répondent à ces conditions. En cas de non-satisfaction, un profil un peu plus large fournirait une dizaine d'unités supplémentaires.

Le gain de temps serait considérable et la commission d'agence pourrait être fortement réduite. Laissant de côté le meilleur ajustement final au goût de l'acquéreur, si appréciable qu'il soit, comment se présente le bilan en terme d'emplois ?

Du fait de la réduction du nombre des déplacements, des visites sans objet, etc., un grand nombre d'agents immobiliers perdraient leur utilité. Les emplois supplémentaires d'experts compenseraient d'autant moins les emplois supprimés qu'étant plutôt mieux rémunérés, ils seraient, même à débours égal, moins nombreux. La contrepartie se trouverait dans la réduction de la commission permise précisément par la réduction du nombre des agents et l'utilisation, à d'autres fins, de l'économie réalisée. Mais, circonstance aggravante, l'emploi d'agent immobilier est un refuge pour de nombreux tertiaires sans qualification précise. C'est pourquoi une telle opération, économiquement avantageuse, puisque parvenant à un meilleur résultat, pour moins de travail (court-circuit), rencontre tant de résistances.

Cependant, une contrepartie plus étendue pourrait être trouvée, dans le temps, grâce à une augmentation du nombre de ventes. Aux frais élevés qu'entraîne chacune d'elles s'ajoutent, en effet, des frais d'acte, qu'une normalisation pourrait réduire et des impôts, dont la justification économique et sociale est peu fondée et qui pourraient, eux aussi, trouver dans le nombre de transactions une compensation à la réduction de tarif. Une plus grande mobilité permettrait alors, à chaque ménage, de rester moins longtemps dans un logement, qui ne ne lui convient plus (dimension, quartier, etc.). Ainsi s'accroîtrait à nouveau le nombre d'emplois affecté aux ventes immobilières.

### *Énergie solaire (ou autre énergie nouvelle)*

Nous sommes si mal renseignés encore sur le coût de cette énergie, même en termes financiers, qu'un bilan en emplois est bien problématique. Bornons-nous à indiquer sur quelles bases il pourrait s'établir.

Il importe d'abord qu'il y ait, dans un certain intervalle de temps, avantage financier, ou un faible déficit, faute de quoi il n'y aurait pas progrès. Si cette condition est satisfaite, il s'agirait alors d'évaluer le nombre d'emplois de diverses professions nécessaire à l'obtention d'un kwh d'énergie (amortissement du capital et frais d'exploitation). Une question de « taux d'intérêt », en termes d'emplois, ou d'échelonnement dans le temps se poserait à ce stade.

La production en kwh par an se traduirait par une économie équivalente sur les importations de pétrole : un accroissement de 1 % de la production nationale se traduit, nous l'avons vu, par un débours supplémentaire, au-dehors, de 6 à 10 milliards de francs. Inversement, une économie de 6 à 10 milliards sur les importations permet d'accroître sans danger, par stimulation de la demande, la production de 1 %, ce qui peut correspondre, directement ou non, à quelque 200 000 emplois.

Nous sommes, dans ce domaine, en pleine ébauche. Au lendemain de la guerre, divers cas de protection de produits nationaux posaient la question de savoir à quel taux il était admissible d'économiser des dollars ; si le cours de celui-ci était par exemple à 50 F, on se demandait s'il fallait favoriser des activités procurant à 55 F (ou plus) un produit qu'on pouvait importer à 1 dollar. La réponse n'a jamais été fournie de façon claire ; dans la suite, la détente du marché des changes et sa libéralisation l'ont rendue inutile.

### Self-service, ouvreuses de cinéma ou de théâtre

La suppression du personnel qui porte la nourriture de la cuisine aux tables de restaurant ou de cantine n'est pas à proprement parler un progrès technique, à moins de juger que les anciens emplois étaient inutiles. Le gain financier qui résulte de cette suppression revient sans doute au consommateur, car les bénéfices ne semblent pas plus élevés dans cette forme de commerce que dans la forme traditionnelle. S'agissant de consommateurs à revenu modeste et d'emplois modestes, eux aussi, la transformation est doublement défavorable à l'emploi, car le déversement risque d'aller à des productions à faible élasticité d'offre et à des activités occupant du personnel mieux rémunéré. Mais il y a une amélioration du niveau de vie, donc possibilité de compensation nationale.

Le cas des ouvreuses de théâtre ou de cinéma est un peu différent, car leur utilité propre est très contestable ; elles ont été supprimées dans d'autres pays.

Leur suppression ne serait pas aussi défavorable à l'emploi que celle des serveuses, car il s'agit souvent d'un emploi complémentaire. D'autre part, les spectateurs de cinéma doivent avoir, en moyenne, un revenu un peu plus élevé que les consommateurs de self-service.

## L'étalement des vacances et l'écrasement des pointes

L'étalement des vacances est déjà si difficile à réaliser que ses promoteurs n'ont guère eu le souci d'examiner son rôle possible, en matière d'emploi. Du reste, l'apparence est, une fois de plus, trompeuse : prenant l'emploi pour une fin en soi, sans examiner la contrepartie, souvent peu visible, l'opinion pense volontiers que de nombreuses personnes trouvent, pendant les mois de pointe, des emplois inespérés, qui ne se manifesteraient pas, en cas d'étalement. C'est toujours l'aspect positif d'une activité peu productive.

La réponse n'est pas facile à dégager, mais est, sans doute, à l'oppose de l'apparence. Le profil des courbes de production en Allemagne et en France montre d'ailleurs, pour le premier pays, une plus grande régularité, qui a, toutes choses égales d'ailleurs, sa répercussion, en termes de production totale et de bénéfices pour les entreprises. Si l'avantage qui peut en résulter pour l'exportation est assez facile à saisir, il n'en est pas de même pour les activités dont le débouché est intérieur, mais il est tout aussi notable.

Un calcul complet devrait cependant tenir compte de la satisfaction supplémentaire qui résulte de la pointe (ou, si l'on préfère, de la moindre satisfaction éprouvée dans les pays qui étalent), puisque nombreux sont les vacanciers d'août, non liés par une obligation familiale ou professionnelle. Prise sur le niveau de vie général, cette satisfaction supplémentaire se traduit défavorablement sur l'emploi.

## L'armement

La thèse de l'armement réducteur de chômage, par création d'emplois nouveaux, a rencontré une grande faveur, avant la guerre, étant même considérée comme une évidence. Si elle trouve aujourd'hui moins de partisans, c'est parce que l'armement a changé de nature, mais l'erreur fondamentale sur la vertu de l'activité sans production a intégralement subsisté.

Il faut distinguer ici la *fabrication de matériel de guerre* et le *recrutement d'hommes*.

La fabrication de *matériel de guerre* comporte un transfert de ressources et d'activités. Pour se procurer les sommes nécessaires, le gouvernement prélève, sur l'économie privée, par impôt ou par emprunt, ou bien encore recourt à la création des moyens de paiement. Dans le premier cas, les commandes d'armes sont compensées, franc par franc, par une réduction directe de consommation ou d'investissements privés. Faute de connaître la nature de ces suppressions, il n'est pas possible d'établir un bilan d'emplois dans l'immédiat, mais diverses considérations donnent à penser que ce bilan est probablement négatif. À niveau de vie égal, la perte d'emplois est certaine.

Quant à la création de moyens de paiement, qu'elle soit ou non inflationniste, l'opération est défavorable, puisque cette même somme aurait pu être affectée à des œuvres publiques d'intérêt général, social ou économique.

Si, néanmoins, la croyance en un effet favorable sur l'emploi a été si persistante, c'est que, pour faire face à un danger militaire, le gouvernement recourt à des moyens financiers facilistes, qu'il aurait refusés pour un objectif civil.

Voyons maintenant le *recrutement des hommes* :

Soit $a$ le nombre d'actifs recrutés et remplacés (sans perte de production, selon l'hypothèse)

$b$ le nombre d'actifs recrutés, mais non remplacés dans leur emploi, pour une raison ou une autre

$c$ le nombre de chômeurs recrutés directement

$I$ la perte qui résulte pour l'État (impôts, etc.) de la production des $b$ actifs non remplacés

$i$ l'allocation de chômage

$e$ le coût d'entretien d'un soldat

Le bilan financier se présente ainsi :

| Gains | Pertes |
|---|---|
| $(a + c)\, i$ | $(a + b + c)\, e + I$ |

Si $e > i$, la perte nette $be + (a + c)\,(e - i) + I$ est importante. Pour qu'il y ait gain, il faut, non seulement que $i$ soit notablement supérieur à $e$, mais que $c$ soit important au regard de $b$. La perte $I$ risque, en effet, d'être aggravée par diverses rigidités de l'offre (recrutement difficile, pour certaines professions peu recherchées ou pour des spécialistes), ayant un effet dépressif.

Même en termes d'emplois, la réponse est généralement défavorable : en face des $a + c$ chômeurs rayés de la liste, il faut placer les licenciements résultant de la rigidité de l'offre et ceux qui résultent des charges financières, pour couvrir les dépenses supplémentaires [1]. Il y aurait un gain si le recrutement ne portait que sur les chômeurs et si le coût d'entretien ne dépassait pas notablement l'allocation de chômage (il lui est en fait largement supérieur).

Du reste, au cours de la période entre les deux guerres, marquée en France par de nombreux recrutements, ne coïncidant, ni en date, ni en effectifs, avec les libérations, le nombre de demandeurs d'emploi ou de chômeurs n'a jamais été influencé, même légèrement, par ces mouvements.

### Autoservices

Les services qu'un individu se rend à lui-même ou à sa famille assignent à la science économique une limite, parce que la mesure et même la définition s'évanouissent dans ce domaine (voir page 219). Les répercussions sur l'emploi et les effets du progrès technique méritent cependant examen.

Il a souvent été observé, sur un ton plaisant, que le mariage d'un homme avec sa cuisinière ou sa secrétaire diminue revenu national et emploi. Inversement, la dissociation de la famille semi-tribale a provoqué des augmentations purement comptables.

En période d'évolution technique, l'autoservice est souvent remplacé ou facilité par des services ou des produits marchands : l'aspirateur, le gaz, appelé à l'époque « d'éclairage », à la place du feu de bois, la machine à laver le linge, puis la vaisselle, ont été autant d'innovations réduisant le temps de travail dans le ménage, tout en nécessitant des achats au-dehors, auxquels correspondent des emplois. Ainsi des heures de travail gratuites non comptabilisées ont été remplacées par des heures marchandes et comptables, sans que le bilan soit nécessairement équilibré. Il n'y a, du reste, pas eu création nette d'emplois, car l'achat de la machine à laver, etc., a pris la place d'autres dépenses.

En sens inverse, l'institution de la retraite, l'avancement de son âge, poussent des individus à entreprendre des travaux d'intérieur qu'ils auraient confiés à une entreprise, artisanale ou non. Considérons, par exemple, le cas d'un retraité, qui

---

1. Le calcul en termes d'emplois devrait tenir compte du fait que l'entretien d'un soldat ne porte pas sur les mêmes produits que les sommes prélevées à cet effet.

envisage de repeindre lui-même son logement et négligeons le
coût du matériel, à peu près le même, dans les deux cas. Il est
souvent dit que cet *autoservice* crée du chômage ; c'est négli-
ger, ici encore, l'affectation à une autre dépense, de l'économie réalisée, laquelle peut être immédiate, mais qui correspond, sans doute, à un temps total de travail plus faible. En
outre, il faut, dans les deux cas, tenir compte du prélèvement
fiscal et social sur l'activité réalisée artisanalement.

De façon plus générale, dans la mesure où la productivité
d'ensemble est maintenue, l'avantage, en termes d'emplois,
semble être du côté du travail artisanal ou de l'autoservice ; en
fait, l'activité industrielle réduit le temps de travail et offre un
circuit assez complexe. Contrairement à l'optique superficielle, le remplacement d'un achat industriel par des services arti-
sanaux ou des autoservices se traduit, plutôt, par une diminution du niveau de vie, ou, à niveau de vie égal, du nombre des
emplois.

Si la quasi-disparition du service domestique, dans les pays
occidentaux, a réduit partiellement le nombre des emplois,
c'est qu'il s'agit de services purs, peu rémunérés. Dans le cas
de la voiture, le nombre des emplois a beaucoup augmenté, du
fait de l'autoservice (sans jeu de mots). Si les 12 millions de
propriétaires de voitures conduisent en moyenne une heure
par jour, leur travail représente l'équivalent de 1 500 000 emplois à temps complet, soit environ 7 % de toute l'activité
nationale (et en dehors de cette activité) mais il serait hors de
raison de croire à la suppression de 1 million et demi d'emplois
de ce fait.

## Le travail noir

L'influence du travail noir sur l'emploi est complexe et
variable. Laissons de côté l'aspect moral de la question.

À première vue, ce travail noir semble être un simple retour
au libéralisme intégral, tel qu'il fonctionnait à peu près avant
1914, c'est-à-dire sans les mesures suivantes :
– *fiscales ou parafiscales* : taxe à la valeur ajoutée, impôt sur le
revenu, cotisations sociales ;
– *marché du travail* : salaire minimal, allocation de chômage.

Tout en s'adaptant relativement bien à la diversité des hommes et des situations, il est loin d'avoir la pleine souplesse, car

l'information y est limitée et des précautions doivent être prises vis-à-vis des contrôles.

Quelle a pu être l'influence des mesures réglementaires sur l'emploi ?

Les mesures *fiscales ou parafiscales* ont un peu augmenté le nombre des emplois, car le déversement par la fonction publique élargit le circuit de travail.

Le *salaire minimal* a été, au contraire, défavorable à l'emploi, du moins dans l'immédiat, car il élimine des travaux marginaux.

Le rôle de l'*allocation de chômage* est plus controversé. Néanmoins, toujours en faisant abstraction du progrès social qu'elle représente, son rôle est plutôt défavorable, vu le grand nombre d'emplois restant vacants par non-adaptation.

D'autres facteurs devraient être pris en considération, notamment l'ampleur du travail noir. Tout contrôle fiscal ou social est à rendements décroissants, lorsqu'il approche du 100 %. Au contraire, les vertus du travail noir, disons ses avantages, diminuent lorsqu'il s'étend. Il y a donc, en tout pays et en toutes circonstances, une position optimale, du point de vue de l'emploi.

## Personnel en surnombre

Cette expression peut être employée lorsque la suppression de quelques personnes ne modifierait pas la production et ne la diminuerait que d'une somme inférieure à la rémunération, qui leur est accordée.

Dans les *entreprises* privées, il s'agit, soit d'attardements, c'est-à-dire de non-licenciements, contraires à la rentabilité des entreprises, soit d'excédents résultant de la pression des syndicats. Leurs deux causes se rejoignent souvent.

Prenons pour exemple l'industrie cinématographique : le coût d'un film commercial est surélevé, non seulement du fait du gaspillage de temps et de matières (pellicule, décors mal étudiés, etc.), mais de l'action syndicale, qui impose des règlements et l'emploi d'un personnel surabondant (maquilleurs, machinistes, etc.).

Tant que le surcoût n'agit pas sur le nombre de spectateurs, il est acquitté par ceux-ci ; leur pouvoir d'achat est réduit d'autant et, par suite, les emplois qui lui correspondent. La balance entre les emplois en surnombre et les emplois non visibles supprimés, peut être discutée, mais il y a une réduction du niveau de vie.

Il arrive aussi et, marginalement, c'est la loi générale, que le débouché soit réduit à ceux du coût et même que des productions envisagées soient abandonnées, faute de rentabilité, d'où perte double, en niveau de vie et en nombre d'emplois.

C'est d'ailleurs le cas, au moins à terme, de toute sous-productivité : au nombre d'emplois visibles créés, correspondent des emplois non visibles, par les moyens d'observation actuels, et plus nombreux, à niveau de vie égal.

Prenons maintenant un *service public* : la notion de surnombre est moins nette, car les besoins sont rarement satisfaits ; l'enseignement, la santé, la police, la recherche, etc., pourraient améliorer les services qu'ils rendent, en employant plus de personnes. En contrepartie, les ressources nécessaires réduisent l'emploi ailleurs, qu'elles soient obtenues par impôt, par emprunt ou par inflation.

Il est cependant difficile aujourd'hui, dans la plupart des pays, de ne pas faire intervenir le chômage dans la fixation des dépenses des services publics. Tant que le nombre de chômeurs est limité à un certain jeu inévitable, cette prise en compte n'est pas économiquement légitime. Mais, comme, au-delà de cette limite, un emploi en surnombre réduit d'une unité le nombre des chômeurs, tout se passe comme si cet emploi ne coûtait que la moitié de sa rémunération (si l'allocation de chômage est égale, elle-même, à la moitié de cette rémunération).

## L'Africain pauvre et le transistor

Fréquent est le cas d'un Africain (ou d'un Asiatique) ayant de faibles ressources, et se condamnant à une économie de nourriture, pour acquérir un objet fabriqué, par exemple un transistor. La répercussion sur l'emploi est la suivante :
– si la réduction de son menu alimentaire ne nuit pas à sa santé et à son travail productif, la tension alimentaire dans le pays est réduite, changement favorable ;
– mais *à terme,* il peut en résulter un moindre effort en faveur de l'agriculture, investissement de première utilité, donc évolution défavorable ;
– en outre, dans bien des cas, le transistor vient, en tout ou partie, de l'étranger d'où perte d'emplois. Si le détournement

de consommation se faisait au profit d'un service et surtout d'un service peu rémunéré, il serait avantageux en termes d'emplois, sous réserve toujours que le menu vital soit respecté.

## *Loterie nationale, pari mutuel*

Nous laissons de côté, bien entendu, l'aspect moral, les excès possibles du jeu[1], pour nous limiter à l'influence d'une telle institution sur le nombre d'emplois. Le bilan s'établit à peu près ainsi :

| *Pertes* | *Gains* |
|---|---|
| Contrepartie de la réduction du pouvoir d'achat des souscripteurs de billets | Personnel employé à l'opération |
| | Contrepartie du revenu de ce personnel |
| | Contrepartie du pouvoir d'achat supplémentaire des gagnants |

Le personnel employé à l'opération est facile à trouver et peu rémunéré. Il s'agit souvent de femmes assez âgées, peu qualifiées, qui auraient du mal à trouver un emploi.

Quant à la contrepartie du pouvoir d'achat supplémentaire, elle est probablement avantageuse pour l'emploi, surtout pour les lots importants.

## *Les travailleurs étrangers*

L'habitude de raisonner globalement fait commettre les erreurs les plus sérieuses à leur propos. Non seulement leur appoint dans divers pays occidentaux de 1954 à 1974 n'a pas accru le chômage, mais il l'a réduit, parce que choisis et affec-

---

1. En termes économiques, l'opération est positive et, dans une certaine limite, augmente le PIB, dès l'instant qu'il n'y a aucune contrainte : les souscripteurs, notamment les modestes, sont payés en espoir. C'est, pour la plupart d'entre eux, la seule possibilité de s'élever. Ils s'endorment le soir, avec l'idée reposante qu'ils peuvent être riches le lendemain.

S'il s'agit de pari sur les courses de chevaux, à l'espoir s'ajoute le plaisir de chercher, de raisonner, l'autofélicitation, la satisfaction, en cas de réussite.

tés à des tâches déterminées, ils comblaient les vides et formaient une population *complémentaire* de la première.

Aujourd'hui que la croissance est moins forte et l'astreinte à une profession déterminée moins stricte, le problème a changé d'aspect du point de vue de l'emploi ; la diversité l'emporte. Qu'il soit volontaire, aidé ou obligatoire, le départ d'étrangers :

– réduit le nombre de chômeurs et augmente le nombre des emplois (utilisation des ressources affectées à l'indemnité de chômage), s'il s'agit de travailleurs en chômage depuis plusieurs mois ;

– augmente le nombre de chômeurs et réduit l'emploi, par contraction, s'il s'agit de travailleurs difficilement remplaçables par des chômeurs.

Et de même, l'arrivée d'étrangers augmente le chômage, s'ils occupent des postes faciles (commerce, etc.) et le diminue, si, au contraire, ils prennent des postes utiles et délaissés (Vietnamiens).

Tout jugement global est donc entaché d'erreur et de puérilité.


## Le progrès médical

À l'encontre du progrès technique, en général, il vise non le niveau de vie, mais la longueur de la vie ; ses résultats sont donc différents. Il est permis de le placer au-dessus de tout progrès économique, à condition de ne pas en ignorer les conséquences.

Elles sont positives pour toute amélioration de la santé de ceux qui produisent ou produiront et, sur ce plan, le gain a été considérable.

En termes de mortalité, les résultats sont différenciés :

La valeur moyenne d'un homme pour la société au cours de sa vie, longtemps positive, s'annule et devient négative au-dessus d'un *âge critique,* compris entre 40 et 45 ans. Au-dessus de cet âge, les charges qu'il entraînera pour la société (retraite surtout) l'emportent sur son apport productif.

Jusqu'ici la baisse de la mortalité a plutôt contribué à rajeunir la population, mais il peut n'en être plus de même à l'avenir. En pesant sur le niveau de vie moyen, le progrès médical peut réduire le nombre des emplois, si la population veut néanmoins maintenir ce niveau de vie ou l'élever. Il a donc besoin d'être combiné avec un progrès technique de caractère économique.

Que le domaine médical ait fourni un grand nombre d'emplois dans le passé et doive le faire, plus encore, à l'avenir, n'est pas douteux, mais cette fois encore, il faut embrasser l'ensemble de l'économie. L'étude complète demanderait, à elle seule, un volume entier et un singulier détachement des valeurs morales.

XX

# La matrice de l'emploi

En matière d'emploi, qu'il s'agisse de théorie et plus encore de politique, les erreurs les plus dangereuses viennent d'une connaissance imparfaite des faits : les comptes nationaux sont toujours établis en espèces, approximation grossière qui recouvre et fait disparaître des phénomènes essentiels et, en particulier, le fait que *l'économie, ce sont des hommes qui s'échangent contre des hommes.*

## L'unité travail

Ce n'est pas dans le domaine doctrinal de la valeur travail que nous nous engageons ici, mais seulement celui de la connaissance de faits, et des moyens d'agir.

Vers 1840, Johann Rodbertus [1], propriétaire foncier allemand, suivi plus tard de Marx, a, le premier, imaginé une sorte de comptabilité travail : chaque ouvrier faisant une heure de travail recevrait en paiement, non plus un salaire, mais un bon lui donnant droit d'acheter, dans un magasin, un article dont la fabrication avait demandé une heure de travail. Par ce moyen, aucune plus-value, aucun profit, ne pouvait être prélevé sur sa peine. Toutefois, une légère réduction de son gain pouvait compenser certaines dépenses publiques.

---

1. Johann Rodbertus Jagetzow (1805-1875), ministre de l'Instruction publique de Prusse, en 1850, est le type même du réformiste social intellectuel, aussi éloigné de la lutte de classes que de la révolution politique. Il est le premier a avoir rapproché les deux notions de *productivité* (produzierend) et de *rentabilité* (rentierend).

Marx s'est exprimé ainsi [1] :

Chacun recevra, en contrepartie de son travail, non un salaire en monnaie, mais un bon constatant qu'il a fourni tant de travail (défalcation du travail effectué pour les fonds collectifs) et, avec ce bon, il retire, des stocks sociaux d'objets de consommation, autant que coûte une quantité égale de son travail.

Ce système, qui ne résolvait pas clairement la question du travail accumulé dans les machines ayant servi à la production, présentait, en outre, l'inconvénient d'identifier tous les genres de travail, uniformisation souhaitée d'ailleurs par certains socialistes, mais reconnue difficile à appliquer. Peu importante encore, du temps de Rodbertus et de Marx, la diversité a tellement gagné depuis, que l'application de ce système exigerait aujourd'hui une comptabilité fort complexe.

## Équivalent travail d'une production

Le sujet est revenu aujourd'hui sous un autre aspect ; il ne s'agit, redisons-le, ni de doctrine, ni de jugement sur un régime, mais de connaissance de faits. La question la plus simple peut se poser ainsi :

« Étant donné un produit, final ou intermédiaire (voiture, maison, vêtement, centrale nucléaire, etc.), combien sa fabrication a-t-elle nécessité ou doit-elle nécessiter d'heures (ou de minutes, ou d'années, peu importe) de travail de diverses professions ? »

Il s'agit d'heures de travail, *directes* ou *indirectes*. Pour un téléviseur, par exemple, il faut connaître, pour chaque catégorie professionnelle (manœuvre, ouvrier qualifié, ouvrier non qualifié, ingénieur, dactylographe, etc.), non seulement le temps consacré à sa fabrication par l'entreprise, mais le contenu du travail acheté par elle, c'est-à-dire le temps consacré par les fournisseurs à la fabrication du bois, des lampes, etc., et en remontant de proche en proche. Le calcul matriciel fournit, en partant des données de chaque branche, le résultat cherché.

Comme point de départ, on pourrait, comme Rodbertus, identifier toutes les heures de travail et calculer simplement le nombre total des heures contenues dans un produit ou service.

---

1. *Critique du programme de Gotha*, 1875.

Une fois ce premier résultat obtenu, on pourrait le désagréger, en autant de catégories professionnelles que l'on désire.

Avec des conventions appropriées, il est possible de faire même entrer le nombre d'heures de travail d'avocats, de médecins, etc., voire de fonctionnaires de diverses catégories.

## Historique

Le point de départ de tous les travaux est le *tableau interindustriel* de W. Leontief. Au lieu d'être exprimé en valeurs, il peut l'être en d'autres éléments et notamment en nombre d'hommes de diverses sortes. Il serait possible de donner le contenu en travail masculin ou féminin, national ou immigré, ou même, si cela avait un sens, en hommes selon la taille, la couleur des yeux, ou un caractère physique quelconque.

La question est étudiée depuis quelque temps déjà dans les économies socialistes planifiées, mais sous une forme un peu différente : il s'agit moins du temps de travail que de son coût.

Aux États-Unis, le *Bureau of Labor Statistics* a publié, en 1968, un tableau interindustriel de l'emploi pour 81 branches, assorti de tableaux prévisionnels.

En 1967, M. Jacques Magaud a, sur notre conseil, établi [1] pour l'économie française de 1963 un compte en temps de travail selon 16 branches et 8 catégories professionnelles. Voici, pour chaque branche :
– le nombre d'heures de travail contenues dans les produits de la branche ;
– le nombre d'heures de travail fournies dans la branche.

1. « Équivalent travail d'une production. Nouvelle méthode de calcul et de prévision », *Population,* mars-avril 1967.

|  | Millions d'heures | |
|---|---|---|
|  | contenues dans les produits | fournies par la branche |
| 01. Agriculture | 5 061 | 9 063 |
| 02. Industries de l'agriculture et de l'alimentation | 5 361 | 1 405 |
| 03. Combustibles minéraux solides, gaz | 356 | 394 |
| 04. Électricité | 334 | 217 |
| 05. Pétrole, gaz naturel | 304 | 142 |
| 06. Matériaux de construction | 343 | 585 |
| 07. Minerai de fer, sidérurgie | 609 | 558 |
| 08. Minerais, métaux non ferreux | 64 | 89 |
| 09. Industries mécaniques et électriques | 4 031 | 4 503 |
| 10. Chimie, caoutchouc | 933 | 792 |
| 11. Textiles, habillement, cuir | 2 900 | 1 414 |
| 12. Bois, papier, carton | 1 734 | 1 719 |
| 13. Bâtiment, travaux publics | 3 993 | 3 998 |
| 14. Transports, télécommunications | 1 849 | 2 256 |
| 15. Autres services | 4 326 | 4 052 |
| Total | 32 197 | 32 198 |

Les plus fortes disparités se trouvent dans l'agriculture et, en sens inverse, dans les industries de l'agriculture et de l'alimentation, qui incorporent peu de travail dans la matière.

Prenons maintenant une branche particulière, par exemple chimie-caoutchouc. L'origine des 933 millions d'heures de travail contenues dans ses produits se présente ainsi :

| Catégorie de travailleurs — Branche dans laquelle a été fournie le travail | Agriculteurs exploitants | Salariés agricoles | Patrons de l'industrie et du commerce | Professions libérales |
|---|---|---|---|---|
| | 0 | 1 | 2 | 3 |
| 01 Agriculture | 54 146 | 14 948 | 224 | 75 |
| 02 Industries agricoles et alimentaires | 84 | 168 | 3 819 | 352 |
| 03 Combustibles minéraux solides, gaz | – | – | – | 409 |
| 04 Électricité | – | – | – | 964 |
| 05 Pétrole, gaz naturel | – | – | – | 703 |
| 06 Matériaux de construction, verre | – | – | 767 | 412 |
| 07 Minerai de fer, sidérurgie | – | – | 549 | 215 |
| 08 Minerai et métaux non ferreux | – | – | 12 | 108 |
| 09 Industrie mécanique et électrique | – | – | 7 871 | 4 102 |
| 10 Chimie, caoutchouc | – | – | 5 025 | 20 100 |
| 11 Textiles, habillement, cuir | – | – | 3 322 | 507 |
| 12 Bois, papier, carton | – | 705 | 5 861 | 1 357 |
| 13 Bâtiment, travaux publics | – | 70 | 10 419 | 1 399 |
| 14 Transports, télécommunications | – | – | 2 617 | 4 002 |
| 15 Autres services | – | 376 | 8 714 | 6 085 |
| Travail total disponible sous forme de produit de la branche selon la catégorie de travailleurs qui l'ont fourni | 58 230 | 16 267 | 49 200 | 40 790 |

| Cadres moyens | Employés | Ouvriers | Personnel de service | Autres catégories | Toutes catégories réunies |
|---|---|---|---|---|---|
| 4 | 5 | 6 | 7 | 8 | |
| 75 | 224 | 673 | 224 | 149 | 74 738 |
| 704 | 1 658 | 9 833 | 134 | – | 16 752 |
| 491 | 900 | 18 557 | 102 | – | 20 459 |
| 1 714 | 3 798 | 5 357 | 71 | – | 11 904 |
| 849 | 1 267 | 3 104 | 139 | – | 6 062 |
| 554 | 909 | 11 485 | 71 | – | 14 198 |
| 334 | 549 | 10 183 | 107 | – | 11 937 |
| 209 | 332 | 3 140 | 50 | 12 | 3 863 |
| 10 088 | 10 642 | 77 158 | 776 | 222 | 110 859 |
| 30 151 | 51 687 | 244 790 | 5 025 | 1 077 | 357 855 |
| 845 | 1 971 | 21 368 | 113 | 28 | 28 154 |
| 3 256 | 5 101 | 37 443 | 326 | 54 | 54 103 |
| 3 217 | 2 448 | 52 097 | 140 | 70 | 69 860 |
| 7 620 | 27 324 | 32 404 | 2 617 | 385 | 76 969 |
| 12 621 | 14 724 | 10 818 | 13 372 | 8 339 | 75 049 |
| 72 728 | 123 534 | 538 410 | 23 267 | 10 336 | 932 762 |

*Dépenses militaires aux États-Unis*

En 1968, M. Jacques Magaud a calculé l'équivalent en emplois annuels de l'augmentation des dépenses militaires aux États-Unis de 1965 à 1967. Voici les résultats en milliers d'emplois annuels :

|  | 1967 | Augmentation des dépenses militaires |
|---|---|---|
| Militaires | 3 350 | 634 |
| Civils employés directement | 1 087 | 165 |
| Gouvernements locaux | 19 | 6 |
| Industrie privée | 2 972 | 1 009 |
| Total | 7 428 | 1 814 |

En face de ces 1 814 000 emplois « créés », selon le langage courant, il faudrait placer les emplois supprimés en contrepartie, si les sommes nécessaires ont été obtenues par impôt ou emprunt ou les emplois qui auraient pu être créés, si ces mêmes sommes avaient été employées autrement.

*Autres travaux en France*

En 1975, M. A. Lechuga a soutenu, à l'université de Toulouse, une thèse intitulée *L'équivalent travail de production* [1]. S'attachant à l'évolution de 36 branches de 1971 à 1975, il constate que la productivité totale du travail contenu a subi une décélération déjà sensible avant l'augmentation du prix du pétrole.

En 1976, M. M. Hollard, assisté de MM. J. Freyssinet et G. Romier, a construit un modèle de « comptabilité sociale en temps de travail ». Sa thèse a été publiée [2]. Il signale deux difficultés :

---

1. *Une application de la méthode l'équivalent travail. L'évolution du système productif français entre 1971 et 1975.*
2. *Les comptabilités sociales en temps de travail,* Université de Grenoble, 1977.

– détermination du temps de travail nécessaire, lequel dépend de la technique et peut, par suite, varier ;

– établir une nomenclature correspondant à la spécialisation des travailleurs. Il faut, estime-t-il, considérer trois grandeurs :

- le coût de reproduction de la force de travail, le salaire, la la valeur transmise au produit.

En 1977, M. Patrick Ranchon et Mme Nicole Dubrulle ont publié, au *Centre d'Études de l'Emploi*, un ouvrage intitulé *Demande finale et emploi. Approche par la méthode de l'équivalent travail d'une production.* De ce remarquable travail, tirons, à titre d'exemple, le contenu travail de la demande finale en France en 1973 (milliers d'années de travail) :

| Qualification | Consommation des | | | | Investissements des | | | | Ensemble |
|---|---|---|---|---|---|---|---|---|---|
| | Ménages | Administrations | Institutions financières | Entreprises non financières | Ménages | Administrations | Institutions financières | Exportations | |
| Agriculteurs | 1 861 | 59 | 10 | 54 | 23 | 15 | 1 | 463 | 2 486 |
| Ouvriers { qualifiés | 1 914 | 192 | 34 | 987 | 416 | 237 | 17 | 641 | 4 438 |
| Ouvriers { non qualifiés | 1 444 | 133 | 19 | 710 | 270 | 157 | 12 | 604 | 3 349 |
| Employés { qualifiés | 2 061 | 115 | 48 | 329 | 88 | 53 | 4 | 274 | 2 972 |
| Employés { non qualifiés | 778 | 48 | 21 | 117 | 31 | 19 | 2 | 116 | 1 132 |
| Techniciens | 269 | 42 | 7 | 195 | 51 | 36 | 3 | 127 | 730 |
| Cadres et tertiaires { moyens | 894 | 54 | 23 | 156 | 44 | 26 | 2 | 140 | 1 339 |
| Cadres et tertiaires { supérieurs | 428 | 29 | 12 | 93 | 29 | 17 | 1 | 76 | 685 |
| Ensemble | 9 649 | 672 | 174 | 2 641 | 952 | 560 | 42 | 2 441 | 17 131 |

En pourcentages, nous avons la répartition ci-dessous :

| Qualification | Consommation des | | | | Investissements des | | | | Ensemble |
|---|---|---|---|---|---|---|---|---|---|
| | Ménages | Administrations | Institutions financières | Entreprises non financières | Ménages | Administrations | Institutions financières | Exportations | |
| Agriculteurs | 193 | 88 | 57 | 20 | 24 | 27 | 24 | 190 | 145 |
| Ouvriers { qualifiés | 198 | 286 | 196 | 374 | 437 | 424 | 405 | 262 | 258 |
| Ouvriers { non qualifiés | 150 | 198 | 109 | 269 | 284 | 280 | 286 | 248 | 196 |
| Employés { qualifiés | 213 | 171 | 276 | 125 | 92 | 95 | 95 | 112 | 174 |
| Employés { non qualifiés | 81 | 71 | 121 | 44 | 32 | 34 | 47 | 48 | 66 |
| Techniciens | 28 | 63 | 40 | 74 | 54 | 64 | 72 | 52 | 43 |
| Cadres et { moyens | 93 | 80 | 132 | 59 | 46 | 46 | 47 | 57 | 78 |
| tertiaires { supérieurs | 44 | 43 | 69 | 35 | 31 | 30 | 24 | 31 | 40 |
| Ensemble | 1 000 | 1 000 | 1 000 | 1 000 | 1 000 | 1 000 | 1 000 | 1 000 | 1 000 |

Ce tableau nous fournit un grand nombre d'informations intéressantes, par exemple :
– la France exporte peu de travail supérieur et beaucoup de travail d'ouvriers non qualifiés. Il en est de même pour les investissements.

Les recherches se sont étendues à divers pays, si bien que, en avril 1979, un colloque international a réuni, sous le couvert du *Centre National de la Recherche Scientifique,* une cinquantaine de participants appartenant à neuf pays.

La méthode a subi diverses extensions, notamment le contenu travail des produits importés et exportés (M. François Vellas, Dr Werner Teufelsbauer), les achats et ventes d'usines (M. A. Tiano), etc.

En 1979, MM. Christian Baudelot, Roger Establet et Jacques Toiser ont publié[1], sous une forme nouvelle, des tableaux significatifs, dont nous citons seulement quelques titres :
« Qui travaille pour les inactifs pauvres ? »

|   |   |
|---|---|
| – | moyens pauvres ? » |
| – | ouvriers qualifiés ? » |
| – | agriculteurs exploitants ? » |
| – | moyens riches ? » |
| – | employés ? » |
| – | petits commerçants ? » |
| – | cadres moyens ? » |
| – | riches ? » |
| – | cadres supérieurs ? » |
| – | industriels ? » |

Dans la revue *Consommation* (n° 1, 1979), le professeur Guy Caire, de Nanterre, a donné quelques applications de la comptabilité en temps de travail.

## Demande totale et demande marginale

Les chiffres de départ peuvent concerner soit la demande totale de toute l'économie ou de telle catégorie, soit la demande marginale. Il s'agit alors de savoir l'effet d'une demande supplémentaire sur l'activité de diverses catégories professionnelles. Voici un exemple :

1. *Qui travaille pour qui ?,* Éditions François Maspero, 1979. Réédition « Pluriel », 1981.

Supposons que, dans un pays, on entende relever sensiblement le montant des retraites de vieillesse. Les services financiers ont déterminé avec une précision suffisante la dépense financière, mais celle-ci ne renseigne que très imparfaitement sur l'incidence de cette mesure dans l'économie. Si, au préalable, des enquêtes ont été faites sur l'emploi de ces retraites et surtout sur l'emploi marginal (« Si votre retraite était augmentée de 10 %, comment utiliseriez-vous ce supplément ? »), il serait possible d'en déduire les tensions localisées et de les prévenir.

### *Les catégories professionnelles*

Les catégories professionnelles choisies doivent être suffisamment homogènes pour répondre le mieux possible aux conditions suivantes :
– facilité, pour un individu, de passer de sa profession à une autre profession de la même catégorie ;
– difficulté technique ou psychologique de passer d'une catégorie à l'autre.

Ces conditions ne peuvent jamais être satisfaites de façon totale et elles le sont inégalement selon les catégories : plus la qualification s'élève, plus il faudrait pousser la subdivision : alors qu'un manœuvre peut passer assez facilement d'une branche à l'autre, il n'en est pas toujours de même d'un ingénieur.

En raison des difficultés rencontrées par toute statistique professionnelle, il faut se contenter d'une certaine approximation.

### *Quelques difficultés et conventions*

Sous une apparence simple de comptes additifs, que le calcul matriciel résout facilement, la question soulève diverses complications qui conduisent fatalement à adopter des conventions. Il faut, le plus possible, tout au moins dans un premier temps, éviter de faire appel :
– *à la notion de prix ou de valeur,* donc rester sur des quantités de travail ;
– *aux motivations ou aux droits des agents économiques.* Elles

font intervenir le régime socio-économique, inutile dans cette première approche.

Il faut, en somme, se placer dans l'optique de Martiens ou autres êtres extérieurs qui, avec leurs instruments, verraient les divers actes des hommes et leurs résultats physiques, sans pouvoir apprécier les mobiles qui les poussent à agir comme ils font.

Du reste, nous pouvons, nous-mêmes, nous trouver dans la même situation, lorsque nous suivons le comportement des abeilles ou des fourmis ; tout en sachant bien que la nourriture est leur objectif final, nous ne savons pas faire intervenir les mécanismes qui les poussent.

Il n'est cependant pas possible d'écarter totalement l'idée de valeur et d'unité monétaire. La production élaborée par une branche n'est, en effet, jamais tout à fait homogène. Pour additionner les divers éléments, il faut une unité commune, qui ne peut guère être que la monnaie.

Parmi les difficultés rencontrées, signalons :
— *les marges commerciales ;*
— *les services publics non marchands ;*
— *l'utilisation de matériel durable de capital fixe,* pour élaborer des produits ;
— *le commerce extérieur ;*
— *la durée des transmissions.*

Lorsqu'un choix est obligatoire, il doit être guidé par l'application pratique, c'est-à-dire l'objectif final que l'on se propose. Parfois cependant, les difficultés matérielles et la nécessité de simplification dictent la solution approximative.

Nous nous bornons ici à traiter très sommairement les deux dernières difficultés citées.


*Le commerce extérieur*

Les exportations ne présentent guère de difficulté : le nombre d'heures de différentes catégories professionnelles contenues dans un produit est le même, que ce produit soit exporté ou consommé à l'intérieur du pays. Pour les importations, diverses solutions se présentent :
– *mesurer, dans les divers pays d'origine, les temps de travail* consacrés à l'élaboration des produits qu'ils ont fournis. Mais peu nombreux sont les pays disposant des données nécessaires. En outre, ces pays ont eux-mêmes acheté, au-dehors, un cer-

tain nombre de produits, pour élaborer ceux qu'ils ont exportés. Le calcul conduirait alors à une matrice mondiale d'une complexité décourageante ;
– *utiliser les cœfficients techniques nationaux.* Ils peuvent faire défaut, si les produits en question ne sont pas élaborés dans le pays d'importation (café, étain et même pétrole, pour les pays européens ou produits industriels très élaborés, importés dans un pays agricole) ;
– *utiliser des cœfficients techniques internationaux.* L'arbitraire est alors à peu près fatal ;
– *mesurer* (M. Hollard) le travail contenu dans les importations, d'après le travail contenu dans les exportations. Il y a, en somme, simplement échange (sous réserve de valeurs différentes, mais ce cas peut être tourné) entre des produits.

Encore faut-il tenir compte du transport et de l'assurance, lorsque ces deux services ont été assurés par des entreprises nationales.

Une autre raison pousse à ne pas chercher les heures de travail effectivement incorporées dans les produits achetés au-dehors : les voyages à l'étranger peuvent être assimilés, du point de vue du résultat, à des importations de produits de consommation. Or il est bien difficile de savoir ce qui a été effectivement acheté dans les pays visités. Cette connaissance n'aurait d'ailleurs qu'un intérêt restreint. Il en est de même pour les envois d'épargne par les migrants à leur famille.

Bien souvent, du reste, la question se pose différemment, sans faire intervenir les exportations. Un exemple :

Le Gouvernement décide d'accélérer la construction de logements et accorde, à cet effet, des crédits. Comme cette industrie n'est que très peu exportatrice, la demande supplémentaire ne risque guère de réduire les ventes au-dehors. Un effet est possible cependant sur les matériaux de construction (ciment, verre), mais si le marché est déprimé, il ne jouera qu'un rôle modeste.

De même, dans l'exemple cité plus haut d'un supplément de retraites, une demande supplémentaire n'aura qu'un effet indirect sur certaines exportations.


*Capital et travail accumulé*

Nous pouvons distinguer les deux aspects, la formation de capital et son utilisation.

1. *Les investissements.* Plus généralement, des travaux accomplis au cours de la période étudiée sont consacrés à la formation de capital fixe, c'est-à-dire à l'élaboration de produits qui ne sont pas consommés et serviront plus tard à obtenir d'autres produits ou des services. Cette spécification classique présente un grand intérêt pour le futur, mais n'est pas nécessaire, dans une première approche ; le consommateur et l'investisseur éprouvent tous deux une certaine satisfaction et sont mus par elle, mais ces motivations n'ont pas à intervenir dans les comptes quantitatifs de travail. Pensons à nouveau à l'optique des Martiens, évoquée plus haut.

Toutefois, une distinction peut être faite contre les quantités de travail fournies par les produits consommés, pendant la période étudiée et ceux qui subsistent en fin de période.

2. *L'élaboration des produits,* dont on cherche le contenu travail, a nécessité *l'emploi de matériel durable,* de machines, de capital matériel, dans le sens le plus général. L'équivalent travail n'est pas le même, selon que l'usure de ce matériel est liée seulement à son utilisation (frottement, dégradation, etc.) ou qu'elle résulte uniquement du temps (notamment l'obsolescence). Le plus souvent d'ailleurs, les deux caractères se retrouvent simultanément.

S'il n'y a aucune dégradation notable, il ne faut pas tenir compte de l'accumulation antérieure : si, par exemple, un détroit a été percé, à travers un isthme et ne se distingue pas d'un détroit naturel, le temps consacré à ce travail n'a pas à entrer en compte. Il faut seulement faire intervenir l'entretien, s'il y en a un. Que des droits, des avantages, soient accordés aux constructeurs de ce détroit ou à leurs héritiers n'a pas à intervenir dans le calcul de l'équivalent travail d'une production.

### La durée des transmissions

Le contenu en travail d'un produit déterminé est vu, le plus souvent, rétroactivement ou statistiquement, sans faire intervenir la durée des diverses opérations. Mais, lorsque le point de départ est une demande supplémentaire, dont il s'agit de mesurer les effets, la durée des diverses opérations peut jouer un rôle important. Le cas se présente fréquemment en politique économique ; c'est, par exemple, un gouvernement qui désire accroître l'activité du bâtiment et, par là, celle des industries fabriquant des matériaux de construction : un premier délai, purement administratif, s'écoule entre le moment de la décision politique et la signature des premiers contrats. En outre, des délais seront nécessaires à chaque stade de fabrication ; le contenu travail reste le même, mais le résultat final dépend des vitesses de transmission.

Divisons les besoins en privés et publics, les premiers étant ceux des ménages et les autres ceux des administrations. Les besoins des entreprises sont considérés comme intermédiaires.

## La population demandée

Les revenus qui seront probablement gagnés, au cours de l'année à venir, par les ménages, sont calculés par la comptabilité nationale. Sur le vu d'enquêtes, nous pouvons savoir dans quelles directions (alimentation, vêtement, épargne, etc.) ces revenus seront utilisés et transformés en demande.

Une prospection analogue peut être faite pour la demande des services publics : elle est plus facile encore, les budgets étant assez largement fixés dans le détail.

Toutes ces demandes doivent être faites, le plus possible, en quantités physiques. Pour les groupes selon les branches, il est cependant nécessaire de passer par les valeurs. Celles-ci sont converties en années de travail de diverses catégories professionnelles et, s'agissant d'une année, en nombre d'hommes. Ainsi est déterminée par catégories professionnelles la *population active*.

Cette population, que l'on peut appeler la *population demandée*, est *celle qu'il faudrait avoir pour satisfaire les demandes exprimées en fonction des revenus gagnés et des crédits accordés*. C'est une population abstraite. Si la population active s'identifiait avec la population demandée, le plein emploi serait, sinon réalisé avec certitude, du moins possible. Dans le cas contraire, il ne peut y avoir plein emploi que sous des conditions d'élasticité, voire de fluidité, qui ne sont jamais réalisées et le sont de moins en moins, dans les économies contemporaines.

La conversion des demandes, exprimées en personnes actives, appelle cependant une observation : elle se fait normalement, selon les coefficients techniques déduits des observations sur la population étudiée. Dès lors, si, dans celle-ci, la répartition professionnelle est défectueuse et ne correspond pas aux

possibilités permises par la connaissance technique et l'outillage existant, cette difficulté va se reproduire dans la population
demandée.

Si, par exemple, il y a dans la population active, et notamment dans les entreprises, une proportion trop élevée de tertiaires, eu égard aux techniques productives utilisées, ce qui est
le cas de la population française[1], l'emploi des coefficients
techniques nationaux va reproduire le défaut et donner une
*population demandée*, assez voisine de la population active
effective. Il convient alors de faire le calcul au moyen de coefficients techniques, observés en d'autres pays, utilisant les
mêmes techniques productives.

*Les besoins*

Dans le cas précédent, les demandes privées et publiques
dépendent des techniques utilisées et de la production effectivement réalisée. Nous pouvons nous affranchir de cette condition limitative et faire de ces demandes des variables exogènes,
en faisant appel à la notion de *besoin.*

Si arbitraire est cette notion de *besoin,* dès que l'on sort des
normes strictement physiologiques et même animales, si large
aussi est le champ ouvert par elle à l'affectivité, que les économistes l'évitent souvent, par scrupule scientifique, ou ne l'emploient qu'avec de telles précautions, chacun selon des conventions propres, que le résultat final est peu probant.

Il faut cependant éviter que la notion pénètre brusquement
dans le domaine politique, sans aucune considération sérieuse
sur les conséquences et les chances de réalisation. La méthode
de l'*équivalent travail d'une production* fournit une transposi-
tion expressive.

Le calcul que nous proposons ici pourrait évidemment se
conduire selon les valeurs monétaires, et cela plus facilement.
Mais le résultat serait, même en période de stabilité des prix,
beaucoup moins significatif ; et comme la dépréciation continue de la monnaie, combinée avec des persistances juridiques,

---

1. Centre d'Études des Revenus et des Coûts (C.E.R.C.), *Structure des salaires
et des emplois dans les entreprises françaises et allemandes,* 3e trimestre 1974. À
égalité de nombres d'ouvriers, il y a 83 employés en Allemagne et 145 en France.
Cet excédent provient d'une part de l'élévation des rémunérations des cadres en
France, d'autre part, du système d'enseignement et de formation.

perturbe profondément les chiffres dont il convient de bien connaître le sens, un tel calcul aurait peu de portée.

Voyons maintenant de plus près l'évaluation des *besoins privés et publics,* en évitant, cette fois encore, le plus possible, la notion de valeur et en ne l'employant que pour un stade intermédiaire.

### Besoins privés

Les besoins des diverses catégories sociales peuvent être déterminés soit par des enquêtes privées auprès des ménages, soit par la détermination de normes et de convenances par des sociologues et des représentants des diverses catégories professionnelles ou sociales, soit encore par la méthode des décalages d'échelle.

1. *Les enquêtes auprès des ménages* sont d'autant plus faciles à conduire que l'idée de satisfaction possible rencontre toujours un certain accueil. De telles enquêtes donnent, avec une large dispersion, autour de la moyenne, des résultats assez concordants : les besoins exprimés ou, du moins ressentis, sont d'environ un tiers supérieurs aux consommations effectives, permises par les revenus du moment.

C'est là un simple horizon, qui, comme l'horizon physique, recule à mesure qu'on avance vers lui. Les enquêtes faites, quelques années plus tard, sur un échantillon équivalent, à l'époque où les revenus à monnaie constante et les consommations ont augmenté d'un tiers, montrent que l'horizon s'est maintenu à peu près dans la même proportion, au-dessus de la nouvelle position.

Assez facile à suivre, la méthode présente l'inconvénient de conduire à des résultats exprimés en valeur globale. Pour aller plus loin et répartir les nouveaux besoins selon les branches, il faut interroger les ménages plus en profondeur, en leur demandant comment ils constitueraient leur budget, si leur revenu était augmenté dans la proportion souhaitée. Les réponses fournies sont un peu plus « vertueuses » que le serait la réalisation effective (plus d'attention au logement par exemple, ou à la culture), mais cet écart ne présente pas, dans notre cas, une importance considérable. Il est d'ailleurs possible de rectifier quelque peu les résultats, au vu et au su d'expériences antérieures.

2. *Les études normatives de caractère sociologique,* sont au-

jourd'hui moins fréquentes qu'autrefois, parce que les besoins proprement vitaux sont satisfaits pour la grande majorité de la population. La détermination a priori d'un budget « convenable » conduit, elle aussi, à des conditions de vie plus « vertueuses » qu'elles ne le seraient, si l'hypothèse se réalisait, mais présente l'avantage de s'exprimer plus facilement en quantités physiques, correspondant aux diverses branches (alimentation, etc.).

3. *Les décalages d'échelle.* Lorsqu'on possède des résultats de budgets de ménages selon le revenu, on peut voir et mesurer comment se modifieront les consommations, si tous les revenus augmentent dans la proportion souhaitée. Le résultat est malheureusement incertain, pour les très hauts revenus ; mais, de toute façon, ceux-ci échappent assez largement aux enquêtes de budgets familiaux. Un ajustement progressif est alors nécessaire.

Cette méthode ne tient compte que du revenu et non de la catégorie sociale (paysan, ouvrier, employé, etc.). Elle suppose que chaque ménage se comportera comme le fait au départ, un ménage plus aisé, dans la proportion admise. Du fait d'une certaine uniformisation sociale, cet inconvénient a perdu de son importance.

D'ailleurs les exemples donnés dans l'ouvrage *Qui travaille pour qui ?* (p. 230) sont significatifs.

L'idéal serait, quelle que soit la méthode employée, d'obtenir un immense inventaire d'objets comprenant des tonnes de beurre, de viande, de pétrole, des voitures, des kwh, des logements, des nuitées d'hôtel, etc., et aussi des services. Alors même qu'il faudra passer ensuite par les valeurs monétaires, pour s'insérer dans le cadre des branches, la publication de cet inventaire aurait, sur l'opinion, un effet de concrétisation, dissipateur d'illusions.

L'inventaire en *objets* serait complété par celui des *services*. Ce secteur, loin d'être homogène, va de la femme de ménage au grand chirurgien, en passant par le grand nombre de professions libérales ou artisanales. Pour examiner les besoins dans ce secteur, il vaut mieux recourir à la méthode des décalages d'échelle.

## Les besoins publics

Ils sont, pour la plupart, exprimés tous les ans, à l'occasion des demandes de crédits budgétaires par les divers services publics. Mais les demandes exprimées ne correspondent pas nécessairement aux besoins, tels que nous les concevons. Chaque direction ou service tient compte de la réduction qui sera faite sur sa demande, mais est, en même temps, pénétrée du souci de ne pas formuler une demande extravagante, qui risque d'indisposer les services financiers, sans résultat.

Il faudrait ici aussi conduire une enquête auprès de divers responsables en leur demandant quels moyens leur seraient *raisonnablement* nécessaires pour remplir correctement leur fonction, compte tenu des innovations techniques déjà employées, en d'autres pays ou d'autres lieux. Comme les réponses peuvent varier largement selon les individus, la subdivision devrait être poussée aussi loin que possible. Dans ce domaine, plus encore d'ailleurs, il faudrait obtenir des résultats *en nature,* correspondant aux diverses branches. En outre, les demandes porteraient aussi sur le personnel supplémentaire qu'il faudrait recruter, à durée de travail égale. Ces personnes, ainsi que celles qui sont employées directement par les ménages, doivent être ajoutées, bien entendu, à la « population demandée ».

## L'utilisation

Les opérations décrites ont un objet doublement politique :
– *éclairer la politique économique* et, particulièrement la politique de l'emploi ;
– *informer l'opinion* et dissiper certaines illusions inhibitrices. Paradoxalement, une politique démocratique devient de plus en plus difficile et médiocrement conduite, à mesure que les institutions démocratiques fonctionnent plus efficacement. Les divers corps sociaux prennent une part de plus en plus intense à l'action politique, le plus souvent par opposition à telle ou telle mesure. L'information de l'opinion, qui n'était guère nécessaire au régime libéral, devient indispensable, dès l'instant que la politique est volontariste. Or, il est peu de domaines où l'opinion, même de milieux éclairés, est plus victime d'illusions que dans le domaine de l'emploi. Le contresens est même souvent la règle, selon une cruelle logique.

La présentation de la *population demandée* met en évidence les distorsions de la population active, surtout si des normes rationnelles sont substituées aux habitudes nationales et mon-

tre l'impossibilité de parvenir alors au plein emploi, sans diminuer le niveau de vie de la population. Ces difficultés ne sont
guère connues aujourd'hui que d'une minorité d'initiés, tant
l'optique reste globale en matière d'emploi et tant les situations
déplaisantes, exigeant des corrections douloureuses, sont refu-
sées par l'esprit. La matrice de l'emploi permet non seulement
de confirmer les distorsions, mais de les mesurer.

Quant à l'étude des besoins, elle présente également un intérêt socio-politique : rompant avec les comptes monétaires, qui
perdent une grande partie de leur signification du fait de l'utilisation d'un étalon variable, elle établit bien la correspondance
entre les désirs exprimés et les conditions propres à les satisfaire. Pour la France, par exemple, le calcul montrerait sans doute, que pour satisfaire ces besoins premiers, cet horizon du
moment, il faudrait, avec la productivité actuelle, de 25 à 30
millions d'actifs, comprenant plus de manuels et de techniciens qu'aujourd'hui.

À ce stade, il s'agit seulement d'un outil d'observation, d'un
moyen de connaissance du milieu dans lequel on vit, sans idée
de planification, ni même de politique.

*Le progrès technique*

Comment la matrice de l'emploi permet-elle de juger ou de
prévoir l'effet d'un progrès technique ?

Une innovation déclenche, nous l'avons vu, une série de
perturbations dans l'économie, que la matrice de l'emploi va
permettre de saisir en partie. Sans pouvoir examiner ni le phénomène dans toute sa généralité, ni les multiples cas que l'on
peut distinguer, nous nous contenterons de quelques exemples, en examinant d'abord le progrès sans changement de
matériel, puis celui qui utilise un outillage nouveau.

Dans chaque cas, les calculs en nombre et en répartition des
emplois doivent être complétés par la prise en considération du
temps et de l'élasticité.

*Progrès sans changement de matériel*

Il résulte d'une meilleure utilisation du personnel et du
matériel existants. Le bénéfice de cette opération peut aller,
nous l'avons vu, au chef d'entreprise, aux consommateurs, aux

salariés, à l'État, etc. Examinons seulement les deux premiers cas :

1. *Le chef d'entreprise utilise pour lui-même l'économie réalisée* (montant des salaires des ouvriers et employés licenciés). Son revenu est sensiblement supérieur à celui de chacun de ces travailleurs. Sa dépense va prendre une orientation d'autant plus différente qu'elle est marginale et « discrétionnaire ». Si l'on dispose d'une statistique des budgets de ménage selon le revenu, on en déduit la répartition par branches, de la somme avant et après l'opération.

La matrice de l'emploi permet alors de comparer :
– le nombre et la répartition des emplois correspondant à l'utilisation des salaires perdus ;
– le nombre et la répartition des emplois $E$ correspondant à la somme utilisée par l'employeur.

2. *Le progrès bénéficie intégralement aux consommateurs.* Ce sont cette fois les données sur l'élasticité de la consommation du produit selon le prix (voir p. 200) qui permettent de juger si l'accroissement de la consommation sera suffisant pour éviter le licenciement du personnel. Si tel est rigoureusement le cas (simple maintien des effectifs), aucun changement ne survient dans le cadre de l'entreprise, en dehors d'une acquisition plus forte de matières premières ou de produits intermédiaires. Cette acquisition entraîne d'ailleurs diverses perturbations d'emplois dans l'économie.

La situation se présente ainsi :

| | Avant l'innovation | Après l'innovation |
|---|---|---|
| Nombre de salariés | $e$ | $e$ |
| Salaire unitaire | $s$ | $s$ |
| Salaires payés | $es$ | $es$ |
| Autres dépenses | $d$ | $d (l + i)$ |
| Dépenses totales | $es + d$ | $es + d (l + i)$ |
| Quantités produites et vendues | $q$ | $q (l + i)$ |
| Prix unitaire | $\dfrac{es + d}{q}$ | $\dfrac{es + d (l + i)}{q (l + i)}$ |

Ce tableau laisse de côté le profit, car il ne produit aucune perturbation.

Supposons maintenant que le marché du produit A s'étende suffisamment pour que le personnel augmente (cas de l'automobile, de la machine à laver, de la télévision, de l'électronique, etc., pendant leur période de diffusion). Le revenu disponible de l'ensemble des consommateurs pour les produits autres que A diminue. Il y a donc déplacement de la consommation, au détriment de ces produits, restés à la même technique. La matrice de l'emploi peut encore servir, mais son utilisation est plus délicate.

### Progrès obtenu avec un matériel nouveau

Considérons d'abord le cas, limite évidemment, mais éclairant, où le profit supplémentaire, réalisé grâce à l'opération, est négligeable. Le bilan semble s'établir ainsi :
— *perte d'emplois :* le personnel licencié ;
— *gain d'emplois :* les emplois nécessaires à la fabrication de matériel.

La perte est indéfinie, tandis que le gain semble réalisé une fois pour toutes. C'est ce qui apparaît et donne lieu à tant de commentaires simplistes. En fait, l'opération est plus complexe et doit s'observer avec étalement dans le temps. Nous allons distinguer quatre phases, en simplifiant partout où c'est possible.

*$1^{re}$ phase.* Dans l'état antérieur, en vitesse de régime, le chef d'entreprise dépense entièrement son profit à des fins personnelles de consommation.

*$2^e$ phase.* Le chef d'entreprise affecte, pendant quelque temps, une part de son profit à l'achat d'outillage, qui permettra d'économiser la main-d'œuvre (automatiquement), au cours de la phase suivante.

Qu'il s'agisse de consommation ou d'achat d'outillage, les dépenses sont supposées entièrement faites sur le territoire national. Le bilan s'établit ainsi, par rapport à la période précédente :
– perte d'emplois correspondant à la baisse de la consommation du chef d'entreprise ;
– gain d'emplois correspondant à la construction d'outillage.

Comme il s'agit d'une consommation marginale, à un niveau de revenu élevé, il est difficile a priori, de voir de quel côté penchera la balance. C'est la matrice de l'emploi qui éclairera la situation. Mais ici encore, la répartition par catégories professionnelles et l'élasticité qu'elles présentent doivent être prises en considération.

*3e phase.* Le chef d'entreprise a achevé l'achat de l'outillage nouveau, il l'utilise, reprend sa consommation antérieure et licencie le personnel devenu superflu. Le bilan s'établit ainsi, par rapport à la phase précédente :

— *gain d'emplois* résultant de la reprise de la consommation du chef d'entreprise ;

— *gain d'emplois* résultant du gain réalisé sur les dépenses de personnel ;

— *perte d'emplois* égale au nombre de salariés congédiés ;

— *perte d'emplois* correspondant à la non-consommation de ces salariés ;

— *perte d'emplois* correspondant à la cessation des achats d'outillage.

L'hypothèse de non-profit supplémentaire doit s'entendre dans le temps. Supposons que la durée de l'outillage soit très longue et pratiquement illimitée. L'économie réalisée sur le personnel est alors indéfinie, de sorte que l'hypothèse de profit supplémentaire nul est irréaliste.

Si, au contraire, la durée de l'outillage est limitée, nous aurons, après sa disparition, une quatrième phase.

*4e phase.* C'est le retour à la première, car il faudra réembaucher un nombre de personnes équivalent aux licenciements précédents. Pendant quelque temps, des dépenses de personnel auront été remplacées par des achats de matériel. Cette éventualité est peu plausible, mais on peut supposer, toujours dans l'hypothèse du profit supplémentaire nul, que ce remplacement est indéfini. La balance s'établit alors, en vitesse de régime, entre les emplois supprimés à l'intérieur de l'entreprise et les emplois créés en dehors.

Introduisons maintenant l'hypothèse d'un profit supplémentaire du chef d'entreprise ; l'économie réalisée sur le personnel peut alors être divisée en deux :

– l'une sert à renouveler indéfiniment l'outillage nouveau, ce qui nous donne la balance examinée dans le cas précédent ;

– l'autre sert à accroître le profit du chef d'entreprise et nous sommes ramenés au cas d'un progrès sans outillage nouveau.

*Le lieu de travail*

Aucun calcul matriciel n'a été fait, à notre connaissance, sur le lieu de travail, en dehors du cadre de la région. C'est une lacune sérieuse et difficile à combler, en dehors de quelques cas particuliers, où une mesure déterminée (ou un changement quelconque) risque de porter particulièrement sur des localités où les sources de travail sont peu nombreuses. Mais les demandes de deuxième vague sont, le plus souvent, suffisamment dispersées pour ne pas soulever de difficulté importante.

*La comptabilité en temps de travail en Union soviétique*

Les Soviétiques ont toujours revendiqué une antériorité sur Leontief en matière de tableaux interindustriels (travaux de V.K. Dmitrief). Mais la planification n'a que beaucoup plus tard établi la balance entre les branches, en temps de travail, en vue de mesurer « la dépense totale du travail (direct ou indirect) entrant dans chaque produit (M. Lidelman). Bien que ces travaux pêchent toujours par la conception trop étroite de travail « productif », ils rendent des services, notamment pour la fixation des prix (R. Bezousov en U.R.S.S., M. Minkov en Bulgarie).

# XXI

# Choix des investissements

Dans la définition traditionnelle de l'investissement privé en régime capitaliste libéral, définition adoptée jusqu'ici dans cet ouvrage, c'est la rentabilité qui inspire la décision du chef d'entreprise ou de celui qui entend le devenir. Il compte sur un profit déterminé. Sa décision n'est cependant pas dictée de façon précise ; des choix se présentent.

*Objectifs et choix du chef d'entreprise*

Il peut s'agir d'un maintien des quantités vendues et d'une augmentation du profit, par licenciement du personnel devenu excédentaire ou bien d'un désir d'augmenter à la fois production et profit. Des pronostics doivent être formulés sur l'élasticité de vente du produit, selon son prix, sur l'extension possible du débouché sur les risques de concurrence, etc. Enfin, même dans le cas où toutes les hypothèses et tous les calculs ont été faits peuvent subsister des questions personnelles, âge, famille, esprit d'entreprise, etc.

*L'intérêt de la collectivité*

Il est reconnu aujourd'hui que le choix exercé par le chef d'entreprise n'est pas nécessairement celui qui profite le plus à l'économie de la nation. Il peut même se faire qu'un investissement, jugé avantageux pour l'entreprise, soit dommageable à la nation (même en dehors de considérations d'environnement), en termes de produit national, d'emploi, etc.

Nous nous plaçons dans le cas d'un simple contrôle a posteriori : les divers investissements projetés par des entreprises sont soumis à un organe public, qui formule sur eux un avis.

Pour juger ce qui est le plus profitable à la nation, il lui faut examiner la série de perturbations introduites de proche en proche dans l'économie, en termes de production, d'emploi, de balance des paiements, d'aménagement du territoire, etc. Non seulement le résultat peut différer selon l'objectif choisi, mais, dans l'état actuel de la technique, le calcul complet ne peut pas être tenté.

Cependant, compte tenu de l'amortissement rapide des ondes successives dans la majorité des cas, il est souvent possible de déceler les principaux avantages et inconvénients résultant de ces perturbations. Donnons-en un aperçu.


*Avantages nationaux*

A l'avantage direct de l'entreprise peuvent s'ajouter des améliorations nationales, par exemple :
— *élargissement de goulets.* L'avantage peut être important, par effet de multiplicateur ;
— *amélioration de la balance des paiements,* soit par réduction d'importations, soit par accroissement d'exportations (cas de l'économie d'énergie) ;
— *emploi d'un personnel de placement difficile ;*
— *appoint à la mise en valeur d'une région déshéritée.*


*Inconvénients notables et visibles*

L'investissement prévu peut, en revanche :
- *mettre en chômage des ouvriers difficiles à reclasser,* géographiquement ou professionnellement ;
- obliger à abandonner un matériel encore utilisable ;
- augmenter, directement ou non, des importations ;
- créer une tension inflationniste sur des catégories de personnel rare ou des ressources à rendement décroissant ;
- contrarier la politique d'aménagement du territoire.

L'avantage direct de l'économie financière réalisée sur un

facteur de production peut être compensé et au-delà par ces dommages nationaux.

Même s'il n'en est pas ainsi, il reste à savoir si la somme affectée à cet investissement ne pourrait pas être plus utile encore, si elle recevait une autre affectation. Ce souci rend les choix encore plus malaisés et peut se heurter au souci individualiste du chef d'entreprise.

### Investissements quantitatifs et de productivité

Cette distinction, devenue essentielle dans les plans contemporains (encore que le cumul soit possible), répond surtout à des préoccupations immédiates d'emploi, souvent trop superficielles. Cette optique étroite pourrait conduire à condamner la plupart des investissements de productivité, quelle que soit leur nécessité.

Or, par le phénomène du *déversement*, qui accroît des consommations anciennes ou crée des consommations nouvelles, des investissements quantitatifs deviennent nécessaires.

Bien que certaines règles de conduite soient valables pour les deux types d'investissement, examinons-les séparément :

### Investissements quantitatifs

L'accroissement de la production d'une branche peut être recherché soit en faveur du marché intérieur, jugé apte à l'absorber, soit en faveur de l'exportation ; mais, de toute façon, la répercussion sur la balance du commerce doit être, dans la majorité des cas, favorable.

S'il s'agit d'une consommation finale par les ménages, le marché intérieur peut, en dehors du cas de baisse de prix, absorber une quantité plus importante dans divers cas :
— *augmentation de la population consommatrice.* Il peut s'agir de la population totale ou d'une sous-population (hommes, femmes, jeunes, vieux, ouvriers, paysans, etc.) ;
— *progression du niveau de vie général* et élasticité suffisante de la consommation du produit selon le revenu ;
— *évolution des mœurs, des habitudes,* favorable au produit en question. Il ne s'agit pas seulement de changement de goûts : une hausse des salaires peut provoquer un transfert de consom-

346 La machine et le chômage

mation vers les produits dans lesquels leur part est moins forte.

Dans ces divers cas, le nombre des emplois augmente dans cette branche.

Si l'investissement a pour but d'accroître la production d'*équipements* ou de *biens intermédiaires,* il faut savoir si ces quantités supplémentaires élargissent ou non quelque goulet ; en première vague, le jugement est assez facile.

Ces diverses considérations entrent assez bien dans le champ du chef d'entreprise, mais les répercussions indirectes, telles que la balance des paiements, lui échappent ou, du moins, ne modifient pas sa rentabilité ; par exemple, l'augmentation de la production d'objets en aluminium entraîne, indirectement, un accroîssement de la consommation d'énergie. Dans d'autres cas, peuvent se produire des goulets indirects, qui peuvent modifier les effets de l'investissement sur l'emploi.

Plus l'économie s'éloigne de la fluidité libérale, laquelle, en théorie, résout tout, plus l'intérêt de l'entreprise et celui de la collectivité peuvent diverger. Cet écart s'accentue encore pour les investissements de productivité.

## Investissements de productivité

Ce sont surtout eux qui font intervenir un progrès technique ; la divergence d'intérêts apparaît plus nettement entre la collectivité et l'entreprise, mais elle est parfois trompeuse. Le dommage causé par le licenciement de personnel est durement ressenti, surtout en période de chômage, de sorte que la puissance publique peut être tentée de freiner cette décision qui lui vaut de tels embarras. Il convient cependant d'étudier dans quelles conditions peuvent se produire l'extension du marché et le, si discret, déversement des revenus excédentaires. Ici devrait intervenir une vaste prévision à base de *comptabilité en circuit de travail,* utilisant l'équivalent travail d'une production. Des simulations seraient entreprises avant toute décision d'investissement.

Prenons un exemple : pour faire un pont métallique, par exemple, il faut deux fois moins d'acier qu'il y a vingt ans ; ce progrès de productivité, sensible aussi pour de nombreux ensembles ou constructions, a contribué à la crise de la sidérurgie en 1979. Deux sortes de progrès ont pu se produire :
1. *Les ingénieurs constructeurs ont réussi à améliorer la résistan-*

*ce,* en diminuant le poids de l'acier utilisé. Après coup, on dira même qu'il y avait du métal « excédentaire ».

2. *La qualité de l'acier a permis de réduire l'épaisseur des poutrelles* sans changement de la construction.

Dans le premier cas, la puissance publique aurait pu – avec instrument de mesure et de calcul approprié – prévoir les répercussions du progrès en question :

*a)* celui-ci aurait pu s'en voir préférer d'autres et être en conséquence freiné. Mais, en l'occurrence, il entraînait si peu de dépenses que tout freinage eût été antiéconomique ;

*b)* les investissements quantitatifs en sidérurgie auraient pu – et dû – tenir compte de cette réduction de la consommation, dont le progrès est responsable. L'industrie sidérurgique aurait pu considérer comme dangereux un progrès se retournant contre elle et s'efforcer de l'arrêter, mais cette action malthusienne aurait été contraire à l'intérêt de la nation.

## Une politique volontariste

L'exemple précédent permet de déceler tant les difficultés de la planification générale et l'étendue des erreurs possibles que l'engrenage fatal d'une politique volontariste.

Un autre risque plus direct apparaît aussi : la protestation de l'opinion publique et des syndicats contre tout licenciement peut conduire à freiner ou interdire des investissements de productivité, chaque fois que la récupération des emplois n'apparaît pas à première vue. C'est une raison supplémentaire pour pousser le plus possible la prospection, en informer l'opinion et faciliter les transferts nécessaires.

Dans les pays les plus libéraux, la puissance publique intervient aujourd'hui sur les investissements de quelque dimension. Aux États-Unis, l'*Agence d'évaluation technologique (Technology Assessment)* joue, tout au moins, un rôle d'étude et fait intervenir de nombreux facteurs. En France, le *Commissariat au Plan* et d'autres organismes, distributeurs de crédits, peuvent infléchir les décisions.

La politique s'exerce du reste à deux degrés :
— *politique de la recherche et de l'innovation ;*
— *politique du choix des investissements.*

Les deux domaines peuvent être reliés, mais sont néanmoins distincts. C'est surtout le second qui nous intéresse ici. Les moyens de décider sont encore très sommaires.

*Court et long terme*

Le conflit existe et existera toujours entre le court et le long terme. L'absence de critère technique sérieux, les décisions de la puissance publique risquent d'être influencées par des critères politiques éloignés du mieux économique et même de l'emploi. Encore faut-il que les calculs des techniques embrassent bien l'ensemble des facteurs en présence. La recherche des circuits de travail doit être suivie d'une diffusion suffisante pour que soient vaincues les résistances des hommes basées sur l'immédiat.

*Investissements publics*

Le choix entre les multiples investissements possibles se prête mal à des considérations techniques. Par exemple, l'arbitrage entre la santé et les travaux publics ne présente aucune possibilité scientifique, puisque les objectifs (vies humaines et produits) sont différents. Pour le moment, le choix purement politique s'inspire de l'activité de certains besoins ou au contraire d'un désir de satisfaire les divers objectifs et fonctions. Mais, ici aussi, le souci de l'emploi et sa connaissance peuvent conduire à des solutions différentes.

# XXII

# Eléments d'une politique

Parvenus à notre terme, nous allons présenter les principes sur lesquels devrait s'appuyer en capitalisme démocratique, une politique de l'emploi.

## L'objectif

Les divers objectifs, production maximale (et, à sa suite, niveau de vie), répartition du travail pour tous, répartition équitable des revenus, solidité-sécurité de l'économie, loisirs, court ou long terme, etc., dictent des solutions différentes, entre lesquelles le choix est politique. Mais la recherche immédiate d'emplois (« la création d'emplois », comme on dit improprement), au détriment de la production, ne peut aboutir qu'à des résultats éphémères.

## Observations préliminaires

Il ne peut être question d'un retour à la pleine fluidité libérale. Même s'il s'agit d'un paradis perdu, celui-ci est derrière et hors de possibilité. Des assouplissements n'en sont pas moins nécessaires ici ou là, qu'il s'agit de combiner avec des incitations positives. Le degré d'intervention doit varier selon les circonstances.

Non seulement la recherche efficace du plein emploi ne peut pas conduire à des remèdes agréables, comme les attend l'opinion, mais tous les moyens indolores ou plaisants ayant été employés à l'excès (notamment la distribution de ressources financières), il ne reste que des solutions amères, ne serait-ce que pour l'amour-propre et le confort d'esprit.

En particulier, toutes les solutions basées sur l'improductivité (création, par exemple, d'emplois inutiles) doivent être écartées.

La « *création d'emplois* » est une expression dangereuse ; le plus souvent, elle ne vise que les emplois visibles, sans souci des contreparties.

## *Bases d'une politique générale de l'emploi*

Elle doit prendre appui sur les principes suivants :
1. *Adapter les forces de travail, c'est-à-dire les hommes, aux désirs exprimés en termes de consommation et aux besoins de l'investissement.*
2. *Éviter les courts-circuits de travail, favoriser l'allongement des circuits, sans, pour autant, créer des emplois improductifs.*
3. *Agir sur les secteurs engorgés, en plein emploi et non sur les secteurs en chômage. Élargir tout point de ralentissement.*

L'application de ces principes conduit à :
a) *Agir sur la formation et l'orientation des hommes* dans le sens des demandes de produits et services.
b) Compléter les *comptes en espèces monétaires* par des *comptes en hommes de diverses professions.*
c) *Surveiller les rémunérations, en particulier dans le tertiaire.*

Nous allons voir d'abord l'attitude devant un progrès technique, pour en venir ensuite à la politique générale. Pour le progrès technique, nous allons, sans revenir sur le choix des investissements, prendre, dans l'actualité, l'exemple déjà cité, l'informatique.

## *L'informatique et l'emploi*

L'extension de l'informatique peut agir de deux façons sur le nombre des emplois :
– *commerce et paiements extérieurs ;*
– *contraction ou extension de l'emploi national.*
Voyons successivement les deux points :

*Commerce et paiements extérieurs*

Pour la France, des pertes sont plus à craindre que des gains à espérer, car deux concurrences sont à redouter :
– meilleure technique (États-Unis, notamment) :
– salaires plus bas (Extrême-Orient, notamment).

Il est, par exemple, à craindre que les États-Unis puissent constituer une *banque de données* si bien documentée qu'il sera difficile de ne pas faire appel à elle. De façon générale, le libéralisme relatif, conseillé par le rapport Nora-Minc, risquerait de faciliter la pénétration, sauf effort important de mise à niveau. Il convient donc de pousser au maximum recherche, investissements et formation de personnel.

Peut-on penser aussi à une coopération à l'intérieur du marché commun ? Ce fut une lourde faute initiale que d'avoir axé cette remarquable initiative sur deux industries d'arrière-garde, sidérurgie et charbon, ainsi que sur l'agriculture, au lieu de miser sur l'aéronautique, l'espace et précisément l'informatique. L'extension du marché commun à neuf, puis à douze pays, réduit à peu près à néant les chances d'une telle coopération, mais des ententes partielles, comme pour l'Airbus, sont recommandables.

*Contraction ou extension de l'emploi*

Le mécanisme qui a permis, pendant deux siècles, d'augmenter le nombre des emplois, à la faveur du progrès technique, n'est plus aussi bien assuré aujourd'hui. Pour lui donner toutes ses chances, il importe que les gains financiers résultant du progrès ne soient pas absorbés au passage, sur place, mais se répercutent aussi largement que possible dans les divers secteurs de l'économie et surtout les nouveaux.

Il faut donc éviter les contremesures tentantes, de « partage », ainsi que le maintien, contre la rentabilité, des effectifs initiaux dans chaque branche, voire dans chaque entreprise. Non seulement une telle cristallisation annulerait les avantages de l'innovation, mais elle pourrait se traduire par un recul, vu le coût des équipements.

Une réduction de la durée du travail, dans des limites bien déterminées pourrait cependant permettre de donner au progrès la forme de loisir, mais la localisation, dans le temps et dans l'espace, est fort délicate.

À tout le moins, si le licenciement de personnel est juridiquement ou politiquement impossible, faut-il s'abstenir de remplacer les travailleurs qui partent, pour un motif ou un autre ? Il y aura lieu, d'ailleurs, de lutter, de façon continue, contre la formation d'une bureaucratie superflue et coûteuse en emplois, par répercussions indirectes.

### Les affectations de l'économie réalisée

Le gain financier qui résulte, pour les entreprises, de l'économie des facteurs de production peut, comme pour tout progrès technique :
– être transmis aux consommateurs, par baisse de prix d'où *extension du marché* ;
– recevoir diverses affectations donnant lieu à *déversement*.

### La baisse de prix

Ce serait le moyen idéal, si elle se répercutait ensuite de proche en proche, aucune personne, salarié ou employeur, n'augmente à aucun stade, son revenu, au-delà du gain moyen par habitant qui résultera du progrès réalisé.

Une telle dissémination étant illusoire, il faut s'efforcer d'éviter les excès, ce qui rend nécessaire une surveillane des prix et des salaires, ainsi qu'une prospection des perturbations, aussi large que possible, au moyen de la comptabilité en termes d'emplois.

### Le déversement

L'économie réalisée de diverses façons dans l'entreprise peut être attribuée de diverses façons :
– à l'entreprise (profit) ;
– au personnel qui subsiste (majoration de salaires) ;
– à des services sociaux de l'entreprise ;
– au personnel licencié (indemnités) ;
– à l'État (fiscalité).

Selon ces divers moyens, l'accroissement de l'emploi ne va pas toujours dans le sens de l'équité et s'oppose même souvent à elle. Voyons les divers déversements.

*Transfert au trésor public* [1]

S'il s'agit d'une entreprise nationale (une banque, par exemple, et, à plus forte raison, un service public), on peut envisager le transfert total du profit supplémentaire au Trésor. Même dans le cas d'une société privée, une partie importante de ce profit supplémentaire est frappée par la fiscalité de droit commun.

Le nombre d'emplois résultant d'un tel transfert varie, nous en avons parlé, selon l'utilisation. À égalité d'utilité sociale ou économique, la solution la plus féconde est naturellement l'appel à de petits emplois sans matériel important. À plus long terme, c'est l'investissement dans des industries de pointe qui est le plus recommandable.

*Indemnités de licenciement et de reclassement du personnel*

L'octroi de telles indemnités ne constitue pas, à proprement parler, un *déversement*. Employée pour faciliter le reclassement, cette indemnité qui n'est pas un flux, comme les majorations de salaires ou de profits, n'est nationalement efficace que si le reclassement oriente les travailleurs dans les branches bénéficiant du déversement.

*Services sociaux dans l'entreprise progressiste*

L'entreprise peut augmenter les ressources accordées au comité d'entreprise pour colonies de vacances, sports et loisirs, assistance sociale, etc. Comparée à l'augmentation des salaires du personnel maintenu en place, cette mesure équivaut en quelque sorte à une socialisation de ces majorations. En termes d'emplois, elle est plutôt plus avantageuse que le déversement individuel, surtout si celui-ci vient des salariés du bas de l'échelle.

Le résultat dépend d'ailleurs de la nature des services sociaux : l'organisation de voyages à l'étranger par exemple est perdante. La construction d'un stade est plus onéreuse en capi-

---

1. Il est de règle qu'aucune recette budgétaire ne doit recevoir aucune affectation spéciale, mais il s'agit ici, simplement, d'un calcul économique.

tal et en produits « défavorables » que le recrutement d'assistantes, de jardinières d'enfants, etc.

La préférence donnée a priori à la solution donnant le plus d'emplois n'a pas ici l'inconvénient qu'elle présente pour des activités marchandes. À la rentabilité dûment mesurée dans une entreprise marchande correspond, en effet, ici une satisfaction sociale qui ne se mesure que de façon très imparfaite.

Cette solution de « déversement organisé », nous pouvons presque dire *planifié*, ne permet cependant pas d'éviter tout licenciement, puisqu'elle fait appel à un personnel différent : des comptables, employés, laissent la place à des animateurs, moniteurs, etc. de l'entreprise. Elle risque, de ce fait, de rencontrer une opposition au sein de l'entreprise.

### Déversement du profit et des salaires

Dès l'instant qu'une somme déterminée produit marginalement plus d'emplois lorsqu'elle est affectée à un revenu élevé, l'équité est en contradiction avec le souci de l'emploi. Le déversement résultant de la majoration des salaires modestes risque davantage de provoquer des courts-circuits de travail.

Il est cependant tentant d'affecter au personnel une partie au moins du gain financier de l'innovation, ou encore de multiplier, sans raison technique, des emplois fortement rémunérés, grâce à la suppression du petit personnel. Ce sont deux courts-circuits dommageables à l'emploi.

Le déversement le plus favorable à l'emploi étant, dans l'ensemble, celui du profit, il y a lieu d'intervenir dans son utilisation : s'agissant d'information, les entreprises sont, le plus souvent, des sociétés importantes, nationales parfois. L'utilisation la plus indiquée ici est l'investissement d'avant-garde, plutôt que la consommation de seconde nécessité.

### Faciliter le déversement de consommation

Qu'il s'agisse d'informatique ou d'une autre innovation, un déversement de consommation est en partie inévitable. La récupération, par ce moyen, des emplois perdus ne doit pas être contrariée par le niveau excessif des rémunérations dans les professions où va le déversement (salaires ou profits contrôlables). Non seulement un déversement donné produit alors moins d'emplois, mais le déversement se fait davantage par court-circuit vers des consommations anciennes.

Ces excès sont d'autant plus difficiles à combattre, qu'ils résultent, dans les services, d'habitudes correspondant à un sentiment de dignité et restent inconnus, même des économistes ou autres personnes spécialisées dans l'emploi.

Il s'agit donc, au premier chef, de connaissance, de prise de conscience.

L'élasticité de la consommation de ces services selon le tarif pratique varie d'ailleurs d'une profession à l'autre ; sans doute est-elle plus élevée pour les gardes-malades ou services sociaux que pour les avocats ou avoués.

On peut imaginer des « cabinets » organisés, d'accès facile et de tarifs modérés. Tout est à faire dans cette direction. Nous la retrouverons plus loin.

Reprenons maintenant la politique générale de l'emploi.

### Il existe toujours une solution de plein emploi

Le nombre maximal des emplois possibles dans une économie n'est limité, nous l'avons vu, que par les ressources naturelles, et par l'échange de produits fabriqués contre des ressources naturelles importées.

Toute entrave à ce fructueux échange réduit le nombre des emplois possibles *pour un niveau de vie déterminé.* C'est ce qui arrive, en Europe, depuis la crise du pétrole.

Dans les conditions actuelles (c'est-à-dire compte tenu de la supériorité technique des pays industriels, qui leur permet cet échange multiplicateur) il existe, dans chaque pays industriel, une solution et même une infinité de solutions permettant de remplir les deux conditions :
– assurer du travail à tous ceux qui le désirent et sont en état de le faire ;
– augmenter le niveau de vie moyen réel (et non le niveau apparent).

Mais cette solution exige la réalisation de diverses conditions.

### Souci vif et permanent de la structure

Si le chômage persiste ou s'accroît, *dans un grand nombre de pays,* c'est en raison des erreurs commises et notamment de la conception *quantitative et globaliste.* Ce simplisme doit faire place à un souci poussé de la structure professionnelle et spatiale. *Les personnes actives pourvues d'emploi ne s'additionnent pas, elles se complètent.*

La structure professionnelle l'emporte encore sur la spatiale, car :

— *il est plus facile de changer le lieu* où se portera la demande que sa nature ;

— *il est, en général, plus facile de changer de résidence que de profession ;*

— *l'enseignement, la formation* ne concernent que l'aptitude professionnelle, non le lieu de travail.

Les activités des travailleurs doivent-elles correspondre aux besoins, ou plus exactement, aux demandes exprimées ou bien les consommations doivent-elles s'adapter aux désirs exprimés par les travailleurs ?

La réponse générale n'est pas douteuse : étant le passif de l'acte économique, le travail doit servir à satisfaire les désirs et les besoins. Une autre ligne de conduite aboutirait à des situations sans issue ; il n'y aurait notamment plus de volontaires pour les professions vitales et pénibles.

L'application ne va cependant pas sans difficulté. Si, par exemple, des hommes ont été formés d'une façon défectueuse, non conforme à la priorité des besoins, faut-il les exclure pendant toute leur vie, ou bien les employer à ce qu'ils savent faire ?

La seconde solution est d'autant plus tentante que la rentabilité ou l'utilité des emplois nouveaux ainsi créés n'est que rarement déterminée avec précision, du moins dans les services. A court terme, il est donc utile de céder *quelque peu* à la préférence manifestée par les demandeurs d'emplois. Mais, à plus long terme, la solution s'avère sans issue. Le déséquilibre serait en effet entretenu, favorisé et la formation défectueuse encouragée. *Tout pas dans cette voie ne doit donc être fait qu'avec de grandes précautions.*

La politique devrait s'appuyer sur les opérations suivantes :

— *établir un inventaire en nature* des désirs exprimés par les ménages (dans la limite de leurs revenus) et des besoins des services publics (dans le cadre des crédits accordés) ;

— *conversion de cet inventaire par branches en équivalent travail,* ce qui conduit à déterminer la composition, par profession, de la population active qui serait nécessaire pour les satis-

faire, avec les cœfficients techniques du moment (stock) ;
— *en déduire la composition par profession, des emplois qui se présentent annuellement* (flux) ;
— *large publicité* donnée à cette composition ;
— *orientation* en conséquence de la formation des jeunes ;
— *modification de l'échelle des rémunérations* en faveur des professions peu recherchées et *amélioration des conditions de travail dans ces professions.*

De telles mesures ne risquent-elles pas de s'avérer conservatrices ? L'évolution des mœurs, des habitudes, peut condamner, de façon définitive, certains métiers ; l'exemple de la domesticité vient ici à l'esprit. De toute façon, les mesures ci-dessus ne combattraient pas une tendance profonde ; en outre, des adaptations peuvent être encouragées, nous en verrons un exemple, à propos des services ménagers.

## Rigidités, ralentissements

La politique doit supprimer ou réduire les rigidités défavorables à l'emploi et comporter aussi des incitations propres à faciliter l'ajustement compromis.

En matière d'emploi de jeunes ou de remploi de travailleurs licenciés, toute souplesse facilite la solution.

La rigidité éliminatrice, qui résulte par exemple du salaire minimal, peut être compensée par une prime ou subvention accordée soit au travailleur reconnu partiellement inapte (rémunéré au-dessous du salaire minimal), soit à l'entreprise pour la dédommager d'accorder le salaire minimal aux travailleurs sous-productifs.

Lorsque sont constatés des engorgements même légers, des points où la production ne répond pas pleinement et instantanément à la demande, des efforts doivent viser à accroître l'offre (ou réduire la demande parfois). Les moyens sont nombreux et dépendent des circonstances. Compte tenu du phénomène de multiplicateur, qui agit alors, des primes peuvent être accordées utilement aux entreprises, de façon à leur permettre d'employer des travailleurs jugés de moindre qualité, des équipements de moindre rendement, etc.

Une attention particulière doit être accordée aux ralentissements imputables au commerce extérieur. Nous retrouvons la diminution du rythme de croissance, dans les pays occidentaux après 1973, résultat de la non-adaptation aux prix du pétrole,

*Les rémunérations*

Entendons par ce terme non seulement les salaires ou retraites, mais tous les autres revenus ; seulement la différence de fonctions ne permet pas de les traiter de la même façon.

Du secteur public vient une lumière si crue que personne, même dans les rangs les plus conservateurs, n'ose faire une simple constatation arithmétique : le nombre des emplois utiles étant, dans de nombreuses branches, sinon illimité, du moins très supérieur à l'actuel (enseignement, culture, santé, police, etc.), le nombre des emplois réel est en raison inverse des rémunérations ; une somme déterminée, 120 unités, par exemple, permet de rémunérer 10 agents gagnant chacun 12 ou bien 12 ne gagnant chacun que 10. Il y a diminution du niveau de vie pour 10 personnes, mais augmentation pour l'ensemble de la nation, par l'amélioration des services rendus.

Le gain en emplois et en niveau de vie n'est cependant pas rigoureusement en proportion :
– la consommation des 10 agents gagnant 12 est un peu plus favorable à l'emploi que celle des 12 agents gagnant 10 (orientation de la dépense) ;
– le matériel affecté à chaque agent réduit l'avantage en nombre d'emplois ;
– en sens inverse, la suppression d'indemnités de chômage des travailleurs récupérés accroît le nombre des emplois : en laissant de côté la question du matériel et en admettant que l'allocation de chômage soit égale à la moitié du salaire, une diminution de 10 % de ce salaire permet d'augmenter de 25 % le nombre des emplois.

Observation analogue pour les agents publics, mis prématurément à la retraite : avec une somme disponible 45 et 10 personnes à rémunérer, la société capitaliste préfère donner à 8 une rémunération 5 et à 2 une rémunération d'inactivité 2,5 plutôt que donner aux 10 une rémunération 4,5. Moins de services rendus, niveau de vie de la nation diminué.


*Le secteur privé*

Laissant, pour le moment, de côté la question d'équité sociale, nous avons toujours en vue l'objectif de l'emploi, sans atteinte à la production et au niveau de vie.

L'argument précédent ne s'applique plus, sauf cas de réduction de la durée du travail sans augmentation du salaire horaire, solution de partage simple, sans action sur le niveau de vie.

Que les salaires soient portés, par la pression syndicale, audessus du niveau que donnerait le marché du travail, est une tautologie, puisque cette pression est précisément exercée dans cette intention ; l'effet immédiat, défavorable à l'emploi, est contrebattu par un meilleur résultat à long terme.

Ce n'est donc pas sur le niveau général des salaires que la politique de l'emploi peut s'exercer utilement (sauf à éviter des abus inflationnistes) mais sur deux points particuliers :
— *la souplesse*. Ce sont les rigidités aux points sensibles qui provoquent chômage et parfois craquements ;
— *les rémunérations tertiaires*, notamment les services semilibéraux ; ce défaut fondamental freine le déversement et s'exerce doublement contre l'emploi.

Sans un effort préliminaire de conscience du phénomène, aucune action ne peut être efficace. Il faut bien faire comprendre l'impossibilité de rémunérer chaque heure de travail au moyen du pouvoir d'achat d'une 1 h 30 de travail ou même de 1 h 05.

À tout le moins les salaires des professions délaissées, la plupart manuelles, doivent-ils augmenter, en se voyant attribuer tous les avantages de la croissance ?

*Durée du travail*

Il y a toujours un compromis possible entre une rémunération plus élevée et une réduction du temps de travail, mais il est vain de prétendre consommer deux fois le même progrès. Seule est concevable une légère pression sur le système pour accélérer l'adaptation.

En tout cas, l'erreur majeure à ne pas commettre est la rigidité et l'uniformité.

En matière de retraite également, la politique doit être aussi souple que possible. Plutôt qu'imposer une solution uniforme, il convient de laisser à chacun le choix entre les diverses solutions possibles, actuariellement *indifférentes à la collectivité*. Ainsi s'obtient la satisfaction maximale.

*Une source possible d'emplois*

C'est dans les services, et particulièrement dans les emplois fortement rémunérés, que l'opinion croit pouvoir trouver tous les emplois nouveaux nécessaires : non seulement de nombreux besoins de produits ne sont pas satisfaits, mais ces emplois nouveaux ne peuvent être uniquement des emplois moyens ou supérieurs ; autant l'objectif d'un individu dans cette direction est valable, autant il est illusoire pour l'ensemble.

Un secteur important est prêt à fournir, dans certaines conditions, un grand nombre d'emplois, la santé. Le vieillissement de la population et l'évolution des techniques médicales posent déjà de redoutables problèmes financiers, en particulier, pour l'hospitalisation. Le coût de celle-ci est encore aggravé par l'obligation de maintenir en séjour à l'hôpital des personnes le plus souvent âgées, qui ne peuvent pas accomplir chez elles les tâches ménagères courantes. Les services publics créés ici ou là pour remplir ces tâches à domicile sont très insuffisants.

Cette difficulté résulte largement de la réaction de la société contre la forme d'esclavage domestique qui a prévalu jusqu'aux temps contemporains. Une aversion proprement viscérale, touche toutes les classes sociales à l'égard des services personnels ou ménagers. Si l'infirmière accepte de donner à un malade les soins les plus intimes, c'est parce qu'elle est en état de supériorité sociale et qu'elle commande. Pour le service ménager, même non personnel, c'est l'inverse.

Il existe des services privés de garde à domicile mais la peur de dérogeance s'exerce avec intensité parmi le personnel et la détourne de tout travail ménager.

D'ici un demi-siècle, le nombre d'octogénaires va presque doubler dans les pays occidentaux, en admettant même que la vie ne soit pas prolongée. Entre des besoins qui s'étendent ainsi et une réticence qui persiste, en dépit du nombre important de personnes sans emploi, il y a un fossé à combler. On peut rappeler qu'après la guerre, le problème délicat du service a été résolu dans les avions par la création des hôtesses de l'air et des stewards. Sans être identique, loin de là, le problème général n'est pas sans analogies. Une source d'emplois importante, actuellement négligée, ne peut manquer d'être exploitée tôt ou tard, dès que sera quelque peu modifiée la mythologie du tertiaire.

Du reste, aucune allocation de chômage ne devrait être accordée sans une certaine contrepartie de travail. Le champ social est large.

## Le régime socio-politique

Le progrès technique et son utilisation ont souvent des conséquences contraires à l'équité. Au conflit permanent entre l'équité sociale et l'efficacité, il n'y a aucune solution scientifique ; le seul recours est d'observer les résultats obtenus par les divers régimes existant dans le monde. Si le capitalisme survit, en dépit de ses erreurs et injustices, c'est qu'aucun des autres n'est vraiment convaincant. Selon une loi courante de biologie sociale, il n'a d'ailleurs vécu que des erreurs de ses adversaires. Cela ne signifie évidemment pas qu'il faille renoncer à le remplacer.

En tout cas, l'obligation d'un déversement public important et par suite d'un transfert fiscal de plus en plus délicat, conduit à préférer un régime où l'État gagne directement davantage, diverses méthodes comme le monopole de l'énergie sont recommandables.

Contester le conflit entre le plein emploi et la pleine justice sociale, est l'effet d'un comportement classique fait avant tout d'un souci de confort d'esprit. Seulement filtrer les faits pour refuser les plus déplaisants, c'est se condamner à l'impuissance. « Aller à l'idéal et connaître le réel », disait fort noblement Jean Jaurès ; la première partie de cette maxime a été seule retenue.

Si agréable qu'elle soit à caresser et cultiver, l'idée selon laquelle l'autogestion est le régime de demain ne doit pas empêcher de nous débattre le moins mal possible dans l'enchevêtrement social actuel, qui ne correspond à aucun plan préétabli et doit être examiné dans ses plus intimes profondeurs.

## Lumière

Estimer que rien de bon ne peut se faire en démocratie sous une pleine lumière sur les choses que l'on entend manier est une simple tautologie. Du fait même de son évolution, notre société se connaît très mal, plus mal assurément que celles qui l'ont précédée. C'est à ceux qui vont en avant-garde ou entendent le faire qu'il appartient d'accepter ce qu'il faut bien appeler une servitude vitale. C'est la prédominance de dogmes, de postulats, d'images complaisantes, qui, répétons-le, bloque la société et l'empêche de combler les retards importants qu'elle a pris sur sa propre technique et sur son idéal social.

Aux économistes appartient de quitter quelque peu leurs abstractions, sans crainte pour leur réputation. C'est en raison de leur peur de déplaire que l'économie est en retard de près de deux siècles sur la médecine, comme aussi sur les besoins de la société.

Une lumière intense, une large connaissance des faits est la condition nécessaire d'un socialisme libéral. Bien qu'il s'agisse, en somme d'une simple tautologie, cette nécessité fait trop peur pour être facilement acceptée.

# Conclusion

Dans ce domaine essentiel et d'une actualité permanente que sont les rapports entre le progrès technique et l'emploi, entre la machine et le chômage, la science économique a pris un étrange retard, si important que la connaissance de ce sujet est, en valeur relative, inférieure à ce qu'elle était il y a un siècle.

Le progrès important qu'a été, au lendemain de la guerre, la comptabilité nationale, a, paradoxalement, provoqué un recul des idées sur l'emploi. La peur de mécontenter l'opinion, toujours impressionnée par le seul visible, et le globalisme, inspiré des idées de Keynes mal interprétées, ont conduit les économistes à pousser toujours davantage les comptes en espèces monétaires, en laissant de côté les hommes. L'augmentation du chômage est la conséquence logique et implacable de cette désaffection.

Le mécanisme qui a permis, pendant un siècle et demi, d'augmenter le nombre des emplois, a été bien mis en évidence ; mais en même temps ont été démontrées les raisons qui freinent aujourd'hui les adaptations. Les remèdes qui en découlent sont souvent à l'opposé des moyens employés et des idées reçues.

En dépit des efforts fournis dans cet ouvrage pour éclairer la question d'un jour nouveau, nous avons bien conscience de l'insuffisance de nos résultats ; ils indiquent avant tout des voies nouvelles, qu'il faut explorer davantage, pour connaître les *circuits de travail* et dresser des *comptes en hommes,* en particulier pour les déversements.

Entre les hommes et les choses s'est créé un vide inquiétant, source de déceptions aujourd'hui économiques et demain politiques. De tous les paradoxes de notre temps, le plus étrange peut-être, est qu'il faille vanter les mérites et la nécessité de la lumière pour se diriger sur une route semée d'écueils. Mais nous sommes au début d'une ère de conscience.

# Bibliographie

Il n'a été possible de reproduire ici qu'une partie des ouvrages ou articles, même en langue française, ayant traité le sujet. Un certain nombre de références se trouvent en outre dans le corps de l'ouvrage, particulièrement en première partie.

ABRAHAM-FROIS (Gilbert), Problématiques de la croissance, 2 vol., Paris, *Economica*, 1974.

AKIHIRO (A.), Biased Technical Progress and a Neoclassical Theory of Economic Growth, *Quaterly Journal of Economics*, 1964.

ARISTOTE, *La Politique et les économiques*, traduit par Nicolas Oresme, Paris, 1489.

ARROW (K.J.), CHENERY (H.B.), MINHAS (B.S.), SOLOW (R.M.), Capital Labor Substitution and Economic Efficiency, *The Review of Economics and Statistics*, août 1961.

ARROW (K.J.), The Economics Implications of Learning by Doing, *Review of Economic Studies*, juin 1962.

ASIMAKOPULOS (A.), WELDON (J.), The Classification of Technical Progress in Models of Economic Growth, *Economica*, novembre 1963.

BABBAGE (Ch.), *Traité sur l'économie des machines et des manufactures*, Paris, Bachelier 1833.

BAUDELOT (C.), ESTABLET (R.), TOISER (J.), *Qui travaille pour qui ?*, Paris, F. Maspero, 1979.

BERTIN (G.Y.), Le lien population, progrès technique et les modèles de J. Robinson et N. Kaldor, *Revue économique*, septembre 1964.

BIRG (H.), *Zu einer allgemeinen Theorie der technischen Fortschritts Jahrbücher für national Okonomie und Statistik*, 1969.

B.I.T., *Répercussions sociales de l'automation et autres progrès techniques*, Genève, 1972.

CAIRE (C.), Aperçus sur les utilisations possibles de la comptabilité en temps de travail, *Consommation*, n° 1, 1979.

CLARK (Colin), *Les Conditions du progrès technique*, Paris, P.U.F., 1960.

CLARKE (George), *People, Technology and Unemployment*, Londres 1973.

COLLINET (Michel), Les débuts du machinisme devant les contemporains (1760-1840), *Le Contrat social*, mai-juin 1965.

COLSON (Clément), *Cours d'économie politique*, professé à l'École des Ponts-et-Chaussées, Paris, Gauthiers-Villars 1901-1909. Tome I, Le travail et les questions ouvrières.

*Congrès des Économistes de Langue française, L'accroissement du progrès technique et ses conséquences*, Paris, Cujas 1967.

COQUELIN (Ch.), GUILLAUMIN, *Dictionnaire de l'économie politique*, Paris 1854.

COURBIS (Raymond), *Compétitivité et croissance en économie concurrencée*, Paris, Dunod 1975.

DENNISON, Some Economic and Social Accompaniements of the Mechanisation of Industry, *American Economic Review*, mars 1930.

DESSEIGNE, *Répercussions du progrès technique sur l'emploi*, Paris, Cujas 1966.

DOMAR (E.), Expansion et emploi, *American Economic Review* 1947 (Cf. Abraham-Frois, Problématiques de la croissance).

EFFERTZ (O.), *Les Antagonismes économiques, intrigues, catastrophe et dénouement du drame social*, Paris, V. Giard et E. Brière 1906.

FELLNER (W.J.), Two propositions in the theory of induced innovations, *Economic Journal* 1961.

FERRAS (Gabriel), *Le Progrès technique et le chômage*, Paris, Les Presses Modernes, 1938.

FOURASTIÉ (Jean), Le Progrès technique et l'évolution économique, Paris, *Les cours du droit*, 1970.

FOURÇANS (André), TARONDEAU (J.C.), L'impact réel de l'automatisation, *Revue française de Gestion*, n° 21, mai-juin 1979.

FREEMAN (G.), *Technical change and unemployement*, Science Policy Research Unit, University of Sussex, janvier 1978.

GAFFARD (J.L.), Efficacité de l'investissement, *Croissance et Fluctuations*, Paris, Éditions Cujas 1978.

GAFFARD (J.L.), L'investissement et l'emploi, *Eurépargne*, n° 4, 1979.

GOLD (Bela), *Technological change : economics, technology and environment*, Oxford, Pergamon 1975.

GRAS (M.), *Du machinisme et de ses conséquences économiques et sociales*, Paris 1911.

GREGORY (R.E.), Rationalisation and technological unemployment. *Economic Journal*, décembre 1930.

GOURVITCH (A.), *Survey of Economic Theory on Technological Change and Employment*, Philadelphia U.S. Works Progress Administration National Research Project 1940.

HAMMERMAN (H.), Progrès technique et licenciement des ouvriers. Étude de 5 cas concrets, *Bulletin Sedeis*, 10 juillet 1965.

HANSEN (Alvin), *Full recovery or stagnation*, New York 1938.

HANSEN (Alvin), Economic progress and declining population growth, *American Economic Review*, mars 1939.

HARROD (R.W.), Towards a dynamic economics, Londres, Mac Millan 1948.

HASTINGS (H.B.), The economic effects of labor-saving machinery on labor, *Management Review,* octobre 1933.

HEERTJE (A.), *Economie et Progrès technique,* Paris, Éditions Aubier 1979.

HENDERSON (H.D.), The displacement of labor by machinery, *Human Factor,* juillet-août 1937.

HICKS (J.R.), *The Theory of Wages,* 1932 Oxford et Smith, New York 1948.

HICKS (J.R.), *Valeur et Capital,* Paris, Dunod 1956.

HOLLARD (M.), La comptabilité sociale en temps de travail, *Thèse,* Grenoble 1977.

JOUFFROY (P.Y.), Essai sur la notion de goulet d'étranglement dans l'analyse économique, *Thèse,* Montpellier 1967.

JUSTI (J.), *Traité complet des manufactures et des fabriques,* 1771.

KALBOR (N.), A case against technical progress, *Economica,* mai 1932.

KALBOR (N.), Accumulation du capital et croissance économique. Problématiques de la croissance, *Economica,* 1977.

KENDALL, L'homme et la machine : l'opinion du chef d'entreprise, *Revue économique internationale,* 1931.

KEYNES (J.M.), *Théorie générale de l'emploi, de l'intérêt et de la monnaie,* Paris, Payot 1966.

KHERIAN, Le Chômage technologique, *Revue d'économie politique,* janvier 1932.

KHERIAN, *Esquisse d'une théorie du chômage transféré,* Paris, 1932.

KINTNER, Unemployment and labor-saving machines, *Iron Age,* 24 novembre 1932.

KRUZE (A.), *Technischen Fortschritt und Arbeitslosigkeit,* Munich 1936.

KUZNETS (S.), *Long term changes in the National Income of the United States of America since 1876,* Income and Wealth, Cambridge 1952.

KUZNETS (S.), *Croissance et Structure économiques,* Paris, Calmann-Lévy 1972.

LANDRY (A.), Une théorie négligée : de l'influence de la direction de la demande sur la productivité du travail, les salaires et la population, *Revue d'économie politique,* 1910.

LAUSSEL (D.), Peut-il exister une classification satisfaisante des inventions ?, *Revue d'économie politique,* n° 3, mai-juin 1979.

LECHUGA (M.A.), L'équivalent travail de production, *Thèse,* Toulouse 1975.

LEDERER (E.), *Technischen Fortschritt und Arbeitslosigkeit,* Tübingen 1931.

LEDERER (E.), Le Chômage technologique, *Revue internationale du travail,* juillet 1933.

LEFRANC (G.), *Histoire des doctrines sociales,* Paris, Aubier 1966.

LEONTIEF (W.), The fundamental assumption of the Keynes monetary theory of unemployment, *Quaterly Journal of Economics,* novembre 1936.

LEONTIEF (W.), *The structure of american economy 1919-1939,* New York, Oxford University Press 1951.

LEONTIEF (W.), Politique de l'emploi à l'ère de l'automation, *Informations O.I.T.,* 1978.

LEVADOUX (B.), Les nouvelles techniques et l'élimination des instruments de travail, *Thèse,* Clermont-Ferrand, Faculté de droit et des Sciences Économiques, octobre 1970.

MACHLUP (F.), *Erfindung und technische Forschung. Handwörterbuch der Sozialwissenschaften,* Tübingen 1961.

MAGAUD (J.), Équivalent travail d'une production. Nouvelle méthode de calcul et de prévision, *Population,* mars-avril 1967.

MANSFIELD (E.), *The Economics of Technical Change,* New York Norton 1968.

MANDY (P.), *Progrès technique et emploi,* Paris, Dunod 1967.

MARX (K.), *Critique du programme du Gotha,* 1875.

MARX (K.), *Histoire des doctrines économiques,* publiée par K. Kautsky, Paris, A. Costes 1924.

MARX (K.), *Le Capital,* Paris, A. Costes 1924-1928.

MASSÉ (P.), *Le Choix des investissements,* Paris, Dunod 1959.

MILL (S.), *Principes d'économie politique,* Paris, Guillaumin 1861.

MUMFORD (L.), *The Myth of the machine,* Londres, Secker and Warburg 1971.

NAVILLE (P.), *L'Automatisme social ? Problème du travail et de l'automation,* Paris, Gallimard 1963.

O.C.D.E., *Automation, progrès technique et main-d'œuvre,* Paris, 1966.

O.C.D.E., *Séminaire développement technologique et emploi,* Paris 13-14 novembre 1978.

OLPHE GAILLARD, Machine et chômage, *Revue d'économie politique,* 1911.

PAVITT (Keith), Technical change, The prospects for manufacturing industry, *Futures,* août 1978.

PIGOU (A.G.), *The economics of welfare,* Londres, Mac Millan 1952.

PROUDHON (Pierre-Joseph), *Système des contradictions économiques ou Philosophie de la misère,* Paris, M. Rivière 1846.

RANCHON (P.) et DUBRULLE (N.), *Demande finale et emploi. Approche par l'équivalent travail d'une production,* Paris, Centre d'Études de l'Emploi 1977.

ROBINSON (Joan), The classification of inventions, *Review of Economic Studies,* vol. V, 1937-1938.

ROSENBERG (N.), *The economics of technological change,* Harmondworth Penguin Books 1971.

SAUVY (A.), *Théorie générale de la population,* Paris, P.U.F. 1963 et 1966.

SAUVY (A.), *Mythologie de notre temps,* Paris, Payot 1965.

SAUVY (A.), Un essai d'économie intégrale : la couverture de ses besoins par une population, *Population*, n° 6, 1968.

SAY (Jean-Baptiste), *Traité d'économie politique, entièrement refondu et augmenté d'un épitome des principes fondamentaux de l'économie politique*, Paris, A.A. Renouard 1814.

SEBER (N.C.), On the classification of inventions, *South Economic Journal*, 1962.

SELIGMAN (Ben B.), *Most notarious victory. Man in an age of automation*, New York, The Free Press 1966.

SISMONDI (Jean C.L. de), *Nouveaux principes d'économie politique ou de la richesse dans ses rapports avec la population*, Paris, Delaunay 1819.

SOLOW (R.W.), *Investment and Technical Progress. Mathematical Methods in the Social Science*, Stanford University Press 1959.

SOLOW (R.W.), Technical progress, capital formation and economic growth, *The American Economic Review*, Mai 1962.

SRAFFA (Piero), *Production des marchandises par des marchandises : prélude à une critique de la théorie économique*, Paris, Dunod 1977.

STOFFAES (C.), La psychose Jacquard, dans *Demain n'est pas un autre jour*, ouvrage collectif, Paris, Hachette, 1979.

STOLERU (L.), *L'Équilibre et la Croissance économique*, Paris, Dunod 1969.

SWEEZY (P.M.), Schumpeter's theory of innovation in the present as history, New York, *Monthly Review Press*, 1962.

URE (Andrew), *Philosophie des manufactures ou économie industrielle de la fabrication du lin, de la laine et de la soie*, Paris, L. Mathias 1836.

VINCENT (A.L.A.), Population active, production et productivité dans 21 branches de l'économie française 1896-1962, *Études et Conjoncture*, février 1965.

VINCENT (A.L.A.), *La Mesure de la productivité*, Paris, Dunod 1968.

VON WEIZSACKER (C.C.), *Wachstum, Zins und optimale investitions quote*, Bale 1962.

ZIND (Richard G.), L'hypothèse hicksienne de neutralité technologique : analyse et estimation, *L'Actualité économique*, n° 4, octobre 1978.

# INDEX DES NOMS CITÉS

# Table des figures

# Table des matières

*Deuxième partie*

LES IDÉES ET LE MÉCANISME

*Troisième partie*

## OBSTACLES DIVERS ET POLITIQUE DE L'EMPLOI

IMPRIMÉ EN FRANCE PAR BRODARD ET TAUPIN
7, bd Romain-Rolland - Montrouge - Usine de La Flèche.
HACHETTE/PLURIEL - 79, bd Saint-Germain - Paris.
27.24 - 8384 - 01
ISBN : 2 - 01 - 008809 - 3

27.8384.3